多拠点で働く

建築・まちづくりのこれから

ユウブックス

はじめに

本書に登場する九組の建築・まちづくりの実践者は、たまたま同時代に多拠点で働く価値を見出し、自分なりの手法やプロセスを用いて、地域を移動しながら働くことを最大限に楽しんでいる。コロナ禍を経て在宅勤務やオンライン会議が一般的になったことで、住む場所を新たに選択したり、出社日を減らして自宅や気に入った場所で働く日数が増えている人も多いようだ。ただ本書で紹介する九組は、ほかのどの職種の人たちより、クリエイティブに、よりアクティブに、多拠点で働く意味や価値を引き上げ、建築・まちづくりの職種のポテンシャルを使い倒しているといえるのではないだろうか。

そもそも建築・まちづくり分野は、地域との関わりが強く、その土地にあるものや、その土地だから生み出せるものを形にしたり、その土地だからこそ活かせる環境や運用方法や仕組みを、リサーチしつつトライアンドエラーで実践していくことが多い。それにもかかわらず、実践を考えている若い建築・まちづくりのプレイヤーは、大学や企業が多い都市部に数多く存在し、地域にいくほど圧倒的に減少する。そのバランスの悪さは以前からいわれていたが、移住はハードルが高く、地域のプレイヤーを増やす方法論が待ち望まれていた。その方法こそ、地域に完全移住をするわけではなく、多拠点で働くことではないだろうか。コロナ禍によってオンラインでのコミュニケーションが一般的になったいまだからこそ、地域と都市の両方に関わることができる。仕事も辞めずに、副業的に、とりあえず思い立ったら、地域にある建築・まちづくりの実践フィールドに身を投げ出してみる。本書は、そんな地域に入っていく人が増えていく未来を見越してまとめられた。

ここに登場する実践者には自らつくり上げたメソッドを赤裸々に公開しながら、メリット・デメリットを整理し、多拠点で働く際に頭を悩ませる課題やリスク（会社に勤務しながらイレギュラーな働き方をすること、家の見つけ方、移動の費用をどう節約するかなど）をどうクリアしたのかできるだけ網羅してもらえるよう努めた。これら実践をまとめて一覧すると、読んだ人の頭のなかに、自分と近い部分や、真似したい感覚など、ピンとくる感覚がどこかで芽生え、自分好みの拠点で働くイメージが紡がれることだろう。
本書がそのような新しい働き方や地域活動の一歩を踏み出す一助になることができれば嬉しい。

二〇二三年七月

西田　司・永田賢一郎・勝亦優祐・丸山裕貴・大沢雄城

巻頭座談会

「多拠点で働く」ことのすすめ

西田司　オンデザインパートナーズ
永田賢一郎　YONG architecture studio
勝亦優祐　勝亦丸山建築計画
丸山裕貴　勝亦丸山建築計画
大沢雄城　オンデザインパートナーズ

——多拠点で活動する建築・まちづくり関係者が少しづつ目立ち始めています。独立して設計事務所を多拠点で構える、オフィスや住居などの居場所をシェアする、企業に所属しながら遠方に通うなど、そのかたちはさまざまです。そんな多拠点活動を介して発見できる都市への視点や、得られる価値について、本書の編集委員が議論します。

多拠点での活動が増えてきたわけ

西田：「多拠点で働く」をテーマに本をつくったきっかけは、僕が勝亦さんから「このあいだ、山を買ったんです」という話を聞いて、地方を拠点にするって首都圏にはないおもしろさがあるんだなと思ったこと。それにオンデザインパートナーズのスタッフの大沢さんが新潟でも個人的に活動していたから、これはすごく現代的なテーマになると思ってユウブックスに話をしたのが始まりです。そもそもなぜ、建築やまちづくりに関わりながら多拠点で活動する方が増えたんだと思いますか？

大沢：大きな話をすると、やはり社会の高齢化や過疎化で、空き家の増加やまちの衰退などの問題が発生して、それへの対峙という流れがありますよね。

西田：それはベースにありますね。大学に入学するにあたって地方から上京する学生がたくさんいますけど、このあいだ、勝亦丸山建築計画の事務所を学生たちと訪問したとき、就職先は東京かもしれないけど、二拠点というかたちで出身地でも活動していくという方法に、自分を重ねている子がたくさんいたんですよ。
大沢：僕自身が新潟市に戻った理由には、自分が育ったまちで子育てしたいという気持ちもあるし、加藤優一さんが山形に三拠点目を置いたのも、お父さんが倒れられたことがきっかけとありました。中山佳子さんが企業に所属しながら水戸のまちづくりに関われているのも、出身地への愛着ですよね。
永田：多拠点で活動するにもいろいろな目的がありますが、僕らあたりから一世代下までは、リノベーションで仕事が取りやすくなった世代なんです。地元で小規模なリノベーションの仕事をして、独立する人が増えている。ただ始めたからには、その方法で仕事を取り続けないといけないことが大半だから、リノベーションで店を始める人やその周辺と人間関係を構築していくことになって、まちづくりや拠点運営なんかとつながっていったように思います。
西田：リノベーションで設計した店のご近所から頼まれたり、その場所を自体をよくするためずっと関わり続けていくということもありますよね。
丸山：勝亦が地元に帰っていろいろ提案したときに、言われた一言が「お前がやれば（場を始めれば）いいじゃん」だったんですよ（笑）。自分で仕事をつくるとなると、手探りで環境をつくっていくということにもなりますよね。それに目の前の課題を解決しようというときに、建物を設計するだけじゃ解決しないというのも感じるし、建てる前にも、建ったあとにも、何かしないといけないことがある。
勝亦：それから、小さなスケールのプロジェクトでも大きな射程を語れるようになったというのはあると思う。それが評価されることも増えてきたように思います。

動き続けることで都市を相対化できる

西田：多拠点での活動を通して、建築や都市に対して何か新しい発見はありましたか？

永田：場所の魅力を再発見できたなと思います。僕は横浜と長野県の立科町の二拠点で活動していますが、立科町に住み始めて、横浜には「まちを歩ける」という価値があったんだと改めて気づきました。まちを歩けるということは、すべての地域で当たり前なのではないということ。偶発的な出会いが生じたり、自動車に乗らずに誰でも身軽に移動できるということは都市部固有の価値なのだと感じました。動き続けることで地域を相対化できるんだとわかったのが一番の発見ですね。

西田：新鮮な視点で都市を見ることができるわけですね。逆に部外者だからこそ、そのまちのよさに気づけるということもありそうです。本書の執筆者のなかでも、石飛亮さんは客観的な視点をもち続けるために五島列島に住まずにあえて通うことにしたそうですし、藤沢百合さんも多拠点の魅力に地方に残る知恵の発見と都市への逆輸入が楽しみだと挙げられていますよね。杉田真理子さんもよそ者だからこそ提供できる視点や関係性を逆手にとって展開しています。

永田：そうですね。さらに言えば、移動できる立場の人間の役割は、そのまちの魅力をきちんと発見して、住人にプライドをもってもらえるような働き掛けをしていくことだと思います。たとえば立科町だと、まちの課題についてはいろいろな人が言われるんですね。だから多分、まちの人も聞き飽きている。そうなると、空き家の活用などの話でも「こんなまち、誰も住まないよ」「こんな家借りないから」というような諦めがちな消極的な雰囲気になって、そもそもアクションしないという方向に動いてしまいがちなんですよ。

だから「そうじゃないんだ」という視点にちゃんともっていくというのが、まちづくりでするべき第一歩かなと思っています。

置く場所を変えることで生まれる価値を最大限に利用する

西田：多拠点ならではのメリットというものを感じたりはしますか？

勝亦：二拠点ということと、設計と建築運営という二つの事業をしていることが相まって、謎の情報がいっぱい入ってきますね。「これ買ってほしい」とか、「余っているんだけど何かに使えないか」とか、「こういう人がいるんだけど、どうでしょうか」とか。キャンプ場を買わないかという話もありました（笑）。やはりモノや素材などの使える武器やツールが増えるというのがメリットだと思います。

西田：この前、勝亦さんと富士のまちを一緒に歩いてて、古い建物の前を通り過ぎようとしたら「今度これ買うかもしれません」って言ってて（笑）。

勝亦：所有することももちろんあるんですが、でも所有しなくても使えると思うんですよ。お金や運営者やデザインの話がすぐにまとまってプロジェクト化できるための資源を自分のまわりに置けるようにと思っています。

西田：武器やツールというのは、所有しているということばかりじゃないんだね。借りられるということもある。

勝亦：仲がいい人がもっているものを借りたり、空き家になっている物件について、聞いてみたり。いい物件がないかは常に意識していますね。それからモノについては東京には足りてないと思っていて、足りないモノを静岡から調達したりもします。「SANGO」(二〇二二)であれば富士宮市の自分がもってる山から火山岩を拾ってきて、仕上げに敷いています。逆に東京で出会った人でおもしろいスキルをもっている人を静岡に連れてきて、つなげていくと一気に輪が広がってプロジェクトが生まれることもありますね。人は東京からローカルに、モノは静岡から東京に、と意識して動いていたら、まわりにいろんなプロジェクトが生まれてきて、いい感じになっています。

西田：何か、大航海時代にバスコ・ダ・ガマがインドから香料をもち帰って、ポルトガルに莫大な利益をもたらした話と似てますね。

勝亦：置く場所を変えると価値が出るという話ですね。自分が動くときは何でもかんでも一緒に動かしてます。

コミュニケーションと仲間づくりが多拠点活動のコツ

西田：モノを動かすと価値が出るという話ですけれど、そのモノにストーリーも載せられますよね。

そのストーリーこそ、価値をより高めていく。つまりリアリテイがあるということが、すごく強い価値になるなと思います。金額でいえば、五倍くらいになる。それを空間でつくる場合もあればモノでつくる場合も、人脈でつくる場合もあるというのがおもしろいと思います。

丸山：僕たちはシェアハウスを案内するときはツアーをするんですよ。ツアーの合間にいろんな文脈、たとえば「これはどこからもってきたモノ」とか、「これはこういうところで出会った人から調達したモノ」とか、さらにシェアハウスの周辺を歩いて「あの銭湯はこういうタイミングで行くといいよ」「その帰りでこれ買って飲むとすごくうまい」とか、そんな情報を伝えるようにしています。それはエンタメ的におもしろいと思って。竣工写真や動画だとどうも伝わらないということがよくあって、人数は減るけど足を運んでもらってコミュニケーションを取るほうが、専門誌で読まれるよりも波及効果は高いかなと思っています。

大沢：僕も自分自身がメディアになっていく感じはわかります。自分で直接伝えたり、その場に来てもらって感じてもらう。それはセルフブランディングやセルフプロデュースというより、届けにいくという感じに近い。

西田：大沢さんが、たとえば広告を打って大勢に知らせるよりも、少なく絞った濃密なコミュニケーションのほうを選ぶというのは、どんな意味をもってるんでしょうか。

大沢：結局のところ、それが自分の次のプロジェクトにつながるんじゃないかと。言い方は悪いけど、営業に近いのかなと思います。ただ建築の話の前に、いろんな人とコミュニケーションを取れていることが意味をもつと思います。

西田：この本の著者全員がコミュニケーション上手なんだろうなと思いました。

大沢：加藤優一さんの原稿を拝見して、三拠点目の山形に行ってからのプロジェクトをつくる滑らかさが衝撃的でした。つまり仲間をつくって、プロジェクトを起こして会社にしてという流れが、めちゃくちゃ滑らか。それまで積み重ねてきたノウハウがあるのだと思いますが、ほかの著者の方たちも、仲間のつくり方が本当に上手ですよね。

丸山：確かにそうですね。友達をつくるのが苦手なタイプはどうしたらいいんでしょう（笑）。

大沢：加藤さんも書かれていたけど、自分で全部やらなくていいように、パートナーを見つけるという力も、みなさんすごくもってる。たとえば物件探しは不動産関係者の仲間をつくればいいとか。

永田：あと、資金的な体力はあるけどアイデアが出てこないという企業さんもいらっしゃいますね。こちらで企画したものに、それ出資するよ、と言ってくれて急にプロジェクトが具体化するということもありました。

西田：東京の企業は協賛を頼まれ慣れてるけど、地方だとロータリークラブや青年会議所、商工会議所などの祭りに寄付金を出すくらいしか協賛の方法がなくて、ほかにも何かいいことに協力したいと思っている企業はたくさんあると思います。

個人活動ならではの実力が身につくことが企業にとってのメリット

西田：大沢さんはオンデザインパートナーズに所

属しながら個人でも新潟市で活動しているわけですけど、そういう立場での多拠点活動の魅力はどんなものがあると思いますか?

大沢：場所の二拠点というだけでなく、僕は所属先が二拠点になるわけなので、その二つのあいだを移動するということ自体が大事なことだと思います。同じ企業に属していると、そこにずっといることで価値が生まれてくる。それに対してあえて自分から揺るがしていくと、まったく別の視点から考えるきっかけが生まれる。それにすごく価値があると思います。それはほかの企業に属している著者の原稿を読んでいても感じました。

勝亦：加藤優一さんや中山佳子さん、梅中美緒さんら、企業に所属しながら多拠点で活動されていた方は、それが自分にとってどういうことなのか、明確に言語化できていますよね。さらに自分に何ができるのかに対してもすごく意識的です。

大沢：企業に属していることでのノウハウはもちろん蓄積されていくわけだけど、そこから出たら自分個人でできることを提供しないと始まらない。だからその部分を意識せざるを得ないですよね。そうすると、やがて個人としてはこれができるけど、組織に関わるとこれができますというふうに、段々と使い分けられるようになる。

その結果、いま自分は一から三までは僕個人でやったほうがいいけれど、四から七までは組織でやったほうがいいですね、ということを言い出すようになってます(笑)。

丸山：西田さんにお聞きしたいのですが、オンデザインパートナーズでは就業時間の二〇%を自由研究に使ってよしとしていますが、スタッフの成長の時間をつくることで、会社としてはメリットがあると考えられているんでしょうか。

西田：それはあると思います。たとえば大沢さんは、近所の大工さんと一緒に自邸の改修施工をしたり、地元のデザイン集団が運営するまちの交流拠点「上古町SAN」（二〇二一）の設計もしている。オンデザインパートナーズでは、規模の大きいプロジェクトのプロデュースやマネージメントをしているので、行政や大企業の方とやりとりすることが多いのですが、新潟だとまちの人たちと直接コミュニケーションしてどんどん焚きつけて、プロジェクトを動かしていってる。会社のなかで得られるスキルとは別のスキルを、勝手に身につけてるんですよね。

丸山：アトリエ設計事務所だと、基本的に独立前提だから、三、四年で辞めるじゃないですか。だから投資コストがかなり高くなる可能性があるけど、そのあたりは気にしていないんでしょうか。

西田：たとえば大沢さんが自由研究をしないで、週五日まるっと働いてくれたほうが企業にとっては得だよね、とその瞬間だけ見てたら思いますよ。だけど求められる案件によって自分の動き方を変えられたり、求められることを察してチームの人員を組むことができたり、そんなふうに自分の頭で考えられる人が増えるというのは、企業にとってもとても有利なことだと思います。

プレイヤーの少ない地方での活動のすすめ

西田：最後に、多拠点活動をおすすめできるポイントがあったら挙げていただけますか？

勝亦：微妙ですけど、すぐに有名になれるというのはある（笑）。ローカル新聞にたとえば「屋台をつくった」みたいなプレスリリースを送ると、すぐに取材に来て掲載してくれるし、そこから市役所のいろんな部署の部長さんと顔見知りになって、プロジェクトの参加の誘いをもらったりと、すごく有効なつながりが簡単にもてる。

永田：意外とローカルから知名度を上げていって首都圏に活動を広げるというほうがショートカットなんじゃないかと感じます。

勝亦：やっぱり、どんな括りのなかでも「一番の人」って言われたら、その人に一度話を聞こうかなとなりますよね。だからその括りをグッと小さくしちゃうということですね。

永田：たとえば勝亦さんに会いに富士市に行ったとすると、そこから地域で活躍しているほぼすべての人に会うことができます。つながれる人が多くなるから、プロジェクトにもつながりやすくなる。それに地方は場所も時間もあるけど、人が少ないから、首都圏よりも活動できることがたくさんあって、暮らす環境や働く環境やプロジェクトをじつはつくりやすいんですよね。プレイヤーは重宝されます。

勝亦：プロジェクトのイメージや全体像をつくれる人が、とくに地方では少ないように思います。

大沢：そこに、全体像の提案に慣れている建築学科出身の人たちが、フィットするんでしょうね。

一番地域に入り込みやすいのは、出身地であったり、縁がある場所だと思うけれど、そうでない場合は地域おこし協力隊や研究職などでもきっかけにはなると思います。首都圏だけが活躍の場ではないし、地方のほうが建築関係者が必要とされる場面が多いので、首都圏で格闘している設計者こそ、積極的に地方に足を延ばしてみることをおすすめしたいですね。

横浜＝立科町

「不在」を想像し デザインで人や場所をつなぐ

永田賢一郎

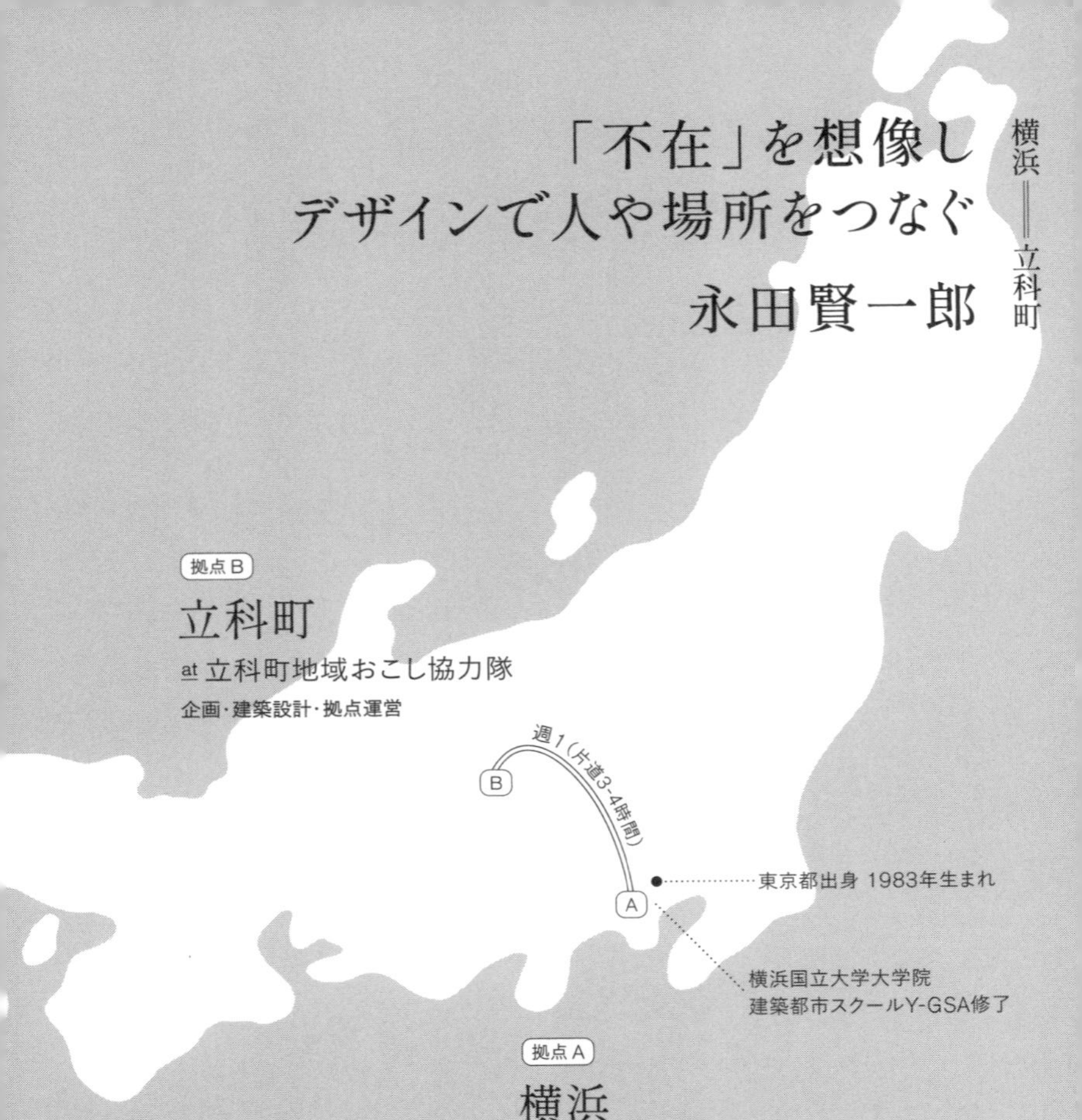

拠点B

立科町

at 立科町地域おこし協力隊

企画・建築設計・拠点運営

拠点A

横浜

at YONG architecture studio

企画・建築設計・拠点運営

専門領域	建築
仕事内容	設計・企画・拠点運営
所属	YONG architecture studio代表
多拠点の魅力	地域を相対化する視点が生まれること、その場所の魅力の再発見、 双方向の地域へのフィードバックができる、人や場所をつなぐ役割を担えること

――横浜と長野のパラレルな暮らし

YONG architecture studio（ヨンアーキテクチャースタジオ）は横浜を拠点に活動する設計事務所だ。横浜から京浜急行で一駅の戸部駅から徒歩一〇分ほど、藤棚商店街の中にある、黄色とグレーの暖簾がかかった「藤棚デパートメント」（二〇一八）というシェアキッチンの一角に事務所を構えている。

設計事務所といっても規模は小さく、空き家や空き店舗といった地域のストックの活用や改修、運用といったことが活動の中心だ。この「藤棚デパートメント」のほかにも周辺では「藤棚のアパートメント」（二〇一六）というシェアアパートや、空き倉庫を活用したシェアアトリエ「野毛山kiez」（二〇二〇）、空きビルを活用したスタジオの「南太田ブランチ」（二〇二〇）といった拠点の設計や運営も行っている。

また、商店街のなかでは商店会理事として携わり、

1

2

地域のお祭りや商店街の運営などにも関わらせていただいている。

一方で長野県北佐久郡にある人口六九〇〇人程度の立科町という小さなまちで「地域おこし協力隊」としても活動、空き家の再生や移住定住促進などの取り組みを行っている。月の半分はこの立科町で暮らしながら活動し、もう半分は横浜で暮らしている、という具合だ。どちらかを本拠地、もう一方を支店、または別荘とせずに、パラレルに同じだけ関われるような暮らし方を実践している。

――「ヨコハマアパートメント」で始まった建築活動

とは言うものの、横浜も長野もどちらも自分の地元ではない。生まれ育ったのは東京で、学生時代に一人暮らしを始めたのがきっかけではじめて横浜と縁ができた。

横浜ではじめて暮らしたのは当時のアルバイト先であったオンデザインパートナーズ設計の「ヨコハマアパートメント」という、一階に大きなピロティ空間をもつシェアアパートだった。そこはちょっと変わったアパートで、半屋外の一階スペースでアパートの入居者同士やオーナーさんも交えて、日頃からご飯を食べたり、展示会やクリスマス会といったイベントが行われる環境だった。当時建築

3

1藤棚商店街にあるYONGの拠点「藤棚デパートメント」(設計：YONG architecture studio、二〇一八年) 2立科町の中心地にある移住相談所「町かどオフィス」(設計：YONG architecture studio、二〇二〇年) 3「ヨコハマアパートメント」(設計：オンデザインパートナーズ、二〇〇九年)。展示やイベントなどが頻繁に開催され、多くの人の交流場所に

学科の大学院生だった僕はよく設営や会場構成といった手伝いをさせてもらっており、そこでオーナーの知り合いであるご近所さんや商店街に暮らす人々との出会いが生まれた。また大学の同期との建築の活動も始まった。いま思えば、はじめての一人暮らしがここだった影響もあり、自分のなかで自然に「地域の人たちのなかで暮らす」感覚が身についていった気がする。

とくに「ヨコハマアパートメント」のオーナーさんとの出会いは大きく、いろいろな人を紹介してくれたり、展示の機会を与えてくれたり何かと可愛がっていただいた。卒業するときには、「あなたが独立するとき仕事お願いするから」と声をかけられ、その後約束通り、仕事を依頼されたことがきっかけで設計事務所を大学の友人と横浜で立ち上げることにもなった。

言ってみれば、建築を志す人生となってからの第二の地元が横浜になったのだった。

——地域に居場所を埋め込んだ「旧劇場」

また、現在のような活動を始めるきっかけとなったプロジェクトとして、友人と「IVolli architecture」という設計事務所を開設して二年目の頃に横浜の黄金町に

4

5

つくった「旧劇場」（二〇一四）というスタジオがある。アーティストや大工、建築家やカメラマンなどの若手の仲間が集まって、はじめて自分たちで物件探しから改修工事、運営まで行ったプロジェクトである。

そこはかつて違法風俗などがはびこった黄金町の名残ともいえる元・ストリップ劇場の建物で、一階には劇場のホールがあり、二階は踊り子さんの控室&事務所の名残があった。当時の様子をなるべく活かして一階を木工作業場に、二階を建築事務所やアトリエに、そのあいだの中二階の映写室跡を写真家のスタジオとしていた。

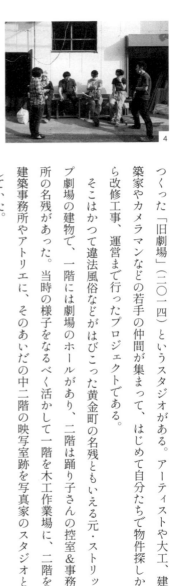

旧劇場があったのは二〇一四年から一八年までのたった四年間だったが、とくに印象的な出来事が二つある。ひとつは夜遅くまで作業しているとき、近所のおばあちゃんが「電気が遅くまで点いているし夜でも道が明るくて安心するわ」と言ってくれたこと。その場所で活動しているだけで、地域の人に喜んでもらえることもあるのだ、とそのときに思ったのを覚えている。ひとつのテナントとして適当な場所に事務所を構えるのではなく、顔の見える関係のなかで、地域のなかに根づく拠点を仲間とつくることの意義と魅力を感じていた。

もうひとつは、とある晩に酔っ払った女性が「ちょっと中見ていいですか」と

6

4・5・6「旧劇場」(二〇一四年)。4はストリップ劇場のDIY改修を行う「旧劇場」メンバー。5は「旧劇場」のオープニングイベントの様子。6は二階にあった当時の設計事務所。奥の看板はストリップ劇場当時のもの

急に入ってきたときのこと。通りすがりの酔っ払いかと思ったその女性は、かつてこの場所で働いていた踊り子さんであった。建物の隅々まで歩きまわりながら感動した様子で「これはオーナーが私たちに向けて書いたメッセージ!」とか「この棚は赤ん坊の面倒見るときに私が付けたものなの」とひとつひとつ嬉しそうに説明してくれた。

通常、物件を借りて改修するときに、以前そこを使っていた人と出会うことはあまりない。そのため、僕らは建物の現状を見て勝手にいろいろ想像して「これは珍しいから残そう」とか「これは汚いし撤去してしまおう」と判断してしまう。あるものは「地域の歴史的価値」として、またあるものは「ただのノイズ」として。ただ実際はひとつひとつの痕跡に意図があり、個人の生活の跡がある。この女性が話せば話すほど、すべての箇所が鮮やかに、また温かみを帯びていくように感じたのを覚えている。

場所というのは人をつなぐ。「ヨコハマアパートメント」も「旧劇場」も、住んでいる人や地域の人だけでなく、これからその地域で暮らす人や、また過去に暮らしていた人との接点も与えてくれた。僕自身もかつて夜中に訪れてきた女性のようにたまにヨコハマアパートメントに顔を出すことがあるのだが、横浜を地

7「藤棚のアパートメント」（設計：Ivolli architecture、二〇一六年）共有部。ワークショップなどが開かれる

元のように感じられるのは、そこに「帰ってこられる環境がある」からなのだと思う。そしてこの「帰ってこられる環境」というのは、いまでも自分が建築の設計や企画をするときに大事にしている感覚である。

――暮らしながら活動する

横浜の仕事で最初に依頼をされて設計をしたのは卒業時に約束してくれた「ヨコハマアパートメント」のオーナーからの仕事である。オーナーのもつ木造平家の三軒長屋の物件を「人が集まれる場所のあるアパートに」改修するのが要望であった。共有部が庭にまで広がるそのアパートは「ヨコハマアパートメント」の姉妹店として「藤棚のアパートメント」と名づけ、引き渡し後に自ら入居者となって一部屋借りて住むことにした。

自分が設計した物件の住み心地を試したいという思いもあったが、「人が集まれる場所」は果たして、人が集まるのか、というのも実証したかった。竣工写真を撮り、建築雑誌に載せたら勝手に人が来るようになるわけではない。その場所に暮らしながら、地域の行事に参加し、ワークショップや勉強会の企画など、建築と地域との接点をつくるための仕かけづくりを日々行っていた。身のまわりを豊かにしていく活動は日常の延長にあり、非常に充実した日々であった。

すべての建築に携わる人間は、自分の暮らす家や働く事務所の近所から豊かにしたらいいと思っている。それが一番身近で楽しくできる活動なのではないだろうか。皆がそれをやるだけでどれくらい多くの地域が魅力的になるだろうかとも思う。仕事ではなく日常の延長として、パブリックマインドではなくパーソナルな思いとして、身のまわりの環境が豊かになることを想像したら、活動することは楽しみでしかないのではないだろうか。

——〝ないものはつくる〟でできた「藤棚デパートメント」

二〇一八年、個人的に大きな転機が訪れた。二〇一三年から友人と始めた設計事務所を解散し、それぞれ個人の事務所を設立するようになった年であり、先述の「旧劇場」が契約の都合で三月に終わりを迎えるタイミングでもあった。一方で藤棚ではアパートメントの活動が周囲に徐々に知られるようになってきた頃で、商店街の方や自治会の会長さんなどから増加する空き店舗の問題や活用についての相談なども入るようになっていた。

自分の身の振り方のタイミングと、暮らしている地域の時間の流れ方を見比べ

8

9

8「藤棚のアパートメント」。「ヨコハマアパートメント」のオーナーからの依頼で設計した　9「藤棚デパートメント」。地域の担い手をつくるシェアキッチンと設計事務所、本屋が入っている

てみたときに「いまこのときに、ここ藤棚で拠点をつくるべきなのでは」という思いが浮かんできた。

藤棚商店街は日頃使っている商店街だったが、全国の商店街と同様に空き店舗の増加に悩まされ、どのように新しい地域の担い手となる店主をつくるかが課題だった。地域で暮らす住民の一人としては地域に魅力的なお店や人たちが集まる場所にしたかったし、建築を生業とする身としては何か提案をしたいという思いもあった。ただ案だけ出したところで、「それは誰がお金を出してやるの？」という話になる。「誰かお金を出してくれる人が出るのを待つのか？」「いつまで？」そうこうしているうちに空き店舗はどんどん増えていってしまう。

建築設計の仕事は、基本的にお客さんから依頼が来てはじめて動く、リアクションの仕事であると言える。お金はまずお客さんが用意し、与えられた予算のなかで建築家は設計をするのが通常である。

ただ、地域を相手にする場合、このリアクションの体質は非常に歯痒い。適切なタイミングで適切なアクションをつくるには、お金を集めるところから考えていかないと、建築家の職能は役に立たないのだ。そこで、最初に「商店街にこういう場所をつくりたい」という企画書をつくり、銀行に相談に行くところから始

めたプロジェクトが最初に紹介した「藤棚デパートメント」である。

地域の担い手をつくること。商店街活性化につながること。同時に、自分の事務所として機能すること。長く続けられる場所にすること。そういった、地域の課題と自分の課題とを擦り合わせた結果として、事務所の一部を日替わりカフェとして出店できるシェアキッチンとして貸し出すという提案に行き着いた。そうすることで、事務所を構えながら賃料収入を得て、商店街に出店したい人たちへの出店機会の創出もできると考えた。

このようにして事業計画を作成し、融資やクラウドファウンディングも駆使して無事資金も調達、二〇一八年五月に「藤棚デパートメント」が生まれた。「お客さんがいないと設計の仕事は始まらない」という呪縛から抜けられた瞬間だった。

——（超）職住近接の横浜暮らし

「藤棚デパートメント」の店内の右奥には黒い壁に「YONG」と記した一角があり、そこが自分の事務所スペースである。

「藤棚のアパートメント」と「藤棚デパートメント」は徒歩で二〇秒ほどのすぐ近くの距離だったので、言ってしまえば「（超）職住近接」の暮らしである。

10「藤棚デパートメント」内のYONG architecture studioの事務所

ここまで近いと、感覚としては家の外まで家の中のような、地域そのものが家のような感覚になる。家で沸かしたコーヒーを入れたカップを片手に事務所まで行くこともしばしばあった。またそれは物理的な距離だけでなく、仕事と暮らしの境界も曖昧にしていた。

キッチン利用者さんと会話を交わし、商店街の人たちと話し、「藤棚デパートメント」を利用したいという方の問い合わせがあれば面談をし、また視察に来た人たちを連れて商店街を歩くこともあった。そのまま自宅である「藤棚のアパートメント」のほうに案内し、気づけば全然関係のない話で盛り上がることも。半分以上の時間は人と話していることになるが、それがどこまでが仕事でどこまでが日常会話なのかはあまり境界がない。けれどこれが一番理想的で、一番大事な役割なのかもしれないとも思っている。

――〝地域の魅力〟を知るために必要な〝地域の外〟の視点

藤棚にはお陰様でさまざまな地域の商店街や企業、まちづくり関係者の方が視察に来るようになったのだが、次第にあることに気づいた。「うちの商店街だとここまでうまくいかない」「理事会の関係が難しく受け入れてもらえない」「住宅

11 藤棚商店街の日中の様子

地の中で人の往来がない」といった、「うちに比べて藤棚は条件が最初からよい」という視点で見られる意見が一定数出るのだ。

その地域に根ざして暮らす人、とくに商店街などで昔からその場所にいる人たちは、自分のまちをベースに「昔といま」を比較して課題をつくる。確かに藤棚商店街でも最初の頃に受けた相談は「空き店舗が増えている」「若い人が減った」といった、過去と比べたネガティブな視点であった。しかしほかの地域の人たちから見るとこの商店街は「条件がよい」と見えるようだった。自分のまちの「課題」を見つけるのはじつはたやすく、誰でも不満や悩みが言える。逆に自分のまちの「よいところ」や、ほかの地域に比べての「優位性」、「魅力」はあまりに地域に慣れすぎて見えなくなりがちなのだ。外部からの視点によって、この地域のよさを改めて把握する必要があるのではないだろうか、と次第に思うようになっていった。

——二地域居住への舵取り

具体的に事が動き出したのは二〇二〇年に入ってすぐの頃だった。「藤棚デパートメント」という拠点をつくったことで横浜での軸足が固まってきた感覚があり、それまで暮らしていた「藤棚のアパートメント」を退き、新しい人を藤棚に呼び込むことに決めた。自分がずっといろんな場所を抱え続けるのではなく、新しい人が入れる場所を用意しておいたほうがまちのプレイヤーは増える。そう考え、拠点は「藤棚デパートメント」に残したまま、住居は違う場所に移す計画を立てることにした。「職住近接」から「二地域居住」へのシフトだった。ただ、その二拠点目はどこにするのか。ひとつ目の場所は、自分が住んできたまちや、進学先、就職先といった環境で決まることが多いが、二つ目の拠点はもっと主体的に選択することができる。では自分が関わりたい地域、暮らしたいと思う場所はどこなのか。

自分の場合、ひとつは、いまいる場所とはまったく環境の異なる地域であることが条件だった。藤棚はいっても横浜という人口三七七万人の大都市の中央にあり、また臨海部でもあり、東京からも近い環境だ。それとは全然異なる場所から横浜を見てみたかった。また、もうひとつは、「いつか暮らしてみたい」と純粋に思える場所であること。日々の生活を営む場所になるのだから、自分の思いには正直になったほうがいい。そういった視点から、住まいのあり方について妻とも話しあい、長野県が候補に挙がったのだった。長野県は、幼少期によく両親に蓼科高原に連れて行ってもらったことがあり、その思い出から結婚式も蓼科で挙げていたので、いずれ暮らしてみたいと思う土地であった。

――地域おこし協力隊という制度

とはいえ、その時点で長野県にツテがあったわけではない。思い出があってもきっかけがなければ、なかなか飛び込むのは難しい。第一、住む場所はどこにあるのか、仕事はいきなり開拓できるのか、まず誰と知り合うべきなのか、などなど。おそらく多くの移住希望者が最初にぶつかる問題がそこにあった。これはなかなか高いハードルで、地方で活動している友人や先輩などにも直接いろいろと聞いてみたが道筋が見えてこなかった。

そんな暗中模索の最中、富士吉田市で活動をする友人からあるとき、「地域おこし協力隊やってみたら?」というアドバイスをもらった。正直なところ、「地域おこし協力隊」の名前は聞いたことはあったけど何をしている活動なのかいまいちわからないし、ボランティアの活動か青年海外協力隊のようなものにも見えた。また、個人の建築事務所をすでに立ち上げている人間がやるものではない、という感覚もどこかにあった。

実際のところ、地域おこし協力隊としての活動を始めてからも、とくに建築関係の知人などに「なんでそんなのやってるの？」と不思議そうに聞かれることも多々あったので、おそらく僕の当初と同じような印象なのだと思う。なので、少しここで地域おこし協力隊についての説明をしておきたい。

地域おこし協力隊は、首都圏から人口減少や高齢化等の進行が著しい地域に向けて、地域の課題（地域ブランドのＰＲや、農林水産業、空き家対策や移住の促進など）へ取り組む人材を募り、その地域への定住、定着を図る仕組みである。募集人員として年齢も職種も幅広く設けられており、若い人から、自身で会社を経営されている方や早期退職されてセカンドキャリアとして活動するケースもある。地方自治体ごとに必要な職種を募集しており、任期は概ね一年以上三年以内で、活動内容や条件、待遇はさまざまであるが、移動手段である車や住居などを用意してくれる場合もある。なので、じつは地域に関わりをつくる制度としてはとても都合がよい。そして、全国的に人口減少と空き家が課題となっているため、空き家の利活用や場づくり、移住定住促進といった建築に関する業務での需要は非常に高い。

ただ一方で、その名前からなのか仕組みそのものからなのか、就労支援やボランティアの延長と捉えられることも多く、受け入れる自治体側の扱いが雑であったり、応募者側が単純に仕事と家が欲しいだけで問い合わせてくるケースがあるのも事実である。

要は、制度なので活用する人次第なのだが、建築の仕事で新しく地域と関わりたいという思いがある人にとってはこれほど都合のよい制度はないのではないだろうか。従来だと、建築の仕事で地域と関わる方法は、「出身地である」「仕事の依頼があって」「コンペを勝ち取って」といった選択肢が一般的であり、こちらから選んだ地域に入っていくケースはあまりない。一方で地域おこし協力隊は全国各地で募集が行われているので、興味がある地域で応募することが可能である。建築家が主体的に地域と関わる方法の最初の導入として、新しい選択肢と言えるのではないだろうか。

——立科町との出会い

そんなことで、改めて「地域おこし協力隊」を軸に調べることにしたところ、ちょうどタイミングよく募集が出ていたのが「長野県北佐久郡立科町」であった。この立科町のことは正直調べるまで知らなかったが、じつは「いつか住みたい」

12立科町の高原エリアの観光スポット、女神湖と蓼科山

と思っていた蓼科高原の麓のまちであった。しかも募集内容は「移住定住促進業務、空き家の対策」とあった。僕が横浜でやってきたことは、空き家や空き店舗の改修であったり、地域に新しいプレイヤーをつくることだった。考えてみれば、建築の仕事は、新しい土地に新しい人の住まいをつくるという意味で、移住・定住の仕事である。これ以上の条件にハマるものはないと思い、見つけたその日のうちに応募することを決めた。

立科町は長野県の東信エリアに位置する、人口六九〇〇人ほどの非常に小さい中山間地域のまちである。南北に細長く、北側が農村地域で、立科町の人口のおよそ九割が生活をしている地域である。公共施設が集まるまちの中心には中山道が通り、二六番目の宿場「芦田宿」も現存している。一方で南側は一体が国定公園となり別荘やスキーリゾートとして栄えた地域で、現在でも週末やレジャーシーズンには県外から多くの客が訪れる。まちには当然海はなく、電車も通っていない。また三階建てより高い建物もほとんど存在しない。つまり地方〝都市〟でもないのだ。すべてが横浜とは違った。でもそれがとてもよかった。

程なく、立科町役場の職員の方と面接をすることとなり、無事採用が決まったのだが、じつはこの時期はコロナ感染が広まりつつあるときだった。緊急事態宣言もあり、このタイミングでの横浜からの移住は非常にタイミングが悪いと、結局二〇二〇年の六月から長野県で協力隊としての活動を始めることになった。

――立科町での活動について

では実際、立科町に来て、協力隊として何をやっているのか。

立科町でのミッションは先述のように「移住定住促進」である。ただこれは非常に漠然としている。人口の少ないまちにどうしたら移住定住人口が増えるようになるのか、また現状ではなぜ人口が増えていないのか、そういったところから考える必要があった。立科町は、南側にリゾート地を抱えているため、県外からの旅行者はいまでも多いまちだ。そして、コロナ禍以前より移住希望の問い合わせも年間で五〇組程度ある（総人口六九〇〇人のまちに毎年五〇組の問い合わせは結構な数と言える）。では、なぜ人口が増えないのか。じつは立科町には、移住希望者に向けて紹介できる賃貸物件や戸建てといったものがほとんどないのだ。不動産事業者もゼロ件である。その一方で空き家は年々増加しており、二六〇件以上の空き家がこの時点ですでにあった。これだけ聞くと、空き家を活用できれば希望者に提供できそうだと思うのだが、まちの空き家バンクへの登録は例年五件ほどであまり機能していなかった。まちに不動産屋がないため、立科町の物件の情報はほとんどこの空き家バンク頼み。それではさすがに希望者に対して供給は追いつくはずもない。そこで、横浜でやってきた活動を活かし、まちの空き家の利活用促進と空き家バンク登録推進の啓蒙をミッションとして活動をすることにした。

――可能性〝だけ〟があるまちで三万円で拠点をつくる

着任してすぐの頃はとにかく立科町の中の空き家を見てまわっていたのだが、横浜から来たばかりの人間から見るとどれも、物件が「大きく」「安く」「環境がよかった」。都市部ではなかなか見つからないようなサイズの物件が破格の値段でゴロゴロ存在しており、つい自分で活用したくなって心躍ってしまう瞬間が何度もあった。三六〇度のどかな田園風景も広がり、苦労して小さな庭の面積を工面する必要も、予算ギリギリで開口部を設ける必要もない。いかようにも使えるし、可能性しか感じなかった。では、なぜ誰もこれに手をつけないのかというと、その〝誰か〟が存在しないからなのである。人口が少なく、過疎地である立科町では、まずこれらの物件をどうにかしようという人がいない。そしてやる人がいないから、やり方もわからない。可能性〝だけ〟がまち中に残っているのだった。

13

14

13・14「町かどオフィス」(設計:YONG architecture studio、二〇二〇年)。築九七年「藤屋商店」の建物につくった移住相談所。14は内部。まちで集めてきた什器や家具などで内装を整えている

ただ、そうであれば話が早い。自分が横浜でやってきたことはまさにこのような地で活かすためにあるようなものだった。「空き家の活用方法は活用事例がなければわからない」と役場の担当者にかけ合って、役所の名義でまちの中心にある一軒の空き物件を借りてもらい、そこに空き家の相談所をつくることにした。街道沿いで、開発もほとんど入ってない地域なので立派な空き家がたくさん残っていたのだが、そのなかでもとくに立地がよく、地域の人たちに長いあいだ親しまれてきた元・商店「藤屋商店」が空き店舗となっていたので、そこを拠点に「町かどオフィス」という事務所をつくった。「町区」という部落の角(かど)地なので「町かどオフィス」である。

築九七年の建物の一角で、内装はほぼ手を加えず、掃除をして、空き家や廃棄物扱いの家具や備品を集めてレイアウト。改装費はたったの三万円だった。いままでやってきたプロジェクトのなかでもっともローコストだ。一五年空き店舗になっていた物件は、たったの三万円で新しい場所に生まれ変わったのだった。

——独特の時間が流れるまち、立科

立科町での基本的な暮らし方はこうだ。

15

15立科町のローカルテレビ局「蓼科ケーブルビジョン」では移住希望と空き家の情報番組を放映

地域おこし協力隊は町の会計年度職員で、半ば公務員でもあるので、原則として、平日の月〜木曜を活動時間としている。「町かどオフィス」を朝一〇時に開けてまちの空き家の相談や改修の相談、地域の住民の話などを聞く。といっても人口も少ないまちなので、一日に来る人はせいぜい二人か三人。たまに観光で来た人たちが団体で立ち寄ることも。結局横浜と同じようなことをしているのだが、人が少なく、誰に聞いたらいいかわからないまちでは、こういう窓口が機能する。夕方五時になったらオフィスを閉めて帰宅。日が暮れるとまちはほぼ真っ暗で、人は誰も歩いていないので、この時間になったら営業終了だ。まちの中心にあるスーパーも夜八時には閉まる。横浜では考えられないスケジュールである。さらに、まちは完全に車社会で、徒歩で移動することはめったにないため、お酒を飲むような飲食店も数えるくらいしかなく、夜はかなり静かだ。非常にシンプルな社会がここにはある。

「町かどオフィス」での業務のほかには、空き家問題についての意識と理解を深めてもらうために、地元の高校で空き家と移住についての授業も行っている。また立科町には町内でしか放送しないローカルのテレビ局があり、そこでは地域の情報や幼稚園や小学校の行事などの様子を発信しているので、そこで移住希望者の声を届ける番組を新たに作成し放送もしている。空き家所有者さんの多くが「知らない人に貸すのが不安」と空き家を提供することをためらってしまうので、「どういう人が借りたいと言っているのか」を発信しようと始めたものだ。

小さなまちはじつはやれることが多い。学校と何かを企画するのも、テレビ局や新聞社を巻き込むのも、横浜では埋もれてしまうようなささやかな活動でも、このまちでは大きな一歩なのだ。また協力隊として、行政の職員という立場でやれることもある。あまり使われていない教職員用の住宅が立科町にはあったのだが、町長とかけ合い、ＤＩＹワークショップを行って移住希望者向けに賃貸物件に改修する企画なども実現した。

立科町のような小さな自治体は、とにかく地域で活動してくれる人を欲している。まちに流れる時間はゆったりで、作業する場所も協力してくれる人たちも探せばいる。場所と時間とやるべきことはある。あとは「やる人」なのだ。

――その頃横浜でも時間は流れている

立科町でこのような活動をしているあいだ、横浜のほうは一体どうしているのか。当然のように、立科町で活動しているあいだ、横浜でも時間は流れている。

16

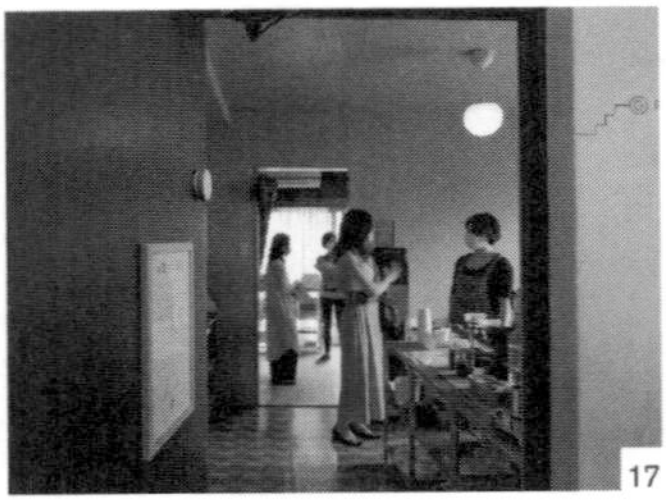

17

平日は基本立科町で活動をしているので、金土日にかけて横浜で過ごす。じつは立科町への着任が決まったとき、横浜ではいくつかのプロジェクトが同時に立ち上がった。まず「藤棚デパートメント」にある事務所を留守にするタイミングが出るため、アルバイトスタッフが常駐できるように、事務所のスペースを改修して席を増やした。その結果、事務所での作業スペースが取れなくなってしまい、手狭になってしまったので、近くに作業場としての物件を新たに借りた。ただその物件は一人で作業するには場所をもて余す大きさだったので、何かおもしろい使い方にしたい、と近所の友人に声をかけて小さなシェアスタジオとすることにした。こうしてできたのが「野毛山kiez」という拠点だ。飲食店営業の時間が増え、事務所内で汚れる作業などはできなくなってきたので、雑多な工房のような場所として使っている。シェアメンバーは「旧劇場」のときからの友人のカメラマンと、大学の後輩でまちづくりの専門家、さらにその後輩の紹介で入ったアーティストと僕の四人だ。「旧劇場」ほどには大きくないが、少し賑やかな場所ができた。

また、「藤棚のアパートメント」を出たあとに、週末だけ使えるような〝小さな〟住居を不動産屋に相談したところ、二〇〇平米（＋屋上）ほどの空きビルの一フロアを紹介され、思いがけず改修と企画から請け負うことになった。週末だけ使

16「野毛山kiez」(設計：YONG architecture studio、二〇一〇年)。延べ五二㎡の木造二階建ての倉庫を改修してつくったシェアスタジオ

17「南太田ブランチ」(設計：YONG architecture studio、二〇二〇年)。空きビルの一フロアを改修したシェアスタジオ

うにはもったいない規模だったのでそこをアーティストやクリエイターのシェアオフィスとして改修し、その一部を住居として活用、「南太田ブランチ」と名づけた。雑貨屋さんや本屋さん、アーティストの方々が出入りする場となった。

藤棚のアパートメントもその後、「野毛山kiez」のメンバーとも共通の友人夫妻が入ることになり、僕らが横浜にいなくても事務所にも遊びに来てくれるようになった。

おもしろいもので、藤棚で活動を始めたときはいろんな場所を一人で抱えようとしていたが、少し藤棚を留守にすることになった結果、拠点が増えて、近所の仲間が増えた。「不在」を想像し、デザインすることは、地域に関わる人を増やすことにつながるのである。

——最後に、二拠点生活のリアルな話

立科町での仕事を終え、横浜へ〝戻る〟支度をする。出発するのは大体二一時くらい。木曜日はいつもバタバタしている。立科町から横浜までは、自家用車か高速バスか新幹線の三つの手段のどれかで往復をしている。

車社会の立科町なので、車でそのまま行くのは一番手っ取り早い。荷物も運べ

るし時間も選ばない。ただガソリン代や高速代、横浜での駐車場代は馬鹿にならないのだ。地方のよいところは駐車場代が首都圏に比べて圧倒的に安いことだが、立科町のような中山間地域だと、ガソリン代は首都圏より一〇〜二〇円／リットルほど高い。毎週のように往復をするとこの交通費は結構負担になる。

そのため、コストを下げるなら、高速バスがおすすめだ。自分で運転する必要はないし、片道で三時間半ほど、まとまった時間も取れるので仕事や勉強に時間も充てられる。そして圧倒的に安い。ただ地方の駅になればなるほど、本数は少なくなり、スケジュールを組むのが大変になるので、意外と活用できるタイミングが取れていないのも事実だ。

もっとも時間的に効率がよいのは新幹線だが、これも結構な費用負担となるので、新幹線を利用するのはスケジュールと財布との相談、となる。また、移動頻度を下げ、滞在時間をまとめるというのも手だ。毎週ではなく、一〇日ごと、などで往復の頻度を下げれば月の交通費は大きく変わる。

二地域以上で活動する場合に、よく聞かれるのは、「住居や仕事場の家賃はどうしているの?」というものだ。一カ所に暮らしていれば一カ所分の固定費でよいのだから当然お金がかかる。家賃というのは単純な出費なので、なるべく減らしたほうがいいと思う。それは留守のタイミングができるなら尚更のことである。

僕の場合、ほとんどすべての場所は紹介してきたようにシェアスペースとして運用しているため、家賃はほぼゼロである。常に人が出入りして活動している状態をつくり、収益化することで、持続的に場所が育まれていく。「場所をもつ＝コストがかかる」という視点から「場所をもつ＝価値が生まれる、お金が生まれる」という風に変われればいろんな場所で活動がしやすくなるのではないだろうか。

縮小時代で空き家や空室は今後さらに増加していくが、一人で複数の場所を活用できると思えば、それは可能性とも捉えられる。どのような時代でも、課題をポジティブに捉えられる力は強い。暮らし方は自由なのだから楽しいほうを選択しよう。

どちらかに迷ったなら、両方選択したらいい。それが多拠点活動への第一歩なのだ。

惚れたまちで伝統的なまち並みを残す

藤沢百合

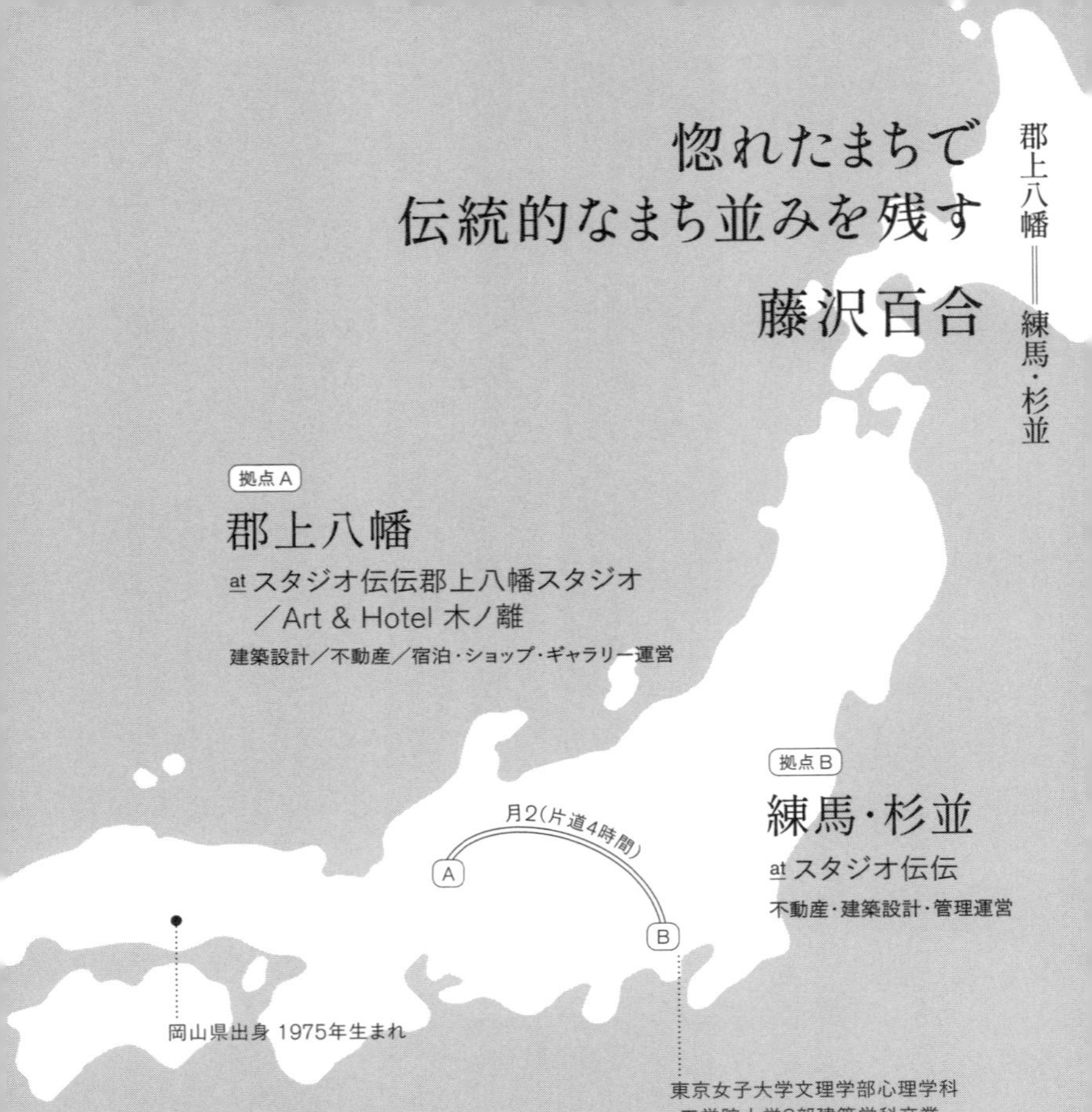

拠点A

郡上八幡

at スタジオ伝伝郡上八幡スタジオ
／Art & Hotel 木ノ離

建築設計／不動産／宿泊・ショップ・ギャラリー運営

拠点B

練馬・杉並

at スタジオ伝伝

不動産・建築設計・管理運営

岡山県出身 1975年生まれ

東京女子大学文理学部心理学科
・工学院大学2部建築学科卒業

専門領域	建築・不動産
仕事内容	不動産活用の企画・不動産仲介・管理運営、住宅・店舗設計、宿泊の企画・運営
所属	(株)スタジオ伝伝代表／「Art & Hotel 木ノ離」オーナー
多拠点の魅力	地方は積み重ねてきた知恵と経験の集積所、 その発見と都市部への逆輸入・昇華が楽しみ

――古民家フェチの移住者

東京と岐阜の郡上八幡、その二つの地域の行き来を始めてから、もう八年近くが経つ。職業は、設計業・不動産業・宿オーナー・大学非常勤講師といったところ。

郡上八幡はもともと縁もゆかりもない地域で「なぜ郡上八幡だったのか?」とよく聞かれるが、ひと言で言うと惚れたまちだったからだ。

趣味の茶道の影響か、伝統建築での暮らしが日本人の気質や所作、共同体の知恵をかたちづくり、それを残すことが日本人らしさを残すことに通じるのではと感じていた。そんな仮説が、このまちに出会って確信に変わった。ここでは築一〇〇年近い町家にいまも住み、商売をしている人々がいる。

ここでは郡上おどりというひと夏におよそ三〇万人もが参加する日本一長い盆踊り、春祭り、地歌舞伎や落語会、郷土文化史の編成など文化活動も盛んだ。こ

1

2

の地に住んで、古民家を改修したり、住む人を募集したり。日本の伝統建築を次世代につないでいくための地道な活動をしている。

　東京との行き来は、新幹線と高速を使って約四時間。「遠い！」とよく東京の人から言われるが、自分は中学から横浜で一人暮らしを始め、新幹線でしょっちゅう郷里の岡山と往復していた。だから縁もゆかりもなかったが、郡上八幡に住むことも、新幹線で東京と行き来することも、心理的にも体力的にもハードルはなかった。

――どうして移住を考えたのか

　自分の経歴を簡単に述べると、最初の大学は心理学科。新卒で入った不動産会社（新築マンションの分譲）で用地の仕入れの仕事を経て、建築を勉強するために二度目の大学で建築学科へ。

　その後ランドスケープ事務所のアルバイトを経てからリノベーションを得意とする設計事務所、ブルースタジオで四年間修行。二〇一四年に日本の伝統建築を残す活動を主軸に独立、と紆余曲折している。

　そもそもなぜ設計を目指したかというと、最初の会社でマンション開発に携わ

1岐阜県郡上市の郡上八幡。まちの一部が国の伝統的建造物群保存地区に指定されており、昔ながらの町家が建ち並ぶ。まちの真ん中には清流が流れる　2郡上八幡の伝統的日本家屋が建ち並ぶまち並み。古くからの行事がいまなお大事につないでいかれている　3郡上おどり。地元の人も、全国からも、多くの人が浴衣を着て、踊り下駄を履いて三二夜の郡上おどりを楽しむ

るなかで、高層に積み上がり地域やまちから隔絶されてしまう暮らし方に、疑問を感じたからだ。家にいて、鳥のさえずりや通りを行く人の声を聞き、町内の回覧板を届けるついでに世間話をし、週末は地域の祭りの準備をする。そういう「サザエさん」に出てくるような暮らしが、都市部では難しくなっている。マンションを建てるために、まちの中の小さな家々をまとめて壊して更地にしたり、工場用地をマンションに変えたり。いかに敷地の建蔽率と容積率をめいいっぱい消化して建てるかが、マンションやアパートの事業主が追求する優先事項になっている。

　そんな現実のなかでどうしたらこのささやかな疑問を解決できるのか。建築設計の勉強をすることで、なんらかの解決策を考えられるのではないか。そんな思いで設計の道に入った。

　そしてブルースタジオでの仕事で、もっとも心に残った物件が「わの家千峰」（二〇一四）という、都市部の真ん中にある平家の古い一戸建ての再生だ。建物を相続した施主からの「壊してアパートを建てるか、あるいは残して活用できるか？」という相談物件だった。大正時代に建てられたとても素敵な建物で、施主の亡くなられたお母様が精通されていた趣味のもの、茶道や絵画、草木染めなどの多くの作品や、古い箪笥などの調度品が残されていた。自分も品々が醸し出す

4「わの家 千峰」（設計：ブルーススタジオ、二〇一四年）。完成内覧会では中庭で来訪者にお茶を振る舞うイベントを開催、コンセプトを伝えた

家の佇まいなどすべてを残したいと強く思い、皆でアイデアを振り絞った。結果シェアハウスにすることで、新築に建て替えるよりも初期投資額を抑えられ、利回りも十分に取ることができ、作品や調度品も備品として建物内に残し活用することができた。建築を志したときに目指した「建築とお金のコントロールで、ヒューマンスケールの建物を残す」という目標が達成できたように感じた。

完成内覧会では近所の方の喜ぶ声を聞き、まちの在りし日の面影を残す建物が存続することが、まちにとってのアイデンティティのひとつであることを実感。設計と不動産の経験を活かし、ヒューマンスケールのまち並みを残すための会社をつくりたいと考えるようになった。

その後、独立してから東京で古家活用を提案したが、残念ながら首都圏では土地の評価額が高いためその古家自体に価値を見出してくれるオーナーが少なかった。税金対策に古家を解体せず残しているだけというわけだ。

そのようななか、まちづくりの活動で少しだけ関わりをもった富士吉田市や鳥取市での経験を経て、地方のほうがよい建物が残っており、その価値を理解し残したいという所有者が多いと感じた。自分の活動の拠点は東京よりも地方のほうがいいかもしれない。そう考えたときに、以前感銘を受けた旅先のまち、郡上八幡が思い浮かんだ。連なる町家での暮らしや商売、夏は下駄の音が鳴り響き、美しい川が流れ、古き良き日本が残る水のまち。「あそこだったら、住んでもいいなあ…」そう思ったとき、知り合いがこんな情報をFacebookでシェアしているのを見た。「郡上八幡に空き家が増えて壊され、まち並みが崩れてきている。それを食い止める人材を都市部から募集する」というものだ。「このタイミング、私は呼ばれているに違いない！」と、郡上八幡の空き家対策チームへの参加を決めた。人生にはご縁と勢い、そして思い込みが大事なときもある。

——知らない土地で仕事をつくる

郡上八幡の人口は約一万二千人。地方都市のご多分に漏れず、人口減少の危機が叫ばれている。いまだに町家に住みながら家族で運営する自営業の店も多く、昔ながらの町家がまちの過半を占める。一方で進学や就職で都市部や郊外への転居によって、空き家も年々増えていた。

二〇一五年六月、その空き家対策のため郡上市から（一財）郡上八幡産業振興公社が委託を受け、空き家対策を専門で行う「チームまちや」が発足した。基金で町家を改修、住める状態にして移住者を呼び込み、町家に住む人を増やしてい

5

6

くプロジェクトだ。

着任当初は、二年間の任期が終わったとき、東京に戻るつもりでいた。しかし終わろうとする頃、どうにもやり残した感があった。「チームまちや」での業務以外の部分、つまり移住者向けの貸し出しではない、空き家活用の相談を個人的に受けるようになっており、「まだ自分にはこのまちでできることがあるのではないか？」という思いと、まちのことを自分ごととして考えるまちの人々に魅力を感じ「もっとこのまちで学びたい」という思いが強くなっていた。

そのような折、イベントをともにする仲間の一人、糸CAFEさんから「うちのカフェの離れが空いたよ」と声をかけてもらえたことで、スタジオ伝伝の郡上八幡スタジオが誕生した。二〇一七年の初夏である。

オープン当初から少し驚くことがあった。現場に行くため事務所を留守にすることが多かったのだが、自分の不在時に、隣の糸CAFEさんが興味をもつお客さんに事務所を案内、仕事内容を説明してくれ、その紹介でぽつりぽつりと仕事が入り始めたのだ。加えてまちの清掃をはじめ、町内会の班長を務めたり、行事への参加、イベントの手伝いなどをしているうちに、知り合いが増え、自分の仕事も知られていった。

7

5チームまちやの仲間と改修した町家に移住してきたご夫婦と　6スタジオ伝伝郡上八幡スタジオ。築百年近い町家の離れを借りて事務所にしている。中庭を挟んで母屋に糸CAFEがある　7四百年続く郡上本染の後援会メンバーとして、川で鯉のぼりのノリ落としをする伝統行事に毎年参加

小さなまちのこと、口コミの評判が仕事に大きく影響する。こうして町家の改修設計を中心に新築工事や不動産活用の相談、仲介業務などがボチボチと増えていき、一人では手がまわらなくなって、知人の設計士にも加わってもらった。これまであまり参入のなかった町家の改修分野での設計業務だったため、地元の既存設計事務所との競合が少なかった点も受け入れられやすかった。

事務所を構えてからも、よく聞かれたのが、「この地に骨を埋めるのか?」「ずっといるつもりか?」ということ。不思議に思っていたが、自宅になる町家を購入したことで理由がわかった。一緒に仕事をしている工務店の社長に「骨を埋めるつもりなんだな。それなら、こちらもその心算で応じる」と言われたのだ。住まいや財産に関わる重要な仕事は、完成後も継続して関わってもらいたい。そうなると、いずれいなくなる人には依頼するのは心配だ、そう考えられていたのだ。

知らない土地で仕事をつくっていく、ということについて、下記が自分にとってはポイントだったと感じる。

●行政の仕事や地域おこし協力隊など、一般に知られている活動の一員として入ると、受け入れられやすい。

●営業活動よりも、地域の行事や掃除を地域のメンバーの一員としてしっかりとやることが、より大切。どこの誰ともわからない人に、仕事の依頼はできないと考えられているから。地方ではメンバーが減っているため人手がとても大事だ。それに真摯に取り組むと地域への敬意が伝わり、地域の運命共同体の仲間に段々となっていく。まさに「郷に入ったら郷に従え」で、自分の常識や暮らし方を押し付けない。そのうちに人柄や仕事を理解してもらえ、紹介で仕事が入ってくる。

●お金を地域に落とす。多少高くても、ネットではなく、地元の商店で買い物をする。すると、お互い様で、逆にこちらの店で買い物をしてくれたり、客を紹介してくれる。よそにお金を落とすのではなく、どうせ買うなら、顔の見える人から。いつもお世話になっている人から。そんな小さな地域の経済圏をまわす一人になる。

●建築のちょっとした相談にどんどん乗っていく。まちの電気屋さん的な設計事務所を目指した結果、事務所の縁側におやつをもって、ちょっと…と改修の相談に来られる人がいらっしゃる。場合によっては家を見て、アドバイスをする。ときに仕事になるが、仕事にならないことも多い。それでも気軽に相談に来てくれる人が増えると、早めにアドバイスすることができ、結果として空き家や住宅の老朽化にストップをかけることができる。

——二拠点生活の仕事への効果—「欅の音terrace」

「チームまちや」に参加して以降も、東京とは変わらず行き来をしていた。具体的な仕事はなかったが、前職で知り合ったお客さんのところに遊びに行っているうち、「家で所有する築三八年の賃貸アパートが空室も出てきたので、コンセプトを新たに違ったかたちでチャレンジしたい」という相談を受けた。「自分たちもこれから年齢が上がっていくので、入居者への速やかな対応が難しくなる。自分たちで管理してもらえる賃貸にできないか」「設備が老朽化することで価値の下がるようなものではない、普遍的な価値のある建物にしたい」「自分たちも関わって楽しめる賃貸住宅にしたい」という要望だった。

そこで頭に浮かんだのが、郡上八幡の町家のこと。隣同士の壁がくっ付き、お隣の暮らしの様子のわかる建物。それでクレームが発生するわけではなく、むしろ助け合いにつながっているのは、住民たちが商売をしているから。皆さん、「お互い様だから」が口癖だ。「建物の前面で商売をし、奥で暮らす町家の住居形式は、東京のアパートにぴったりではないか?」と話したところ、オーナーさんも共感してくださり、プロジェクトがスタートすることに。自分は郡上八幡との行き来で現場を見れないため、設計は知り合いのつばめ舎建築設計に入ってもらい、ス

8

9

8・9「欅の音terrace」（企画・不動産：スタジオ伝伝、設計：つばめ舎建築設計、二〇一八年）

10

タジオ伝伝は企画と不動産で携わった。

二〇一八年一一月に完成した建物は、小商いを行う入居者により、マルシェも開催され、近所の人が買い物に来てテラスでおしゃべりをしていく、まるで郡上八幡のまち並みで見るような、地域とつながった集合住宅になった。建築と不動産の経験、そして郡上八幡のまちなかで暮らし、自らナリワイして学んだことで、都市部の集合住宅であっても、ヒューマンスケールなまち並みや関係性を実現することができたのだ。東京建築士会の住宅建築賞やグッドデザイン賞のグッドデザイン・ベスト100、そのほか多数の賞を受賞したこの「欅の音terrace」は、二拠点だからこそできたプロジェクトと言える。

——魅力的な場所をつくれば自然と活用してくれる

じつは郡上八幡にいながら、東京事務所の改修工事も行っていた（現在は移転）。本社になる場所なので、イベントなども行えるように計画し、たくさんの知り合いに協力してもらいながら、完成お披露目会を行った。

その後、参加した方々から「あんな場所があるのに使わないのはもったいない！」と、さまざまなイベントの企画が寄せられ、お茶会や器や着物の展示会などを共

11

10・11スタジオ伝伝千駄ヶ谷スタジオ。中央の茶室の几帳は型染め作家小倉充子作。不動産契約にいらしたお客様が茶室でお茶を点ててくださることも。11は二〇一九年に開催された「小倉充子×烏山結貴 - 型染と草花」展示会の様子

催した。「何かやりたい！」と思われる場所があれば、自分がやらずとも、自然と人が集まり、活用してくれるのだと実感した経験だった。

郡上八幡にさらに第二の拠点をつくる──「Art & Hotel 木ノ離」

二〇二〇年、郡上八幡に第二の拠点をつくり、はじめて宿業に挑戦した。「アートと泊まる」をコンセプトとした町家の一棟貸し宿「Art & Hotel 木ノ離」だ。日本の伝統建築を残すためには、人口減少の時代は「住む・商いをする」だけでは活用が間に合わない。「泊まる」はこれからの時代必須であると考え、スタジオ伝伝設立時から宿泊業を目標にしていた。しかし何ぶんはじめてやる業種。管理しやすいように事務所から徒歩二分圏内で探していたのだが、なかなか見つからなかった。しかし移住から丸四年経つ頃、ワークショップ仲間の紹介で、以前から通りかかるたびに素敵だな、と惚れ込んでいた築一〇〇年近い、郡上八幡の元・花街の建物を借りることができた。

改修設計・工事監理やインテリアデザインも自社で行い、二〇二〇年春、いよいよ満を持してのスタート。のはずだったのだが、生憎コロナ禍の直撃に見舞われ、オープン当初はひっそりしたものだった。

12

13

12・13「Art & Hotel 木ノ離」（設計：スタジオ伝伝、二〇二〇年）。築百年近い、元・花街の通りにある建物を改修した一棟貸しのアートホテル。13はダイニングにて、アートワークショップ開催時の様子。一階のアートスペースとショップは週末は誰でも入ることができ、アーティストのワークショップなどイベントを定期的に開催している

一階は誰でも鑑賞できるアートスペース、そして地元作家の作品を扱うショップを併設した。というのも一棟貸し宿では地元の人との触れ合いが少ないため「どこに旅したのかわからなくなるのではないか?」と思ったためだ。

自分の好きなアートを挿入することで地域に宿の一部を開き、旅人、地元の人、アーティスト、地元作家の入り混じる出会いの場をつくろう。地元のアートディレクションを行うStudio Riverbedと組んで、アーティストと相談しながらインスタレーション展示を行い、アートは半年ごとに入れ替えることにした。

結果、これがコロナ禍では功を奏し、自粛期間中は宿泊者の呼び込みができなかったが、一階のショップやアートスペースには地元の人が遊びに来てくれ、「Art & Hotel 木ノ離」という新しい場所が地元の人に少しずつ認知されるようになった。

コロナ禍が収まり出してからは、海外の宿泊者も増加し、目論見通り「Art & Hotel 木ノ離」のダイニングはさまざまな属性の人が入り混じる場になっている。

――活動を支えてくれるメンバー

拠点が増えると、必要になってくるのは協力してくれるメンバーだ。現在、東京のプロジェクトは不動産仲介を中心に、東京在住スタッフが担当、福岡在住ス

タッフがサポートを担う。郡上八幡のプロジェクトは設計を中心とし、郡上八幡在住スタッフが担当。「Art & Hotel 木ノ離」は複数のスタッフがシフト制で担当する。自分は郡上八幡をベースに、東京には月に二回上京。一回につき三〜五日滞在している。移動は新幹線や車で、door to doorで約四時間だ。

施主やチームメンバーとは適宜、対面もしくはオンラインで打ち合わせ。社内スタッフとは、東京・郡上八幡・福岡のスタッフで週に一回オンラインミーティング。東京のプロジェクトを福岡から発信したり、不動産の契約書類を福岡でつくり、郡上八幡で捺印し、東京で契約する、など郵便も多用している。

不動産は現地を案内する必要があるため、地域に密着した人員配置が必要だが、設計や事務／広報は場所を選ばない。それぞれの地域での事例を仕事に反映できるので、地域に限定的なアイデアなのか、どの地域でも汎用性のあるアイデアなのか、各地域の事例をもとにディスカッションし、プロジェクトに落とし込む。実行するにあたっても、東京のプロジェクトのイラストを郡上八幡のイラストレーターに依頼するなど、各地域の人脈を積極的につなげている。そのことで仕事の広がりが生まれたり、郡上八幡の改修工事をなぜか東京在住の方から相談を受けるなど、二地域拠点だからこその仕事が入ってきている。

14 郡上八幡の事務所の縁側には、いつもふらり立ち寄る近所の人や旅行の方、職人さんが。スタッフとともにおしゃべりする

また東京のプロジェクトは、スタジオ伝伝は現在企画と不動産のみを手がける体制としているため、ほかの設計事務所やデザイン事務所と、その都度プロジェクトチームを組んで進めている。

——多拠点暮らしのリアルと地域の理解

多拠点暮らしには「空き家」の状態が一時的に発生してしまうのが必至だ。現在、東京の自宅と事務所の二カ所、郡上八幡の自宅と事務所と宿の三カ所、合計五カ所を管理しなければならない。水道光熱費はもちろん、郵便物や雪かき、町内の役割や当番や連絡事項など。全部を管理するのは物理的に難しいので、近所の方に助けてもらっているのが実情だ。多拠点居住が成り立つのは、地域の方や家族の協力のおかげ。常に感謝の気持ちをもっている。

東京も郡上八幡も自分にとっては暮らしの本拠地なので、どちらにいるのも特別なことではなく、自然なこと。「帰る」という言葉を使うときに、いつも迷う。どちらも「帰る」場所だから。ただまわりに迷惑をかけたくないので、ゆるやかにどこにいるのかを知ってもらうためにFacebookを活用している。「ゆりさん、飲みに行こう！ 今日はどっち？」と自然に聞かれる、この二拠点暮らしは気に入っている。
具体的な、郡上八幡と東京での暮らしと仕事の様子はこんな感じだ。

●郡上八幡暮らし

朝八時に起床。一〇時に家を出て、歩いて一〇分の事務所へ向かう。途中知り合いに数人会って、その都度立ち話（まちの情報交換）。一〇時半に事務所に到着。玄関を開けて風を通し、生花の様子を見たり、簡単に清掃したり。一一時、オンラインで東京と仕事をしたり、木ノ離のスタッフの様子を覗きに行ったり。一二時、近所のお店にスタッフとランチに。一三時、歩いて一〇分の現場に打ち合わせに向かう。途中近所の日用品店でお菓子と飲み物を買っておばさんとおしゃべり。現場に差し入れを渡し大工さんたちと打ち合わせとおしゃべり（建築業の情報交換）。一五時、事務所に戻ると近所の団子屋さんでみたらし団子を買ってきてくれた知り合いのおじさんがふらり立ち寄り、縁側でお茶とおしゃべり（近所の噂話）。社内の設計の打ち合わせ。夕方、スタッフのお子さんが学校から帰ってきて、事務所の一角で宿題。スタッフが子どもを習い事に送り出したら、私も散歩に。近所で地ビールの「こぼこぼ麦酒」のでき立ての生ビールをペットボトルに詰めてもらい、

15まちのあちこちに井戸や水舟があり、川の掃除当番など、水とともに生きるまちである

近所のお肉屋さんで飛騨牛コロッケを買って世間話（「最近新聞で見たよ！」など）。歩いて五分で川に出て、ベンチに座って川とお城を見ながらビールとコロッケを食べる。夕焼けが綺麗な空をしばし眺めてまた仕事に戻る。スタッフも戻っていて、子どものお迎えまで集中して図面作業。二一〜二二時頃、知り合いのおじさまや友人が「まだ仕事しとるんか？」と飲みに誘いに来て、中断して飲みに。「今日も仕事が終わらなかったなあ…」と反省しつつ、歩いて一〇分の帰路に着く。

●東京暮らし

郡上八幡から上京する日は朝六時に起床。岐阜羽島駅まで車で一時間で到着。八時の新幹線に乗り、東京で一〇時からお施主様と打ち合わせ（東京のプロジェクトもあれば、東京在住者の郡上八幡のプロジェクトのこともある）。移動一時間。途中、郡上八幡では見られないアート展を見に行き、大きな本屋で欲しい本を物色。夕方、東京事務所でスタッフと打ち合わせ。管理を担当しているプロジェクトオーナーとおしゃべり（管理や地域のこと）。「欅の音terrace」の入居者のお店に行って買い物やおしゃべり（日常や商売の様子を聞く）。地域の飲み屋さんに行ってスタッフと食事（商売情報や景気、スタッフの状態を聞く）。電車で帰宅。移動一時間。

16

ときどき講演会でしゃべったり、新たに知り合った方々としゃべったり、大学の授業でしゃべったり…。我ながら以前のサラリーマン時代と比べておしゃべりが多いと思うが、じつはこれが人間性を知ってもらったり、状態を知ってもらったり、草の根レベルの情報収集、商売をする仲間としての連帯感をつくるのに非常に大切で、侮れないことなのだ。

――ぶっちゃけ、地方って仕事あるの？お金や時間のバランス

こうして郡上八幡と東京の二拠点で仕事をすることになったが、滞在の長い場所での仕事が多く入ってくる、という実感がある。二〇二〇年からのコロナ禍では、田舎はとくによそからの人の出入りに敏感だったため、郡上八幡で活動することを選んだ。ちょうど進んでいた現場が多かったこともあるし、都市部よりも自然が多い郡上八幡のほうが自粛生活も豊かだろうと感じたこともある。

ただ郡上八幡での仕事は、やはり単価が低い。郡上八幡で設計の仕事をスタートしたときには、「こんな田舎まちで設計者に仕事を依頼する人はいない」と言われたこともあり、だいぶ抑えた設計料に設定した。しかしスタッフが増えたことや、よりきめ細やかな対応をするためにも、恐る恐る金額を上げている。暴利

18

17

というわけではない、当然の対価なのだが、当初言われたことの恐怖心から安くしすぎていたこともある。しかし長くしっかりやっていくことで、口コミで評判が立ち、適正な金額をお伝えしても、最近ではすんなりと受け入れていただけるようになった。

ただ地方では施主の年間収入（賃金）は都市部よりも低いため、当然のことながら建築にかける費用も少ない。一件あたりにかかる労力はそうは変わらないので、必然的に多くの物件を同時並行して取り組まないと全体としてのボリュームは稼げないのが実情である。また不動産に関しても、物件価格が非常に低いにも関わらず、仲介手数料のパーセンテージはほぼ変わらないため、やはり収入はかなり低い。ゆえに不動産に取り組む業者が少なく、空き家が増加しているという側面も、事実としてある。ある意味ではボランティア精神がないと取り組めない一面があるのだ。

東京での仕事は、「欅の音terrace」以降、不動産仲介や企画提案、管理業務を中心に行っている。収入は通常の単価（パーセンテージ）だが、都市部はもともとの取引額が大きいため、一件あたりのボリュームは大きくなる。

ただ人件費も同様に高いためメンバーを増やすことはリスクが高い。現在では

19

16・17「ななつやステイ」（設計：スタジオ伝伝、二〇一八年）。郡上市明宝小川地区、過疎化が進む集落の古民家を改修したワーケーションの宿　18・19「団子茶屋郡上八幡」（設計：スタジオ伝伝、二〇一八年）。郡上市の（福）ぶなの木福祉会運営の就労継続支援事業所として、もと釣具屋の空き家だった町家をまち名物のみたらし団子が食べられるカフェに改修

東京在住のスタッフ一名が不動産仲介・企画を担当、他社に設計を依頼し協働する体勢を取っている。利益の分割が生じてしまうが、関係人口が増える分、情報共有や取り組みの幅が広がり結果としておもしろいプロジェクトになりやすい。

　豊かさや生活の質という面で考えると、東京では高い家賃の心配があるが、郡上八幡では家賃は低く済む。そして現金の収入が少なくとも、野菜や食べ物のお裾分けも多くいただけるのでそれで困ることもない。よい環境に、広い家、ゆったりとした人間関係や流れる時間から、地方のほうが生活の質は高いのではないかと感じることは多い。

――多拠点をもつことで見えてきたもの

　大変失礼ながら、郡上八幡に住み始めるまでは、知識や技術などでは東京が最先端だと思っていた。東京は自由な発想やおもしろいアイデアによって奇抜な建築が多く生まれる。それは縛られるものが少ないからだろう。逆に地方は景観やカラーなど、縛られるものがたくさんある一方で、積み重ねてきた知恵と経験の集積所でもある。都市部の人間が思ってもいないお宝のようなアイデアや慣習がたくさん埋まっているので、その発見と逆輸入が二拠点ならではの楽しさだ。

20

21

また地方では人手不足のため、仕事以外に地域活動をするのがデフォルト。大変だが、たとえば会社で成果が出ないとき、地域活動では活躍できて救われる人もいるかもしれない。居場所がたくさんあるということはいいことだ。

一方、地方で活動していると競合する企業も少ないので、ときとして「井の中の蛙」になってしまう可能性がある。ときどき都市部で刺激を受けることで、新たな感覚をもち続けられるのが二拠点のいいところでもある。

最近オンラインでどこにいても仕事ができたり、交流ができるようになった一方で、偶然の出会いのあるリアルな場が人々に求められているのではと強く感じる。それも会社のような故意に仕組まれたり、異業種交流会などのような交流自体を目的とする場所ではなく、あくまでふらりと気分と都合で立ち寄れる場所。一方でその場に行けば、感性の似た人と必ず会えるという無駄のなさも必要で、そのためには店主のキャラクターや店のコンセプトが重要だ。そんな場を拠点に人々がつながり、また他地域との交流も地域に生まれてくるのではないだろうか。

このような考えから東京でも、郡上八幡でのスタジオ伝伝と「Art & Hotel 木ノ離」の運営経験を踏まえ同様の場所をつくろうとしている。オンラインでの集客が中心の不動産業界においてあえて地場の不動産屋さんを目指すのだ。人の顔

20・21スタジオ伝伝東京事務所。小さなベンチを縁側に見立ててつくった。ショップとギャラリーも兼ねる

が見える、立ち寄りやすい、地域の寄り道スポットとなるような場所だ。そのなかからどんな地域の交流が生まれてくるのか…。これからのチャレンジである。

――「ただ、暮らすだけでいい。いてくれてありがとう！」という存在になる

移住してからこちら、仕事もまちの行事も両方、一生懸命やっていたら、頑張りすぎて倒れてしまった。無意識のうちに「移住者なのだから、何か役に立つことをしなければ！いてもいいよ、と思われないと」という思いがあったようだ。そんなときに、一緒にイベントをやっていた地元の仲間からこんなふうに言われた。「移住する人はそう思うんや知らんけど、先は長いんや。頑張りすぎて疲れてまって、途中でいなくなってしまうより、これから何十年も、何か一緒にやる仲間でいてくれるほうがありがたいんやで。別に何も役に立たんでええ。いてくれるだけでいいんやよ。」そう言われて、肩の力が抜けた。みんなそれぞれ事情もあるし、何もかも理想通りにはいかないけれど、ただ、その地に暮らし、ともに何かをしていく仲間であり続ける。このまちの人は、目先のことより、ずっと先を見据えている。郡上を流れる川のように、そのゆったりとした考え方に、また勉強させてもらう日々だ。

富士――日本橋馬喰町

建築と伴走しながら
エリアと設計事務所を成長させる
勝亦優祐＋丸山裕貴

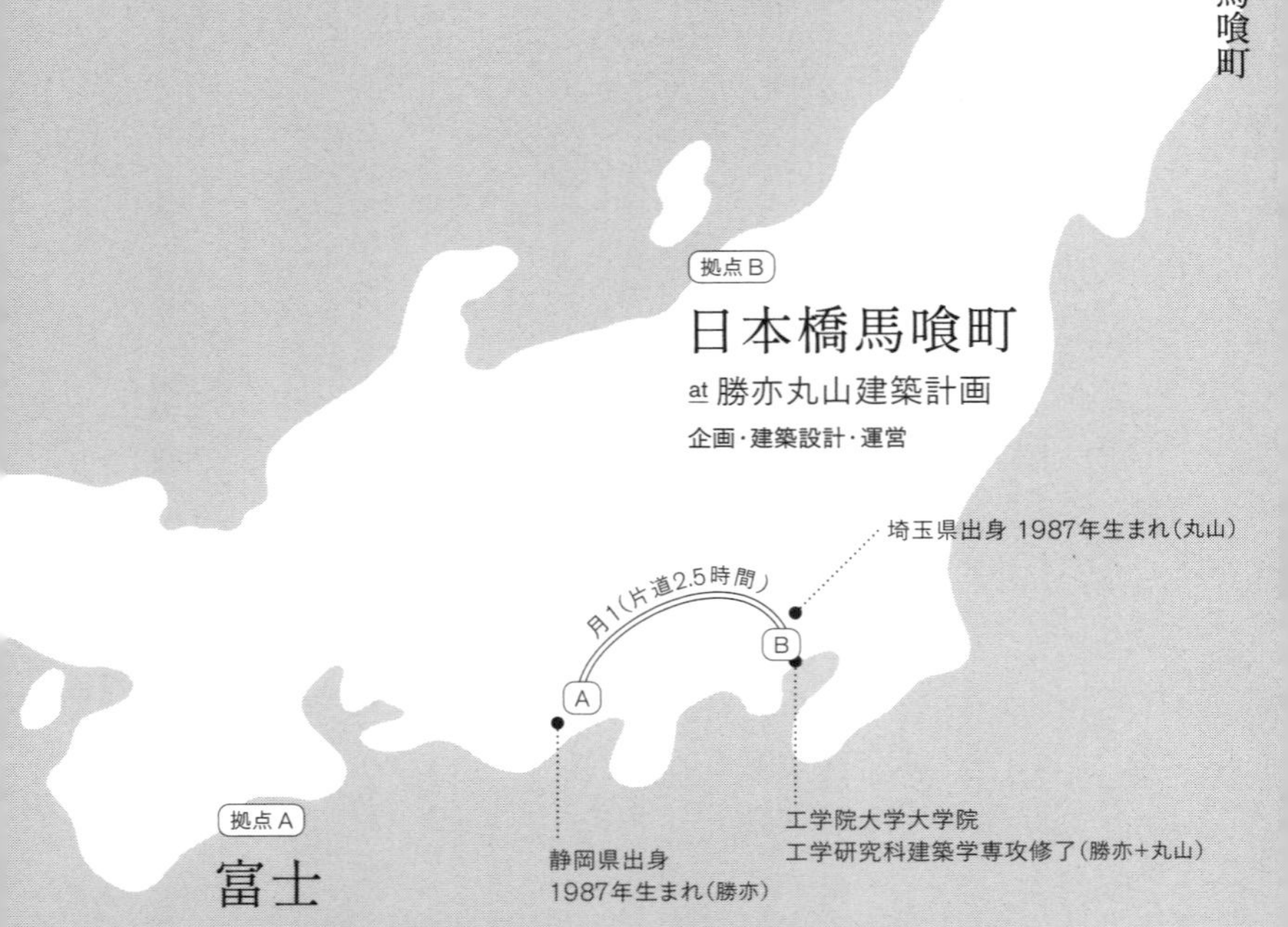

専門領域	建築・まちづくり
仕事内容	企画・リサーチ・設計・プロダクト開発・コンサルタント、「西日暮里のシェアハウス」「今川のシェアハウス」「SANGO」運営
所属	（株）勝亦丸山建築計画代表
多拠点の魅力	不足するものをもう一方の拠点からもち込めること、外部をもてるということ

——二人組で二拠点の設計事務所

勝亦丸山建築計画は二〇一五年に大学の同級生だった勝亦と丸山が設立した設計事務所で、勝亦の地元でもある静岡県富士市の吉原商店街から始まった。現在は、静岡県富士市と東京都中央区日本橋馬喰町という二カ所を拠点に活動している。奇しくも東海道五十三次の二カ所だ。

普段の二拠点での活動は、基本的に勝亦は富士の事務所で仕事をし、月に一度一週間ほど東京に滞在、丸山は日本橋の事務所で仕事をして、月に一度日帰りで富士に通う。別々の場所で仕事をしているが、基本的にはひとつのプロジェクトを一緒に進める。勝亦が営業や企画提案、事業計画の検討を行い、丸山がその後の設計業務を引き継ぐかたちで、徐々に役割がバトンタッチしていく流れだ。

こうしたチームをつくったのも、プロジェクトの前

1

2

提条件のリサーチ、デザインから、運営の現場を通して学びを得ることまで可能な設計事務所を目指していたからである。設計の仕事に加え「デザイン・オペレーション」の手法を用いて企画から運営まで行う事業のほか、行政と連携し、まちづくりのコンサルティングやリサーチ、家具のプロダクト開発なども行い、エリアを耕すように面的にプロジェクトを増やしている。

――富士市からのスタート

勝亦丸山建築計画が始まった富士市吉原商店街は東海道五十三次の一四番目の吉原宿を基盤としてできたエリアで、古くは富士参詣の宿駅として栄えていた。高度成長期に入ると防災建築街区が形成され、複数地権者による共同建築群が建ち並び、現在のまち並みが形成されている。複数地権者による合意形成の困難さや、地方都市の経済状況などもあり、更新が難しい状況になっているエリアだ。建物の空室率も高く、年に一度のお祭り以外は商店街に歩いている人はいないといってもいいほどである。そうしたエリアで、勝亦丸山建築計画の最初のプロジェクトである「マルイチビル」(二〇一五)に拠点を構えている。

そもそも勝亦と丸山が一緒に仕事を始めるきっかけとなったのが、勝亦がU

1静岡県富士市吉原。製紙産業が集まり、全国有数の「紙のまち」として発展してきたエリア　2東京都中央区日本橋馬喰町。江戸時代からの問屋街のエリア。周囲は衣料中心の卸問屋がひしめき合っている

3

ターンで地元の富士市に帰った際に始めたイベント「商店街占拠」（二〇一三〜二〇一五）だ。それまで、富士市は丸山にとっては縁もゆかりもない場所だった。

勝亦は富士市にコンクリート建物群と富士山の風景を使って新しい「まちなか」をつくることをイメージしており、そのための仕掛けがこの「商店街占拠」だった。往来のない商店街から立体駐車場をぐるぐると上っていくと、さまざまな催しが行われ、屋上からは富士山が見える。商店街はシャッターが閉められ通りには人が歩いていなかったが、会場は多くの人で賑わった。

このイベントの成功をきっかけに、私たちは富士市を中心とした富士経済圏について調べ、四五万人もの人口があることを確認。改めて周辺環境と交通の基点となる富士市のまちなかが賑わいを取り戻せる可能性を感じた。

そこから調査や解決方法の提案を行い、まちのオーナーたちと対話を始めた。その成果のひとつが、このあと事項で解説する「マルイチビル」プロジェクトや「富士市まちなか再起動計画」（二〇一六）などである。

これらをきっかけに、まちづくり会社が既存オーナーや新規入居希望者の相談を受ける窓口を開設し、人やことが発端でプロジェクトを生んでいく循環がつくられ始め、「商店街占拠」以降、吉原商店街には一〇年間で一〇〇店舗以上の新

4

3・4「商店街占拠」（二〇一三〜二〇一五年）

規出店があったとも聞く。

　多くの建築家が中国やペルシャ湾の国々に新たな建築市場を見出し始めていく動きのなかで、吉原商店街のような場所は、悪い言い方をすれば建築市場の果てのような場所だが、ゆえに私たちは現在の日本が抱える普遍的な課題をもつエリアとしての魅力を感じ始めていた。

――富士市での試行錯誤「マルイチビル」

「商店街占拠」のあと、「商店街占拠」の会場となったほんいちパーキングの所有者が会場横のビルを購入し、その設計を依頼され「マルイチビル」のプロジェクトが始まった。

　この建物は築古のＲＣ造の建物で、飲食店舗や簡易宿泊所などとして使われたあと、数年間は放置され廃墟となっていた。そのため既存図もなく現状調査のためセルフで解体作業を行いながら現状図を起こしていくことから始まった。並行して建物の使われ方や運営方法、収支計画等をオーナーや関係者とともに検討し、解体中にはアーティストによる展覧会企画なども行い、建築が再生されていく過程をまちに周知するようにイベントやワークショップも行った。

5

6

5・6「マルイチビル」(設計：勝亦優祐＋丸山裕貴／勝亦丸山建築計画、二〇一五年)。運営開始以降、商店街には新規出店が増加している。6は内観。構造は炭素繊維シートによる耐震補強工法を採用し、耐震補強を図っている

工事は一度スケルトンにしたあと、各階に六つの小さなハコを配置。それらに本棚、ベンチ、収納、天窓などプランに呼応するような機能をもたせた。またアルミサッシュの新設に伴い、補修箇所の隠蔽の役割もあるが、吉原のまち並みをトリミングする大きな額縁を設けた。また建築の耐震性能の強化も図った。

建物の活用を目指したソフトから、ハードまでのプロジェクト全体に関わるこの経験はのちに東京の拠点をつくる大きなきっかけになっている。また「マルイチビル」のプロジェクト以前は、丸山は東京のアトリエ事務所で働きながら所々を手伝うかたちだったが、このプロジェクトをきっかけにアトリエを退職し、大学で研究員として働きながら、一緒に仕事をし始めた。この共同設計の作業は、休日に充てていた。

――富士市での調査事業「富士市まちなか再起動計画」を開始

「マルイチビル」竣工の翌年には、富士市の中心市街地(吉原地区・富士地区)に点在する老朽化した遊休不動産の現状を調査する「富士市まちなか再起動計画」を産学連携で取り組んだ。

このリサーチでは、「①遊休不動産実態調査」で建物の現状・課題と所有者の

7

7「富士市まちなか再起動計画」(二〇一六年)。富士山まちづくり(株)、工学院大学木下庸子研究室、常葉大学大久保研究室の産学連携で取り組んだ。商店街にある約三〇〇棟の建物をデータ化し、それを可視化するためまち全体の模型を作成した

意向を整理し、「②ニーズ調査」で中心市街地に対する生活者意識とともに新規創業・居住の可能性を探り、「③活用・再生案検討」で①②の調査を踏まえた活用・再生案の検討を行っている。

「①遊休不動産実態調査」では、調査対象地域の建物の登記簿を収集・データベース化し、それを可視化するまち全体の模型をつくった。そしてオーナーヒアリングを含んだ情報から課題を構造化し、活用再生案の検討を行った。内容は異なるが、東京事務所がある日本橋横山町・馬喰町でも調査業務を行なっており、拠点を構えプロジェクトを展開していくためには必要な工程になってきている。

——事業スタートのためのさまざまなデザイン

遊休不動産のリサーチとともに、活用に向けた持ち運べる紙管の家具「Placemaking Kit」の開発も始めた。このプロダクトはイベントやポップアップショップの暫定利用の空間づくりに特化した紙管のモバイル家具セットで、富士市の主産業である紙管を用いている。家具は一度に二〇席程度の椅子からテーブル、ソファ、屋台、展示台などを簡易に持ち運べ、また容易に組み立てることができ、

8

9

簡単にお店を始められる仕組みである。

また設計では、鉄工所の建物をクライミングジムに用途変更した「SUNNY ROCK BLUE CANYON」（二〇一七）や、築七〇年以上の廃業した旅館をゲストハウスとして再生する「富士山ゲストハウス掬水」（二〇一九）など、改修のプロジェクトを多く手掛け、既存ストックの活用に向けてさまざまな角度から取り組んでいる。

――東京の拠点づくり、事業づくり

そのなかでも先ほど述べたように「マルイチビル」での経験は東京に拠点をつくり、事業を始めるきっかけとなった。

「マルイチビル」では設計業務以外も前提条件の検討や、分離発注の準備、解体や塗装などのＤＩＹ、周知のための工事期間中のイベント開催など、多くのことを行い、無事完成することができた。エレベーターもないビルながらいまではすべてのフロアが埋まっている。ただ一見順調そうに見えるが、実際には課題も残していた。そのひとつが設計事務所の報酬のあり方だった。

地方の空洞化していくまちでは需要がつかめず、事業計画自体も低めの設定と

8「プレイスメイキングキット」（企画・設計・運営：勝亦優祐＋丸山裕貴／勝亦丸山建築計画、二〇一六年〜）。紙管のような統一された素材の家具を配置することでまとまりのある空間を容易につくれる　9「SUNNY ROCK BLUE CANYON」（企画・設計・運営：勝亦優祐＋丸山裕貴／勝亦丸山建築計画、二〇一七年）。クライミングウォールに囲まれた空間にファサードをもち、どこか砦のような構えをしている

なり、自ずとイニシャルが下がり設計報酬も比例して下がっていく。それでも「マルイチビル」のようなプロジェクトをまちに展開させていくためには、設計業務以外のことに広く関わりながらプロジェクトを進めていくことが重要である。そのときに、まちを成長させることと、設計事務所を成長させることを併せて考える必要がある。簡単に言えば、「マルイチビル」のようなプロジェクトをまちに増やしながら、設計事務所もしっかり稼げる環境をつくらないといけないということだ。

現代日本においては人口減少やデフレの長期化に伴い、スモールビジネスやスタートアップなどのプロジェクトが、地方・都市の建築ストックを成長過程の場として活用することでエリアに新たな文化や経済・雇用をつくる可能性があると考えている。地方におけるストック活用のプロジェクトは増えていくだろう。

しかしそのときに、設計業務外の活動を奉仕的に動くことは設計事務所のスタートアップ時だからできることで、いつまでも続けられるものではないし、そうした状況を変えないとリノベーションが若手建築家が有名になるための登竜門でしかなくなってしまう。マネタイズの仕組みを変え、模倣、展開できるビジネスモデルと設計手法が一体となったフォーマットをつくることがエリアリノベーションにつながると考えていた。

詳しくは後述するが、ビジネスモデルといっても至極簡単で、奉仕ではなく投資だったら、「マルイチビル」で行ったことができると考えた。自分のビジネスであれば、ＤＩＹでもなんでも投資的に動け、あとで回収することができる。その実践の場として東京に拠点をつくることになった。もちろんこのときにも業務報酬の受け取り方などの変革の動きもあり、そちらにも方向性を感じながらも、自分たちがリスクを背負い事業者側に立つことを選んだ。

東京拠点をつくる、しかも単純に物件を事務所用に物件を借りるのではなく、銀行から借入をし、事業を行うのは、丸山にとっては不安でしかなく、やるべき理由と採算性が合う事業計画を前にしても依然ネガティブだった。これまで借入金額の一〇倍〜一〇〇倍のクライアントワークの設計をしてもである。とはいえ前に進まなければならない。勝亦のテンションは上がっているものの、丸山にとってはやってから考えればいいかと、どこか他人事のような気持ちでプロジェクトがスタートした。

——住まいでもあり、事務所でもある場所「西日暮里のシェアハウス」

こうした始まったのが「西日暮里のシェアハウス」（二〇一七）である。ＪＲ山

10

11

手線の西日暮里駅と田端駅の中間に位置し、築古の木造住宅地の一角にある。成田空港や東京駅からのアクセスが容易で、近くには谷中銀座商店街や銭湯などの下まち情緒あふれる風景が多く点在している、生活・交通・観光の要素が備わっているエリアだ。

このシェアハウスは「〈つくる〉ことを仕事や勉強とする人たちが集まる場」をコンセプトとしている。シェアハウスを通じて出会いや、気づき、新しいプロジェクトが生まれる場所であり続けるように運営していきたい。このほかにも三つのシェアハウスを運営している。

「西日暮里のシェアハウス」は、築古の木造住宅を改修し、三部屋を賃貸、一部屋を勝亦の東京住まい、一部屋を東京拠点としていた。住まいでもあり、事務所でもある場所だった（現在は全部シェアハウスとなっている）。

一階の共有部は外部の人が利用することも想定し、日常的でありながらも住人の領有とならない、「フラット」な場になることを心がけ、外部を引き込むように、通りと関係しあう設計を行なった。私道に沿わせて土間の通りを設け、キッチンやダイニングスペースなどを配置し、縁側に座るようにテーブルを囲むかたちになる。普段はシェアハウスの中で仕事をしながら、来客があればダイニングで打

12

10・11・12「西日暮里のシェアハウス」（企画・設計・運営：勝亦優祐＋丸山裕貴／勝亦丸山建築計画、二〇一七年）。10は既存建物内部の解体の様子。工事は基本的に勝亦と丸山の二人で行った。いまでも簡単な工事などは自分たちで行うことも少なくない。11は内観。鴨居のようなもので囲い込むことで、入れ子状の領域が生まれ、通り沿いに中間領域がつくられる。12はイベントの様子。

ち合わせをし、新しい人と出会ったらシェアハウスに招いて入居者を交えて飲み会を行ったりと、住まいと仕事と運営がセットとなる場所ができていた。

解体や塗装などのセルフで行えるところは勝亦・丸山がともに行い無事予算内に収めることができ、シェアハウスをオープンすることができた。ただこのプロジェクトは、始まるまでが長かった。そもそも自分たちで改修を行い（現状回復なし）、転貸もできる物件は、普通の不動産屋では見つからず、むしろ不審がられてしまうくらいだ。

そんなときに当時、創造系不動産に勤めていた佐竹雄太さん（現・アラウンドアーキテクチャー）と出会い、一緒に物件を探すことになった。創造系不動産には物件の契約からいまでは当たり前になりつつあるＤＩＹ賃貸システムの構築、管理までをサポートしていただき、「西日暮里のシェアハウス」は空き家利用へ向けた建築と不動産の協働モデルを模索することにもなった。現在も定期的に打ち合わせを行い、情報共有しながらよい場所となるように協力し合っている。

こうして無事に二拠点目である東京拠点ができるのだが、ここでももちろん課題が見つかってくる。「デザイン・オペレーション」はその課題に対するひとつの回答である。

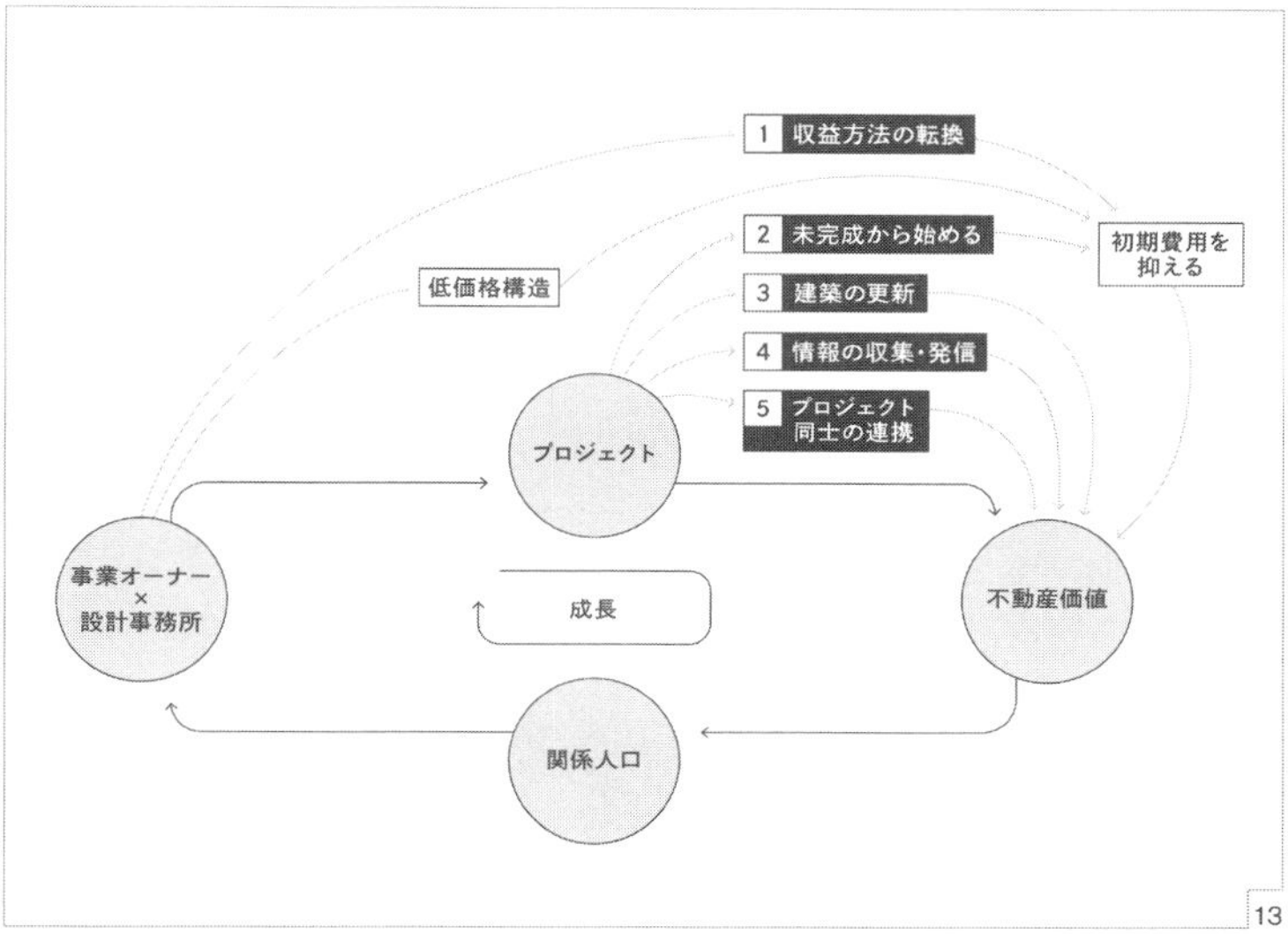

13

——「デザイン・オペレーション」という手法

名前の通り、設計（デザイン）と運営（オペレーション）を一体的に行い、設計事務所が建築と伴走しながらエリアの成長と設計事務所の成長を両立させていくことを目指した手法である。この手法は遊休不動産の活用などの課題を前にしたとき、むしろ経済論理の側から逆照射して生まれたものだ。

上の図表は「デザイン・オペレーション」のビジネスモデルを表したもので、エリアにおもしろい「プロジェクト」を増やし、顧客の選択肢が増えれば、エリアの価値が上がり「不動産価値」も高まる。そして「不動産価値」が高まり、人が集まると「関係人口」が増える。そうすることで「事業オーナー」を呼び込み、「プロジェクト」が生まれ、「不動産価値」も上がるというサイクルとなっている。

このサイクルに加えて、遊休不動産を活用するプロ

13「デザイン・オペレーション」概念図。設計事務所が建築と伴走しながら、まちやコミュニティとともに成長していくことを目指した手法

ジェクトを増やすために五つのことが重要だと考えている。

ひとつ目は、「収益方法の転換」。初期費用を抑えることで早期の資金回収を可能とし、事業リスクを下げることで、始めやすく失敗できる環境をつくり、また生まれる余剰を運営面に投資することが目的だ。その初期費用を抑える方法のひとつとして、設計と運営を組み合わせて収益を得ている。つまり建物を活用するうえで最初に行わなければいけない業務（法規の確認、行政協議、事業計画の作成、改修設計等）のコストを運営による収益から得ていくというものだ。

二つ目は「未完成から始める」こと。運営開始時に完成された空間をつくるのではなく、既存の特徴を活かし、のちの設計・投資のヒントとなるような空間の輪郭を最初につくり、その中にあえてつくらない余白を散りばめていく。

三つ目は「建築の更新」。「デザイン・オペレーション」では追加の設計・投資に重点を置いており事業の状態や運営の学びのなかで一歩ずつ建築を育てるように更新していく。未完成のままだった空間は徐々にアップデートされ時間をかけて建築の価値をコミュニティとともによりよい状態に導くことを目指していく。

四つ目は「情報の収集・発信」。日常の風景やイベント、空間がアップデートされていく様子などをＨＰやＳＮＳを活用して発信していきながら、設計事務所

としてシェアスペースの研究や既存建物活用に向けた調査などを行い、情報を収集・蓄積し、次のプロジェクトで実践していく。

五つ目は、「プロジェクト同士の連携」。シェアハウス同士の交流やそのほかのプロジェクトと連携し、住まいの中では得られない予期せぬ出会いや出来事を誘発し、不動産の付加価値を高めていくことである。

「西日暮里のシェアハウス」を例にすると、運営開始から五年が経過し、あるときは窓の断熱工事を兼ね木製の内窓を設置した。またシェアハウスの目の前にある建物を事務所にした際は、道路を挟んだアクティビティが生まれるようにベンチを設け、左官職人の入居者と協働してシャワーブースを設計したりと、いまも更新しながらシェアハウスを運営している。どれも機能を付加する際、空間との関係を考えながらデザインを行っている。

こうした〝とりあえず始め、状況に応じて変化していくことができる〟「デザイン・オペレーション」は、弱目的性をもった手法であると言えるだろう。弱目的性とは藤原辰史による造語で「目的をあえて強く設定せず、やんわりと複数の目的に目配せしながら大きく広く構えてみる」※1という意味で、建築家であり、まちのプレイヤーでもある立場になったとき、与条件とともに、未条件※2も射程

※1 藤原辰史『縁食論　孤食と共食のあいだ』(ミシマ社、二〇二〇年)より引用 ※2 未条件：計画時に言語化された条件に対して、未条件はまだ本質的な条件に至らない未整理な情報郡や可能性のこと。高橋寿太郎著「与条件と未条件1」『建築雑誌』二〇一七年八月号(日本建築学会)掲載より

に入れたひとつのスタンダードになるあり方だと思っている。

――まちのプレイヤーでもある設計事務所のあり方

建築を運営することとは別に、設計事務所を運営することについても少し触れておきたい。拠点を構えて活動していくと、直接仕事とは関係ない活動が自ずと増えていく。それはイベントを開催したり、拠点の前を掃除したり、まちの人と対話したりとさまざまである。こうした活動がまちとの接点をつくることになる。

活動を行えるゆとりをつくるうえでも、設計事務所は安定的な運営と、ある程度の利益が必須になっていく。自転車操業のような余剰がない状況では、まちとの接点をもつ活動ができなくなってしまう。自らプロジェクトを展開させていく場合にも銀行からの借入が重要になってくる。

ただ設計事務所のようなクリエイティブ系の職業はロングテール型※3ビジネスと呼ばれ、余剰をつくることは難しい職種でもある。

それでも建築設計事務所が多くあるのはランニングコストが少なく、マーケットに淘汰されることはなかったからである。それゆえ経済地盤をもつことから距離を取ることができていた。しかし拠点を構えエリアに関わる、すなわちまちの

※3 ロングテール型：クリエイティブ系の所得分布の考え方で、低収入層が多く、中間層はそれよりも少なく、高収入層はさらに少なくなる。井上智洋著『純粋機械化経済』（日本経済新聞出版社、二〇一九年）より

プレイヤーの一人になる設計事務所は経済地盤をもつことが大事になってくる。

勝亦丸山建築計画の場合、設計やコンサルなどのクライアントワーク（フロー型ビジネス）と賃貸業（ストック型ビジネス）を行っている。フロー型ビジネスとは商品やサービスを販売して売上や収益が上がるのが一度限りというビジネスモデルである。その都度契約を結んで、サービスを提供したり仕事を請け負ったりすることで、すぐに収益を上げられるメリットがあるが、仕事があるとき、ないときで収入の差が激しくなる。

一方のストック型ビジネスとは仕組みやインフラをつくり、継続的に収益が入るビジネスモデルである。私たちはこのような二つのビジネスモデルを組み合わせている。

現代の建築家はビジネスと公共性のバランス感をもつことが大事だと思う。たとえばシェアハウスの賃料に幅をつくるだけでも多様性をつくることもできる。家賃の目安は手取り収入の三分の一が一般的だといわれているが、家賃を一律にすると、おのずと収入も近い人が集まるようになる。そこにバラツキをつくることで、学生からフリーランス、企業に勤める人など多様な人が集まる場の下地をつくることもできるのである。

——富士とは正反対の場所に東京事務所を移す

東京の拠点は「西日暮里のシェアハウス」から「SANGO」（二〇二二）へと移っている。「SANGO」がある日本橋横山町・馬喰町は繊維問屋街として有名な場所だ。しかし流通の変化のなかでエリアには遊休不動産が増えているため、私たちはUR都市機構、問屋の旦那衆とともに、新たな参画者を招き入れる、問屋街のアップサイクルに取り組んでいる。

この場所は富士市とは逆に、既存の文化をのみこんでしまうくらい市場の力が強い場所だ。いまこのエリアで行われている取り組みは、利益最大化の大規模な街区再編ではなく、小さな再編により継続的にまちを更新することにより持続可能な経済合理性を目指すもので、私たちは二〇二〇年からこのエリアに関わっている。

拠点となっている「SANGO」はUR都市機構が旧耐震の建物を取得後、私たちが企画・設計のほか、違法部分の是正や耐震診断及び耐震改修を担った。竣工後は一〇年間この建物を借りて運営までを行う。

この建物は築四〇年を超えるファッション系問屋ビルで、各所に残るデコラティブな要素を残すように設計を行った。一階は飲食店、二～四階はシェアハウス

14

15

14・15「SANGO」（企画・設計・運営：勝亦優祐＋丸山裕貴／勝亦丸山建築計画、二〇二二年〜）一階は昼は日替わりで店主が変わるシェアリングコーヒーショップ、夜はシーシャ屋になっている。15は屋上。違法増築部を解体した跡の鉄骨柱が残る

とSOHOを組み合わせた生活機能型SOHO（賃貸物件）となっており、三組のメンバーがオフィス兼住居として使うことができる「住めるオフィス」となっている。五階は入居メンバー共有のルーフトップとキッチンを配置し、違法増築部を解体したあとに残った鉄骨が特徴的である。

また内見をオンラインでできるように建物の3Dスキャンを行い、建物内をストリートビュー感覚で歩きまわることができるようにした。またCG空間にはタグがあり、制作裏話や勝亦丸山建築計画の空間のアイデアが書かれており、写真とは違うメディアのあり方も模索している。

日本橋横山町・馬喰町エリアでは「SANGO」のプロジェクトのほかにも、UR都市機構から受託したエリアリサーチや「さんかく問屋街アップロード」というローカルメディアの運営を行っている。

――拠点をもつことで得られたものとまち医者のような建築家とは

「SANGO」をつくるときもそうだが、拠点をつくる度に、企画や事業計画を立て、借入を行い投資をする。これは意外にもクライアントワークの仕事にも影響があった。

ひとつは設計事務所が事業リスクを負い自らビジネスを行っていることで、同じ境遇であるクライアントからの共感があった。それは私たちの提案が事業面も視野に入れた提案を行っているからかもしれないが、極端な例で説明すると、シェアハウスなどの居室数を確保すると収支計画上はよい数字が出たとしても、共有部が狭かったり、使いづらかったりすると顧客の満足度が下がり空室率が上がってしまう。それだったら居室をひとつ減らしてでも共有部を増やして、空室率を下げたほうがよい。

こうした説明はするのが簡単だが、実績がある設計者は別として、クライアントはその言葉を信頼できるのだろうか。同じリスクを背負っているからこそ得られる共感は、「設計者がクライアントのビジネスも考えて提案してくれている」という安心感をもってもらうことができたと思う。

もうひとつは前提条件を一緒につくるところから始まるプロジェクトの相談が増えたことである。古い住宅をもっていて活用に困っている。ビルを相続したが空室が多く困っているなどの相談を受けることが多い。資産はもっているが急に経営をすることになった人たちで、これまで自分の家だったものの活用を考えた瞬間に、当たり前だが経営者になる。そういう人たちが大きな再投資や、活用に向けたチームづくりなどを行うのは難しい。そんなときにリスクを負うことの大変さを共有でき、建築の専門的な相談に加え、企画や運営までを、まるっと相談できる相手を探していることが多いと思う。

またそうした活用の相談のときによく「何かしたいが、何をしていいかわからない」「なんとかしなければいけないが、何をしていいかわからない」と言われることがある。

とはいえこちらから提案をして、相手に決定してもらうプロセスはのちに問題が起きやすい。まちのプレイヤーになるという意識が育たないまま事業を始めると、事業の採算が合わなかったなど責任の押し付け合いになってしまう。これを回避するにもクライアントとともに事業と空間を一緒につくることが重要になってくる。國分功一郎は前者のようなやり方を「意思決定支援」、後者を「欲望形成支援」と説明している。

《人は自分がどうしたいのかなどハッキリとはわかりません。人は自分が何を欲望しているのか、自分ではわからないし、矛盾した願いを抱えていることも珍しくない。だから欲望を医師や支援者と共同で形成していくことが重要ではないか。》※4

※4 國分功一郎・熊谷晋一郎著『〈責任〉の生成　中動態と当事者研究』（新曜社、二〇二〇年）より引用

これは國分の言葉だが、同様のことが近年のまちづくりでも実際に起きているように思う。近年、設計事務所の活動をまち医者にたとえることが増えてきているが、それはまちやクライアントの表面化していない欲望を救い上げ、プロジェクトにする仕事が増えてきているからだろう。

——まちをつくっていくプロセスと関わり続ける

このように静岡県富士市と東京都中央区日本橋の二つの拠点をもちながら、それぞれの拠点を耕す活動を行っている。そのなかでとくに重要だと思っていることは、勝亦丸山建築計画が静岡県富士市、つまり地方拠点から始まったということだと思っている。

ここまで書いてきたようなプロジェクトや手法、ビジネスモデル、設計事務所のあり方などのアイデアの多くは、地方がもつ課題解決を考えるうえで生まれてきたものである。そして設計に留まらずリサーチやメディア運営、イベントの開催など活動が多岐にわたるのは課題へのアプローチが異なるためである。その先には建築やエリアの設計があり、つながっているのだ。

拠点をもつということは、そうしたプロジェクトの種のようなものを見つけては育て、建築をつくり、まちをつくっていくプロセスと関わり続けるということだと思う。そして拠点の数が増えていくことで、資源や関係人口の交流が生まれ、新しいプロジェクトが生まれていく。

——二拠点で活動することの意味

最後に、二拠点をもつことの意味について少し触れたいと思う。私たちは富士市と日本橋馬喰町を行き来し、それぞれで場の運営に関わっているため、いろいろな場所、たとえば山や森、郊外、商店街やまちなかで地元の人と話すことが多いのだが、場所ごとにさまざまな課題があることがわかる。課題はなにかの不足によって起きていることが多く、足りないものを補う必要がある。

自分が補うのであれば、自分がもっているものや知っているもののなかから選択するしかないが、東京都市部と地方まちなかという性格の異なる二拠点をもつことで、それらを集めることが可能になったり、アイデアを考えるのに役に立っている。たとえば富士市で勝亦が所有している山から火山岩を、東京からユニークな人材を富士市に連れてきたりということだ。

またさらに言えば、勝亦丸山建築計画は専門性の異なる二人組のユニット設計事務所で、富士と東京の二拠点で活動している。つまり私たちは、互いに異なる人格と場所という二つの外部をもっていることになる。

この外部はときには共感を、ときには不快感を与えてくる。そしてそれは専門性の外へと開いてくれるきっかけにもなっている。つまり、専門性に閉じていながら、外部に開かれた環境をつくってくれる。もうひとつの複数拠点で活動することが、バランスを保つ役割を果たしている。そしてそのバランス感が運営や事業など、これまで建築の外側のように扱われていたものとを結び付け、新しい建築へのアプローチができるのではないかとも考えている。

客観的視点をもつことで島でこそ可能な建築のつくり方を探る

横浜＝五島列島

石飛 亮

専門領域	建築・都市・まちづくりなど
仕事内容	建築設計・リサーチ
所属	WANKARASHIN代表 ／横浜国立大学大学院Y-GSA助手
多拠点の魅力	パラレルな立位置による客観的視点の獲得とフィードバック

――縁もゆかりもない場所との出会い

WANKARASHIN（ワンカラシン）は横浜と長崎県五島列島を拠点として活動している設計事務所である。その土地の文化や歴史に接続するような建築をつくっていきたいと考え、かつて伊能忠敬が日本測量の際に自ら発明・使用した杖状の羅針盤である「彎窠羅針」から借用して名づけた。現在は母校である横浜国立大学大学院Y‐GSAの設計助手を務める傍ら、五島列島をメインに設計活動を行っている。

なぜ横浜と遥か西の果ての島とを拠点に活動しているのかというと、すべてはあるプロジェクトから始まったのだった。

大学院を卒業し、東京の建築設計事務所でスタッフとして働き始めて二年ほど経った二〇一五年に、古民家のリノベーションの依頼が舞い込んだ。場所は長崎県の五島列島福江島。いわゆる離島であり、聞いたこ

1

2

ともない場所だった。クライアントは東京在住であり最初は別荘をつくる要望だったのだが、建物を使っていない期間は島の人に還元したいという思いもあり、地域の人たちに話を聞いていくうちに私設図書館にするのがよいのではないかということになった。その古民家がある富江町はかつては珊瑚漁で栄えたまちであり、いまでもその名残がところどころに見られる。建物はそういった文化を継承しながら、親しみを込めて呼ばれるよう「さんごさん」と名づけられた。

いまでこそ世界遺産に登録され、NHKの朝ドラのロケ地にもなるような五島列島であるが、当時はインターネットで調べても大した情報は出てこず、どんな場所なのか直接行ってみないことにはわからない状況だった。「島のモノで、島のつくり方でつくる」というコンセプトを掲げたのはよいものの、限られた予算のなかで調査をするために島と東京を行ったり来たりすることは難しく、担当スタッフであった自分が単身で島に短期移住し、リサーチと設計、現場監理とを同時に行うこととなった。まさに突然の島流しであった。

——島の可能性を再発掘する

島に常駐するにあたり、プロジェクトの情報を発信するための現場ブログを立

3

1五島列島福江島ののどかな風景。ゆったりとした時間が流れている　2・3「さんごさん」(設計：junpei nousaku architects、二〇一七年)。2は第一期工事での塗装ワークショップの様子。外壁に赤色の防腐剤を地元の小学生たちと一緒に塗った。3は現場で行われた「五島こども大学」というイベント。島のこどもたちと一緒に、島のことや島の外のことを学ぶ

ち上げた。一般的な現場ブログでは現場の進行状況を淡々と綴っているものが多いのだが、このブログでは現場の話だけでなく、島で見つけた素材や産業、行ってみた場所やおすそ分けしてもらった野菜など、ジャンルにとらわれず、滞在期間でのあらゆる出来事を一緒くたにして書いていった。ブログを通して俯瞰的に島全体を見つめることで、通常は見落とされがちな島の魅力やポテンシャルを再発掘することができるのではないかと考えたからだ。その結果として、このリサーチを通してさまざまなモノを発見することができた。

たとえば福江島は火山の隆起でできた島であるため溶岩が至る所にあり、大小さまざまな溶岩を積んで、民家の塀や畑の石垣などにしているのを多く見かける。それらは独特の素材感があり、とても魅力的なものである。一方で島には大きく立派なお墓をつくる慣習があり、お盆にはそれぞれの親族のお墓の前で宴会をするような文化も見られる。そのため石材を加工する石碑店も数多く存在する。そこで島の溶岩を加工して建物に使うことができないかと考えた。大きなサイズの溶岩が手に入らないかあちこち探した結果、現場の近所の農家さんの畑に埋まっていたものを譲り受け、それをそのまま近所の石碑店でカットしてもらい、階段の踏み石に使用することができた。

4

5

また富江町の古い民家は外壁を杉板張りとしているものが多いのだが、海に近いエリアになるにつれ、赤色の防腐剤を塗った建物が多くなる。島の人に話を聞くと、これはもともと潮風に耐えられるよう船舶用の塗料が使われていた名残らしいのだが、それらをサンプリングし、まちの産業である珊瑚の色に近い少し明るめの赤色に調色して外壁を塗装した。

これらのモノは都心ではいくら探しても滅多に遭遇できない独特のものであるが、島では日常的に目に入り、そのあたりにゴロゴロと転がっている。ゆえにその魅力は風景に溶け込み、普段は影を潜めてしまっている。しかし、それらを一度同じ場所にアーカイブして客観的に観察し、少し角度を変えて組み合わせながら用いることで、新鮮な輝きを獲得することができるのではないだろうかと考えた。

島は外界から閉じているからこそ独自の文化や資源が多数存在しているが、それらは未開拓ゆえにまだまだ発掘の余地があるのではないかと、この経験を通して実感したのである。

――島での独自のネットワーク

このプロジェクトでの島の滞在期間は延べ半年以上にも及んだ。そのあいだ、

4福江島はかつて火山の隆起でできた島であるため、溶岩を家の塀や畑の石垣などに使っている風景をよく見かける　5譲ってもらった大きな溶岩を石碑店で加工してもらっている様子。回転する巨大な鋸を用いて少しずつ切っていく

プロジェクトに直接的な関係がなくともいろいろな場所を訪れ、さまざまな人たちに会いに行った。はじめからゴールを見定めて焦点を絞ってしまうと、そこから取りこぼされてしまうものがあるかもしれないと感じていたからである。はじめはほとんど知り合いがいない状態から、島民Aに島民Bを紹介してもらい、そこからまた島民Cへと。といった具合に、まさにロールプレイングゲームのごとく自らの脚で情報を探し求め、知っている人や行ったことのある土地の範囲を広げていった。その甲斐あってたくさんの人たちとのつながりを形成し、島のキーマンともいえる人たちにも数多く出会うことができた。コミュニティカフェを運営している方や建設会社の方、デザイナーさん、農家さん、かまぼこ屋さん、不動産屋さん、珊瑚の加工屋さん、陶芸家さん、漁師さんなど肩書きはさまざまである。

島には大きな企業やチェーン展開しているお店はほとんどなく、それゆえに個人で事業を行なっている人たちが数多く存在する。また島のサイズ感も大きすぎず小さすぎず、全員が知り合いではないものの、なんとなく顔の見える関係性が構築されている。

こういった要因からか、各々が個人のスキルによって島のシステムの一部を担

6 富江町では外壁を杉板で張っている民家が多く見られ、とくに海に近いエリアでは赤い防腐剤を塗装しているものも多い

っているような意識をもっており、生産者と消費者というはっきりと二分される関係でなく、相互扶助的な協働性のうえに社会が成り立っている。この分野だったらあの人だね、というような具合にお互いが顔とスキルを認知しているようなネットワークが業種を越えて構築されているのである。しかしその一方で、島にはいわゆる建築家のような職業の人はおらず、いままで培ったスキルを活かすことで、島のネットワークに自分自身も参加できる可能性を大いに感じた。

——独立、そして島に通う

このような島のネットワークに受け入れてもらうことができたのか、独立して自身の設計事務所を構えてからもありがたいことに建築設計の仕事の依頼をいただくことができた。

しかしそこで検討しなければならないのが距離的な問題である。五島列島の福江島は東京からは千キロメートル以上離れた離島であり、日常的に通うことは非常に困難である。そうなると本格的に移住するという選択肢も浮上してくる。しかしそこには懸念が二つあった。ひとつはこのまま仕事の依頼が続くのかということ、そしてもうひとつは島に移住することによって島にいることが常態化して

7

7 五島鉱山には採掘された大小さまざまな石がそこかしこに転がっており、迫力のある風景が広がっている

しまい、客観的な目をもって島を見ることができなくなってしまうのではないかということだった。

前者については、むしろ島で暮らすことによってまち医者的に些細な問題にも関与することが可能となり、仕事の幅は広がるかもしれない。しかし後者については、実際に「さんごさん」の二期工事の際に実感していたことでもある。一期工事の翌年に再び短期で移住をしたのだが、一度目に移住をしたときよりも新鮮な眼差しで島を観察することができなくなり、予定調和的に工事が進んでいるように感じていたのである。

結果的に都心での仕事もあったことから、ひとまず移住はせずに定期的に五島へと通うかたちで仕事を進めていったのだが、そこでの発見は意外なものであった。これまでは現場に常駐し、ブログなどによるアウトプットを通じて自ら進めているプロジェクトを客観的に捉えることを心がけていたが、五島へと定期的に通うようになるなかで、何か気持ちあるいは人格が切り替わるような感覚を覚えたのである。勝手知ったる土地なので懐かしさのようなものも感じるのだが、何か新鮮な目でその景色を見つめることができていることに気づいた。たとえば実家に帰省すると、懐かしさと同時に部屋や家具が少し小さく感じることがあると思うが、その感覚に近いようにも思う。あえて定住せずに定期的に通い観察することで、新たに見えてくるものがあるのではないかと直感したのである。

――島でプロジェクトを行うことは、より深く島を理解すること

ここでいくつかの建築プロジェクトを通して、五島で新たに発掘したモノたちについて紹介したい。大きくは素材と建築形式、そして産業である。

島で建築を設計するにあたり、できるだけその土地に根差し、その場所から自然に生まれてきたようなものをつくりたいと日々考えている。そのためには、その土地の文化を熟知し、その土地の歴史に接続したものを考えていく必要がある。それは常に島を外から見つめ直し、観察・分析する目線があってこそ可能となる。つまり、島で建築をつくっていくことは、同時に島をより深く理解していくことなのである。

――島の民家の形式から考える

独立してはじめて取り組んだのは「椿茶屋」というプロジェクトである。これは五島のバス会社が運営する飲食店をリニューアルするものであった。元々は移

築された茅葺き屋根の古民家が建っており、そこで炉端焼きの店舗を運営していたのだが、建物の老朽化や雨漏りなどにより建て替えを余儀なくされた。そこで既存建物の雰囲気を踏襲しながらも、五島らしさを兼ね備えた新しい建物が求められた。

五島らしさを考えたときに、最初に思い浮かんだのは民家の建ち並ぶ風景であった。島の海や山、田畑が美しい風景であることは言うまでもないのだが、やはり五島の文化を形成しているのはそこに暮らす人であり、民家の風景は人びとの営みによってかたちづくられていると考えたからである。そこで福江島の民家を調査し、この地域特有の民家の建築形式を再解釈して用いることで、風景の連続性をつくろうと試みた。五島の民家は一見するといわゆる田舎に建っているような素朴な建物が多いのだが、そこには独自の特徴がある。多くの民家は切妻屋根の平屋であるが、そこに下屋が取り付き、寄棟のような屋根がぐるりと四方をまわっているのである。こういった建築形式の民家が五島の風景をかたちづくっているのではないかと考えた。

「椿茶屋」では、この建築形式を拡大解釈するように設計している。五島の民家特有の形式を用いることで、軒を低く抑えながらも内部空間の気積を大きく確

8

9

8・9「椿茶屋」(設計:石飛亮/WANKARASHIN、松岡建設一級建築士事務所、二〇一九年)。島の民家の切妻屋根と寄棟屋根の組合せを用いた建築形式を用いてつくることで、昔からそこに建っていたかのような佇まいとなっている。屋根を杉板シングル葺きにするなど外装材に自然素材を用いることで、周囲の豊かな自然環境になじむ。9は内観。海への眺望を確保できるよう大きな開口を設けた開放的なつくり。客室を屋根勾配に合わせた折れ天井とすることで、窓辺の掘りごたつでは天井高の低く落ち着いた場所、テーブル席では高く伸びやかな空間とそれぞれの座席に対応し、両者を緩やかにつなぐ構成となった

保することができた。また低く伸びた軒は夏の強い日差しを遮りつつ、美しい眺望をより鮮明に映し込み、切妻屋根の妻面からは、採光を確保するとともに煙突効果によって囲炉裏の煙を効率よく排気することが可能となった。

島では当たり前のように存在している民家を島外からのまっさらな目で見ることによって、そのポテンシャルをより違った角度で引き伸ばせたのではないかと考えている。

——素材と使い方の関係から考える

島で建築をつくるうえで大きな課題となるもののひとつが材料の確保である。福江島は離島であるため、島にないものは当然海を渡って運ばれてくる。そういった材料ばかりを用いてしまうと島の風景には馴染まず、また輸送費が上乗せされるため建設費も嵩んでしまう。そういったことから、できるだけ島にある材料でつくることを心がけている。

「knit.」(二〇二一)という商店街の元・毛糸店兼住宅をシェアスペースへとリノベーションするプロジェクトでは、島の独特の地層に着目した。島を車で走っていると、切り立った崖や溶岩の海岸、楕円形の畑など、その場所ごとで異なるさ

10「knit.」（設計：石飛亮／WANKARASHIN、二〇二一年）。一階がシェアキッチンとコワーキングスペース、二階が和室やミーティングルーム、リモートワークなどに使用できる個室からなっている。一階には中央に大きなカウンターをつくり、さまざまな用途や多様な人たちが同時に空間を共有できるようにしている

まざまな風景が目に飛び込んでくる。島の中央にはそういった特性を資源として活用する、五島鉱山という採掘場があり、鉱石系原料の採掘事業を行っている。これらは大量に取れるため安価であり、体積の大きなものは護岸や造成などの土木事業に、小さな砂利は駐車場や道路の舗装などに使われている。こういった資源を建築領域にも使用することで、島内の材料によって魅力的な空間をつくるとともに、建物を訪れた人たちが島のことをより深く知るきっかけになるのではないかと考えた。

「knit.」は年々増加している移住者が、自身のスキルを用いて新たなチャレンジに気軽に取り組めるような場所をつくることを目的とし、シェアキッチンやコワーキングスペース、短期滞在のための個室などからなる複合施設として構想された。さまざまな使われ方に応えられるように、また多様な人たちが互いに適度な距離を保ちつつひとつの空間を共有できるように、中央に大きなしゃもじ型のカウンターを造作した。建物を縦断する大きな面に対して、単一で変化のない素材ではなく、さまざまな表情のある素材が適していると考え、カウンターの天板を多様な色味をもつ五島鉱山の蝋石を骨材に用いたテラゾー仕上げとした。この素材を用いることで、建物を貫く大きな面としての一体感と、手で触れて感触を

11「knti」カウンターの天板は五島蝋石を骨材に用いたテラゾー仕上げとしている。五島蝋石は多くの鉄分を含むため、赤や黄、青っぽいものなど様々な色味のものがある。普段は砂利のように一様に敷かれてグラデーションをつくる色たちが、セメントに混ぜられて研磨されることで一つ一つの特徴が際立ち、より豊かな表情をつくり出す

楽しめるような身体性のある素材感を同時に獲得することができた。

　五島鉱山の鉱石は別のプロジェクトでも採用した。「五島つばき蒸溜所」は福江島の秘境ともいわれる半泊集落に、クラフトジンの蒸溜所をつくるプロジェクトである。この集落にはいまではたった五世帯が静かに暮らしているが、かつては多くの潜伏キリシタンが生活していた場所であり、海沿いには小さな祈りの場である半泊教会が建っている。敷地はその真横であり、蒸溜所のメンバーは、信徒がたった一人になってしまったこの教会を維持管理する教会守としても活動していきたいという。蒸溜所建設に着工する年がちょうど教会の一〇〇周年と重なることもあり、蒸溜所との敷地境界を仕切る、ひび割れて崩壊しかけているブロック塀を解体してつくり直すこととなった。教会の海側には強い風雨に耐えられるよう、かつて信者たちが協力して積んだ石垣がいまも残っている。この石垣との連続性をつくることを考え、五島鉱山の石を積んで塀をつくることにした。また教会に寄り添うように建つ蒸溜所を目指し、建物の腰壁も塀と同じ石を用いた石積み壁とした。それにより、教会守という関係性だけでなく、空間としても一体感のある佇まいになったように感じる。

　このように、その場所に存在する素材を普段使わないような用途や手法で用い

ることは、そのポテンシャルをより深く引き出すことにつながる。その地域での慣習にとらわれず、よい意味で非常識であることは、こうするのが当たり前と定型化してしまっている物事を打ち破るのに役立つのではないかと思う。それにはやはり、余所者的な視点が必要不可欠なのである。

——島でも可能なつくり方と、島だからこそ可能なつくり方

建物が島に対して土着的な関係を構築するためには、産業的な目線も重要であると考えている。現代の建設産業では、木造の建物は基本的にプレカット工場で材料を加工し、それを現場に運び込み組み立てていくことが主流となっている。しかし、福江島にはプレカット工場がないので、プレカットするためには長崎や福岡から加工した材料を遠路はるばる運搬する必要がある。島にはプレカット工場はおろか、いわゆるチェーン店はほとんどなく、最近コンビニのローソンがはじめてオープンしたときに長蛇の列ができた程である。このように島には、都心では当たり前のように存在するものがないことも多い。しかしそれゆえに、島の人々は何かをつくり出す能力に長けているように感じる。ないものは自分たちでつくるという精神が宿っているのかもしれない。

12「五島つばき蒸溜所」建方。小さな材料（六〇ミリ×一二〇ミリの小径材）をアーチ状に組み立てることで、大きな空間をつくる。組み立てには蒸溜所のメンバーも参加し、みんなで力を合わせて行った

建設業についても同様のことが言える。とくに着目すべきは大工さんの腕のよさと対応できる範囲の広さである。プレカットでの施工ができないからこそ彼らは伝統的な仕口や継手をいとも簡単に施工する。また職種が少なく分業化が進んでいないため、彼らはさまざまな作業をシームレスに行うことができる。そういった技術をフルに活かして建物をつくれないかと考えた。

「五島つばき蒸溜所」の敷地である半泊集落へのアクセスは、車一台がやっと通れるような細い山道であり、四トントラックなどの大型車が通れず、大きな材料を搬入することが困難である。一方で蒸溜所には大きな蒸留器やたくさんのタンクを設置する必要があるため、天井高が高く柱のない大きな空間が求められる。そこで、搬入が容易である寸法の小さな材料を南京玉すだれのようにアーチ型に組み合わせることで、気積の大きな無柱空間をつくることを試みた。材料が増えるためかなりの精度が必要となるが、大工さんたちの技術力のおかげで無事に建ち上げることができた。パーツの組み立てには蒸溜所のメンバーや設計者である私自身も参加し、皆で力を合わせて組み上げていった。

島ではできないことや手に入らないものが多く、選択肢が限られているように捉えられがちである。しかしひとつひとつのできることをきちんと整理し、それ

13

14

13・14「五島つばき蒸溜所」（設計：石飛亮／WANKARASHIN、二〇二三年）。腰壁を五島鉱山の石を用いた石積みとしており、半泊教会の石垣との連続性をつくっている。14は蒸溜室。ドイツ製の大きな蒸留器やたくさんのタンクが鎮座する。アーチの連なる空間は祈りの場も想起させる

らを最大限に活用することで、実現できることは増えるのではないかと考えている。

プロジェクトがプロジェクトを生むサイクル

ありがたいことに、五島での仕事は独立後ほとんど途切れることなく続いている。とくにこれといった営業はしていないのだが、これには大きな要因が二つあるだろう。

ひとつは五島のキーマンと呼ばれる人たちとつながりができたことである。これはどの地域にも共通していることだと思うが、地域ごとにそれぞれ影響力をもつ人たちによる独自のネットワークが存在する。彼らは自身の業種にとらわれることなくお互いに協働し、地域の大きな核を形成している。そういったコミュニティに入り込むことができるかが重要となるのではないかと思う。

しかしここで気をつけなければならないことは、そのコミュニティが排他的で保守的なものでないということである。それにはUターン・Iターン者の存在が大きな鍵となるのではないかと考えている。なぜなら、一度外に出た人間はその地域のことを客観的に捉えることができるからだ。彼らはその地域の課題や将来性に敏感であり、そういった人たちと協働することで、その地域をよりよくする

道に向かっていけるように感じる。島に定期的に通う人間として、そのようなコミュニティのさらにもう一歩外側から参画し、内と外とをつなぐような役割を担うことに意義があるのではないだろうかと思う。

もうひとつの要因は設計した建物とそのオーナーさんの力によるものである。島には足りないものが多いからこそ、多くの人が自身で事業を起こし、新たな拠点をつくっている。また都心ほど新陳代謝の激しい場所ではないので、何か目新しい建物ができるとすぐに巷で話題になる。その際に、どこそこの誰が何やら始めたらしい、そしてその建物は誰々がつくったらしい、と建物とオーナーさんとがセットで語られることが多いのが島の特徴かもしれない。まさに先述した島の人とスキルのネットワークに参加できた瞬間であるように思う。設計した建物たちがそれぞれモデルハウス的な役割をしており、お互いの顔が見えることで自動生成的に営業を行うような状態となっている。しかし同時に多くの人の目に晒されるというプレッシャーも最近では感じており、背筋が伸びる思いである。

——島外での働き方、島内での働き方の住み分け

ここで、島でどのように仕事に取り組んでいるかを記しておきたい。島へは月

15移動中の飛行機から見た五島列島。美しい海に大小さまざまな島が浮かぶ姿を見ながら気持ちを切り替えたり考えを整理する

に一回程度通っており、移動手段は飛行機か船で、直通便はないため長崎か福岡で乗り換える必要がある。そのため交通費は決して安くはないので、島には三日～一週間以上は滞在するようにしており、複数のプロジェクトを同時並行させて経費を分散することで成り立たせている。

移動時間は専ら、読書か考え事をする時間に充てている。普段はあまりゆっくりと座って何もしない時間というのは得難いが、飛行機や船に乗っているあいだはいかんせんできることが限られてくる。ゆったりと流れる窓の外の風景を眺めながら、考えを整理することは自分のなかでのよい切り替えの時間になっている。

島での移動は車がメインになる。はじめはレンタカーを借りたり、お施主さんに甘えて送迎してもらったりしていたが、ありがたいことに縁あって中古の軽トラックを譲ってもらうことができ、いまではそれに乗ってどこへでも容易に行くことが可能となった。廃車同然のものを譲ってもらったのでそこらじゅうガタがきているが、それもいまとなっては愛着の湧くものとなっている。

宿泊場所は基本的にシェアスペースの「knit.」を間借りさせてもらっている。この建物はすべて時間貸しのスペースとなっているため、常にいろいろな人が出入りしているような状態になっている。一階のシェアキッチンでは日替わりでさ

16「knit」のシェアキッチンでワインバルを営業している様子。地元の人も観光客も入り混じる交流の場として機能している

まざまな店主がジャンルの異なる店を開いており、二階にはワーケーションで来ている人が滞在していたり、和室や一階全体を使ってイベントが開催されていることもある。とくに何も事前に調べることなく滞在することが多いのだが、借り手やそこに来るお客さんとの偶然の出会いが毎回おもしろい。こちら側はルーティン的に同じ場所に通っているだけなのだが、訪れるたびに変わる様相が楽しみであり、そこでの出会いからまた新たな縁が生まれる可能性もある。

仕事の進め方は、同じプロジェクトでも島内にいるときと島外にいるときで内容が異なる。横浜では基本的にデスクワークをしており、図面を描いたり模型をつくったり、事務的な作業をしている。それに対して島にいるときは、現場を確認したり、人に会ったり、行ったことのない場所を探索したりなど常に動き続けている。物理的なものは島内で、理論的なものは島外でというように大きな住み分けがなされている状態である。

——探求し続けること、観測し続けること

プロジェクトを継続させるうえで気をつけていることがある。それはリサーチとチャレンジを行い続けることである。同じ場所で何度も設計していると、どう

17

17島で現場を進めるには、現地で職人さんたちと綿密に打合せすることがとても重要になる

しても慣れが出てきてしまう。同じ職人さんと同じ素材、同じ納まりを用いることで一定のクオリティを保つことは可能であろう。しかしそれでは、その場所で設計を続ける意義は薄れてしまう。だからこそ、常に新たなつくり方を模索し続けている。そのためには常にリサーチをし続けることが重要であり、プロジェクトに直接関係ないところまで視野を広げて見つめることが新たな発見をもたらすこともあると考えている。

もうひとつ大切なこととして、自身の関わった建物に定期的に通うことである。一般的には建築設計は建物を引き渡すところまでが業務であり、その後はメンテナンスで関わることがあるくらいである。しかし本当に重要なことは竣工の瞬間ではなく、むしろそれ以降で建物が使われている状態にあると思う。継続して自分の設計した建物に通い、使われている空間を実際に体験することで、改善点や反省点が見つかることもある。あるいは設計時には予想していなかったような使われ方をされていたりと、新たな発見をすることも大いにある。継続して建物に関わることで、そういったフィードバックを得て、それを次なる設計にもつなげていくことができるのである。

18大学での講評会の様子。第一線で活躍している建築家たちと議論する時間は、多くの学びが得られると同時に大いに刺激となる

――大学での学びと批評的視点

五島へと定期的に通う一方で、二〇二一年より母校の横浜国立大学大学院Y-GSAで設計助手を担うことになった。独立する前は勤めていた事務所が小規模だったこともあり、ボスや後輩のスタッフなど皆で議論しながら日々設計を進めていた。しかし独立してからは基本的に一人で活動していたため、自分の設計が果たして正しい方向を目指せているのかわからなくなっているように感じた。そこでいま一度大学に戻り、改めて議論できるような環境を得ることが必要なのではないかと思ったのである。

Y-GSAではスタジオ制を取っており、研究室のように一人の教授の元で学ぶのではなく、それぞれ特徴の異なる四人の教授のスタジオを順にまわっていく。そのため学生は多角的な影響を受けながら自身の建築観を醸成していくことができる。設計助手も同じようにスタジオをまわっていき、指導するというよりは学生と一緒に悩み、ともに考えていくことで、多くの学びを得ることができる。また設計課題も何か明確な答えがあるようなものではなく、これからの時代の建築をともに考えていくようなものが多いため、スタジオを通して自身の設計についても客観的に見つめ、批評することにつながる。

一方で、大学院の設計課題では都市的なスケールで実際の敷地を対象としてその土地の課題に向き合い、社会性や実現可能性にも言及するものが多い。とはいえ実際に建主がいてその場所に建てるわけではなく、現実的な物質として向き合うわけではない。そのように、ある都市や地域に深く入り込みながら設計課題を構想する際に、島で設計をしている自分の経験は大いに役立っているように感じる。同じ島の中で複数のプロジェクトを行なっていることや、竣工後も継続的に関わることで、その建築が地域にとってどのような影響を及ぼしているのかを実感をもって分析することができるからである。

――五島、横浜、大学の三角関係

このように現在では、島で地域に入り込み活動をする自分と、横浜で机に向かい設計を行う自分、大学で学生や一流建築家たちとともに建築を思考する自分というように、大きく三つの異なる立場に身を置いている。これらは決してそれぞれ無関係でなく、相互を批評的に見るような関係が成り立っているように感じる。たとえば、島に入り込む「島の自分」を「横浜の自分」は一歩引いた目線で捉え、現場での空気感を冷静に分析する。図面や模型でプロジェクトを検討する「横浜

19「五島つばき蒸溜所」の建つ半泊集落の風景。隣地には祈りの場である半泊教会が建ち、いまではたった五世帯が生活する

の自分」を「大学の自分」はよりアカデミックな眼差しで見つめ、建築の本質に向き合っているのか厳しく評価する。そして学生たちとともに悩み考える「大学の自分」を「島の自分」がより土着的な足場から物申し、机上の議論から引き摺り下ろそうとする。このようにまさに三つ巴のような関係性が構築されている。

複数の立場に身を置くことは、人格をパラレルに構成することになり、多角的な自己の分析を可能とするのではないだろうか。私はたまたま横浜と五島という物理的な距離のある拠点を獲得することができたが、それらは決して距離的に離れている必要はないように思う。大事なことは自身を客観的に見つめられる環境に身を置けるかどうかである。デッサンを描くときにも、モチーフをさまざまな角度からよく観察し、その姿形を光と陰を通して描いていく。そしてときどき自分の描いているキャンバスを遠くから眺めて全体のバランスを確認する。そのように視点を変えて、冷静に確認する行為が重要なのである。

かつてナスカの地上絵を研究していたマリア・ライヒェは、飛行機をチャーターする資金がなかったため脚立を担いで砂漠を歩き、地面から見るだけでは図柄として見えない地上絵を、その脚立に上ることで確認したという[※1]。少し目線の高さや角度を変えるだけで、まったく異なる事柄が見えてくることは大いにある。

今後もし拠点となる場所が移り変わっていったとしても、そのような意識をもち続けていきたいと考えている。

※1 アレハンドロ・アラヴェナを総合ディレクターに迎えた第一五回ヴェネチアビエンナーレ国際建築展（二〇一六）では、"REPORTING FROM THE FRONT"というテーマのもと、「expanded eye（より広い眼差し）」を獲得しているとして、脚立に登って地平線を見つめるマリア・ライヒェの姿がキーヴィジュアルとして使用された

世界の都市を転々としながら育む〝ここではないどこかへの想像力〟

杉田真理子

専門領域	建築・都市・まちづくり
仕事内容	企画・ディレクション・編集・執筆・キュレーション・リサーチ・場づくり、出版レーベル「Traveling Circus of Urbanism」運営、アーバニスト・イン・レジデンス「Bridge To」運営
所属	（一社）for Cities共同代表理事／（一社）ホホホ座浄土寺座共同代表理事ほか
多拠点の魅力	新領域への挑戦、コミュニティやネットワークづくり、自己のアップデート

――よそものとして生きる／働く

二〇二二年五月、ケープタウン（南アフリカ）。その日、LinkedInで知り合った南アフリカ出身の建築家を、私はダウンタウンのレストランで待っていた。少し遅れて登場した彼女は、ケープタウン生まれ、ケープタウン育ち。私が普段から注目しているウガンダのデザイングループ「MASS Design Group」でフェローを勤めた、いまをときめく若手建築家だ。同年代ということもあり、建築に、文化交流にと話が弾んだ。

気の利いたカクテルをゆっくり啜りながら、彼女は爆速トークをかます。南アフリカで建築を学ぶなかで教師のほとんどが白人であったこと。同級生のほとんどは男性であったこと。欧米を中心とした海外で仕事を見つけ移住するか、生まれ育ったアフリカに留まるかの葛藤。これからつくってみたい空間、使ってみたいマテリアル。好きな建築家。海外とのコラボレーシ

1

ョンへの熱意。彼女と数時間会話したあとは、こっちもよい意味で疲労困憊し、そのまま徒歩圏内のアパートに直帰して倒れ込むように寝たことを覚えている。日本という、情報は恐ろしいほど豊かだけれど、反面恐ろしいほど外に開かれていない社会から、ときにはエイヤと出て行かなければ、と思うのはこういう瞬間だ。短期間で〝視察〟に行くことともまた違う。現地のアパートを借りて自分で調理をし、トイレットペーパーを買い足し、その住所で郵便を受け取り、気の合う現地の友達をつくって数回会う。そこに〝住み込む〟からこそ、出会える人・聞ける話・生まれるアイデアがある。たとえば、ここでの彼女との会話は、二〇二一年一二月から二〇二二年七月までの九カ月間、私自身がアフリカ大陸に心身ともに身を投じていたからこそ聞けた話だと、私は思っている。

海外と日本を行き来しながら仕事をするというスタイルを始めてから、今年で五年目になる。海外を中心に都市社会学・都市デザインの修士を終えたのちに東京のデザイン会社で働き、二〇一九年に独立をしてから、アメリカ、カナダ、台湾、アムステルダム、アフリカ各国と、ずいぶんいろんなところで活動をさせてもらってきた。

私の場合、場所が変わると肩書きも変わる。プロデューサー、ディレクターと

2

1京都市左京区浄土寺の事務所兼自宅「Bridge To」 2出版レーベル「Traveling Circus of Urbanism」では、世界のさまざまな都市で自身が取材したものを紹介する

ざっくり説明することもあるし、設計や制作はしないけれどデザイナーと名乗ることも稀にある。さまざまな都市を転々としながらその場所の都市・建築・まちづくり関連の事象をリサーチすることが生き甲斐なので、都市研究家とか、リサーチャーとかと呼ばれることも多い。ほかには、編集者、ジャーナリスト、キュレーターなども。さまざまな肩書きを自由に横断しながら、一年の半分程度は海外を拠点に活動するといういまのワークスタイルを、ここ数年で確立させてきた。

具体的に、何をどこでしているのか。活動の中心は、二〇一九年に立ち上げた(一社)for Citiesでの活動だ。共同代表の石川由佳子とともに、東京と京都を行き来しながら都市・建築・まちづくり分野のさまざまなプロジェクトを企画・ディレクションしている。個人事業主としては京都に拠点をおき、国内外からアーバニストたちが集う拠点である「Bridge To」の運営ほか、世界の都市の物語を集め共有する編集&出版レーベル「Traveling Circus of Urbanism」を主宰し、編集やリサーチ関連の仕事を受けている。二〇二三年春からは、拠点としている京都市左京区の浄土寺エリアを中心に、地域福祉と建築をテーマに活動を行う(一社)ホホホ座浄土寺座を、地域の有志たちとともに立ち上げ、より地場に根づいた実践も始めた。これらの活動はすべて、多拠点かつ、インターナショナルなライフスタイルが基軸となっている。

――移動するなかで出会った、さまざまな働き方

デンマーク、ベルギー、オーストリア、スペインで学んだ学生時代から片鱗を見せつつあった〝多拠点癖〟が本格化したのは、東京での仕事を辞めて独立した頃だったろうか。独立後の一年は、いま振り返っても非常にキラキラしていた。「社会人経験が短いのに、一人でやっていけるの？」と止められたことも多かったけれど、ワーキングホリデービザを活用してカナダ・バンクーバーに拠点を移し、編集・リサーチの仕事をフリーランスとして受け始めたのに加え、新しく立ち上げたメディアの取材にかこつけてアメリカの都市をリサーチしてまわるべく、テキサスで車を買ってロードトリップでアメリカを一周するという無茶なこともした。訪ねる先々のまちで、おもしろい都市開発やまちづくりの事例、建築物を片っ端から訪ねてまわり、気になる建築家や研究者には、躊躇することなくメールやSNSでコンタクトを取って会いに行った。

このときに築いたコネクションや、新しい土地に潜り込むための身のこなし方は、現在に続く財産となっている。「自分の住みたい場所に住む」こと、そして、

「自分がしたい仕事しかしない」こと。独立一年目で収入が安定していないなか、それでも最初からそんな覚悟ができていたのは、この時期に出会った、おもしろい働き方、おもしろい暮らし方の数々によるところが大きい。

たとえば、メキシコ滞在時に出会った、建築系のキュレーターデュオ「Proyector」。ビルを丸ごと改修し、一階を建築系ギャラリー、二階を自宅として活用しているのだが、彼らの活動はうまい具合にプライベートとビジネスの境界が溶けていて、気分がいい。自分たちの住まいを開きながら、それをクリエイティブなかたちに展開させ、海外の建築家やアーティストとも軽やかにコラボレーションをする彼らの姿は、いまの活動のロールモデルのひとつだ。

──多拠点でありつつ、地場にも根づく

アメリカ・カナダ各地で、「移動しながら、旅行しながら働く」なかで無意識に探していたのは、「次に自分が住みたいまち」だったように思う。数週間〜数カ月スパンで移動する生活はエキサイティングであったけれど、正直、どうも疲れる。買いたいものも買えないことが多いし、長期的な関係性の構築やビジネスのチャンスが得づらいというのも事実だ。それでも、ノマディックなライフスタ

イルは手放したくない。そういう意味で、「多拠点で働くこと」の私なりの回答は、京都だった。アメリカでのロードトリップを終えたあと、夫と二人で、住みたい場所のランキングチャートをスプレッドシートでつくったのだが、家賃相場や、自然との距離、クリエイティブシーンなどの指標に適当に点数を付けていって、なんとなく点数の高かった京都に、なんとなく引っ越すことにした。なんの地縁もない京都にしようと決めて、実際に引っ越すまでにかかった時間は、二週間。いま振り返っても、不思議だったなと思う。結果、非常に気のよい町家を見つけて、自分たちでＤＩＹのリノベーションをしながら、自宅兼オフィスとして、家びらきをしながら暮らすことになった。

私たちの住まいであり、事務所でもある「Bridge To」は、「アーバニスト・イン・レジデンス」として、海外から定期的にアーティストやクリエイター、建築家を受け入れ、ワークショップなどのイベントを行う活動の場にもなっている。

二〇二二年七月には、ギリシャをはじめとしたヨーロッパ各地で毎年開催される「パフォーマンス・アーキテクチャー・スクール（Performance Architecture）」を、「Bridge To」の滞在アーティスト、Eliza Soroga の主導で実施。①身体と空間・建築をめぐるセオリーのレクチャーから、②室内で身体を動かし、五感を開放して

3

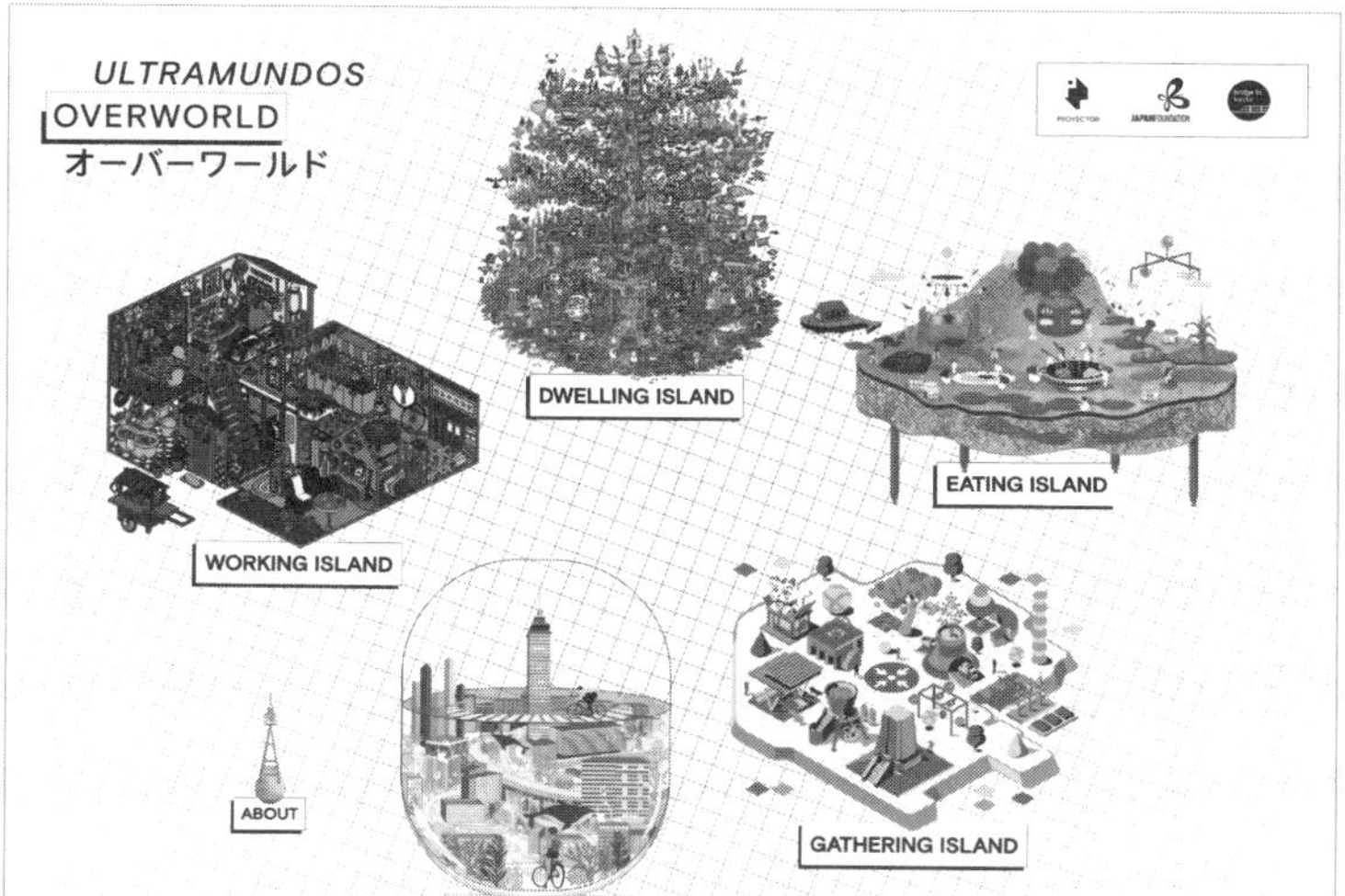
ULTRAMUNDOS
OVERWORLD
オーバーワールド
DWELLING ISLAND
EATING ISLAND
WORKING ISLAND
ABOUT
GATHERING ISLAND
MOVING ISLAND

4

3台湾に滞在中にインド人の建築家とともに開催したワークショップ「Taipei Ephemera」。二日間かけて地域住民も巻き込みインスタレーションを制作　4国際交流基金メキシコセンターとのコラボレーションで行った、日本とメキシコのアーティストを融合させた展覧会「Overworld」

空間的認識を高めるエクササイズ、③外部空間と身体を重ねる実験的ワークまでの三本立てで、左京区浄土寺エリアを回遊しながら、建築・都市空間と身体表現の関係性を考えた。これまで一〇組以上の海外アーティストを受け入れたほか、二〇二三年冬からは都市・建築・まちづくり関係の出版物などを扱う私設ライブラリーとしても定期オープンしている。普段から海外によく出入りするなかで構築したネットワークのおかげで、日本にいながらも海外のクリエイターたちが集まって来てくれる。

――多拠点だからこそ生まれたプロジェクト

京都に移ってから、イタリア、台湾に一～二カ月、アムステルダムに一〇カ月、アフリカ各国に合計九カ月と滞在した。将来的に、日本だけでなく海外にも拠点をもちたいと思っているから、その偵察やリサーチ、新規プロジェクトの開拓が名目だ。海外に出ているあいだは、京都の自宅を友人たちに貸して住んでもらうから、ダブル家賃の心配もない。リモートで仕事ができるから、その間休みを取る必要もない。少しずつ近所に友人たちが引っ越して来たり、近所付き合いや、何か一緒にしたいと思える地域コミュニティもできた。多拠点でありつつも、地場にも根づき、いつでも帰って来れるホームベースを設けることの大切さは、京都から学んだ。

　このライフスタイルだからこそ生まれたプロジェクトはたくさんある。一例で言うと、国際交流基金メキシコセンターとのコラボレーションで行った、日本とメキシコのアーティストを融合させた展覧会「Overworld」。メキシコに一カ月滞在中、モンテレイ工科大学の建築学生を対象にワークショップを行った際の縁で、国際交流基金メキシコセンターの担当者の方に声をかけていただいた。京都に拠点をおくアーティスト（ジョナサン・ハガード／VR、キース・スペンサー／ビジュアルアート、中村杏子／イラストレーション）を中心に、日本とメキシコから各五名のアーティストをキュレーションし作品を制作・発表した。またトークイベントや日本・メキシコ間を結ぶ国際交流イベントなどを実施。ポストコロナ時代における文化・芸術活動の方法を模索した。

　元同僚の石川由佳子とともに（一社）for Citiesを立ち上げたのも、京都に引っ越してから二年ほど経った、コロナ禍の二〇二一年春のことだ。きっかけとなったのは、一緒に参加する予定だったベルリンのアーティスト・イン・レジデンスのコロナ禍による中止だった。長くなるのでここでは割愛するが、ドイツ行きが

5

6

5「Bridge To」では、定期的に展覧会やワークショップを行う　6「Bridge To」で開催されたパフォーマンス・アーキテクチャー・スクール（Performance Architecture）

中止になった結果、なぜか私たちが行き先に選んだのが、アムステルダム（オランダ）だった。せっかくカレンダーを空けておいたから、その期間一緒にどこかに行こうという非常に軽いノリだったと思う。観光ビザで滞在できる最大限の三カ月のあいだ、幸運なことに見つけたボートハウスで共同生活をし、そのプロセスで原型ができ上がったのが、「都市体験のデザインスタジオ」なる「for Cities」だ。

滞在時期中、すぐに自転車を購入してまちの隅から隅まで駆けずりまわり、会いたい人にひたすら会いに行ったことを覚えている。大切にしたのは、「よそ者」としての視点と作法だ。建築や都市に関わるプロジェクトは、大抵長い時間がかかるものであり、そこに三カ月という非常に短い期間滞在している私たちができることは、普通に考えると到底ない。

けれど、短期滞在であろうが、アイデンティティが別の場所にある移民であろうが、その土地の活動に自分ごととして積極的に関わり、何かしらの貢献を残していくことは、不可能ではないはずだ。そして、「よそ者」だからこそ提供できる視点や、築ける関係性もある。私たちの海外における短期間での関係性のつくり方は、「よそ者」であることの自覚、そして、それを逆手に取りポジティブに展開する姿勢によるところが大きいように思う。

7

たとえば、石川と私がアムステルダム滞在中に現地のアートコレクティブ、Cascolandと協働して実施した、コレクティブマップのプロジェクト「De Informele Zorgkaart（Informal Care Map）」。中心部から自転車で西に四〇分ほどの殺風景な集合住宅地域・Van Deyssel地区で、コミュニティ内部で行われる小さな助け合いや住民同士のつながり、そのための空間など、都市の開発者には見えない事象をオンラインの地図で場所に紐づけて共有・可視化できる仕組みで、Cascolandとfor Citiesが共同で企画から開発、実践までを行った。モロッコやトルコからの移民が住民の大半を占めるこのエリアで、言葉も通じない私たちは役立たずだったかもしれない。けれど、自分自身も文化背景の異なる〝移民〟としての寂しさや葛藤を少しばかりでも知っているからこそ、小さな助け合いや住民同士のつながりをアーカイブ化するというこのプロジェクトのアイデアを思いつくことができた。これらの視点は「よそ者としての都市」という冊子としてまとめ、公開している。デザインは現地で知り合ったグラフィックデザイナーとイラストレーターにお願いした。滞在先で、仕事を〝もらう〟だけではなく、現地の誰かに仕事を〝頼む〟ということも、意識してするようにしている。その土地でビジネスをするうえでの相場や作法の勘をつけるための近道だ。

7アムステルダムで滞在していたボートハウス。カヤックを購入し、アムステルダム中の運河を漕ぎまわった

結果、私はフリーランスビザの取りやすいオランダで個人事業主登録をして一年ほどアムステルダムに滞在することになったのだが、アムステルダムで二人で小さく始めた構想は、三年経ったいま、東京、京都をはじめ、山梨、神戸、カイロなど、さまざまな場所に広がった。「都市の日常を豊かにする」をミッションに、for Citiesでは、二人の得意分野であるプロジェクトマネジメントやディレクション、デザインリサーチを基盤に、建築やまちづくり分野でのリサーチや企画、編集、キュレーション、教育プログラムの開発やプロダクト開発などを行っている。

自主事業としては、国内外のアーバニストのポートフォリオサイト「forcities.org」の開発・運営ほか、展覧会「for Cities Week」(二〇二一年〜)を通して、世界中の都市・建築・まちづくりに関する事例やプロジェクトのアイデアを紹介する場をつくっている。二〇二三年五月には、参加者を公募しての共同リサーチ合宿「Urbanist Camp」(二〇二三〜)を実施し、ベトナム・ホーチミン市で展覧会を行った。

また、これからの都市・建築・まちづくりに関わる新しい人材を育てるための学びと実践のプログラム「Urbanist School」(二〇二二年〜)は、いままで東京・ナイロビ・カイロ・京都の四都市で開催してきた。神戸市長田区の行政と協業し

行った短期滞在型のレジデンスプログラム「アーバニスト・イン・レジデンス」では、for Cities の二人をはじめ、国内外のさまざまなアーバニストを神戸市に誘致し、よそ者としての視点から、地域の課題解決と魅力創出のリサーチを行った。そのほか、アーバニストと全国の活動拠点とのコラボレーションを促進することをミッションに、共同リサーチ〜プロトタイプの実践、テスト運用、滞在制作、ワークショップやイベントの開催などを行う「アーバニスト・イン・スタジオ」（二〇二二〜）を東京・池袋で開催したり、最近では、アートプロジェクトに声をかけてもらい「Urbanist Kit」などプロダクトなどを制作することも増えてきた。

――ほかの人が行かない場所を狙っていく

多拠点で活動することの、よりエクストリームな事例を最後に紹介したい。私が二〇二一年一二月〜二〇二二年八月までの九カ月間、アフリカの各都市で行ったプロジェクトキャラバン&リサーチトリップだ。トーゴ、カメルーン、ケニア、南アフリカ、モロッコ、エジプトで計六都市を一カ月〜二カ月スパンで移動しながら、いままさに進化つつあるアフリカのアーバンカルチャーのリサーチと、現地の都市・建築・まちづくり分野のスタジオやスタートアップとの短期コラボレーションを行った。

総人口の七〇％が三五歳以下といわれるアフリカ大陸。急速なアーバナイゼーションと経済成長に加え、「リープフロッグ現象」と呼ばれる急速なテクノロジーの発展が見込まれている。二一〇〇年には大都市のほとんどはアフリカに位置する、という予測がなされているのは有名な話だ。そんなアフリカだが、諸都市の建築・都市計画に関する歴史や動向をアカデミズムの場で議論し、理論化や読解を試みる動きは、欧米諸国や先進国に比べ、まだ多くはない。だからこそ、アフリカから始まる新しい都市のパラダイムの可能性を読み解いてみたいと思った。

友人であるフランス人の建築家とともに独自で企画し、参加者を募りつつ自己資金を使っての新規事業開拓プロジェクトで、話が出てから実際にアフリカに渡航するまで八カ月ほど。コロナ禍で挑戦はいくつかあったけれど、このスピード感はよかったなと思う。

旅程と詳細は以下だ。

●二〇二一年一二月〜二〇二二年一月　ロメ（トーゴ）：建築業界にアフリカの視点をもち込むことをミッションに活動を行うSénamé Koffi A.が手がけるボトムアッ

8

9

プのスマートシティプロジェクト「HubCité」に参画。若手スタートアップへのメンタリングサポートほか、市民の姿に光をあてるリサーチプロジェクト「Hubcitizen」を立ち上げ。

●二〇二二年二月～二〇二二年三月　ヤウンデ（カメルーン）：オープンデータプラットフォームであり、アフリカのデジタルマップやGIS開発を行う現地のスタートアップGeOsmとコラボレーション。住み込みで現地スタッフと一緒に働きながら、空間情報データに関するデザインリサーチと、二日間のハッカソンの実施。

●二〇二二年四月～二〇二二年五月　ナイロビ（ケニア）：ナイロビのサウンドスケープをテーマに活動するアートコレクティブ、Sound of Nairobiとともに教育プログラムの開発&ワークショップの実施。

●二〇二二年六月　ケープタウン&ヨハネスブルク（南アフリカ）：エクスペリエンス・デザイナー、Orlando Vincent Truterの案内で、「ヒーリング・スペース」をテーマに現地の建築家、デザイナー、アーティストなどにインタビューを実施。

●二〇二二年六月　カサブランカ（モロッコ）：モロッコの建築家、デザイナー、事務所訪問

●二〇二二年七月　カイロ（エジプト）：現地のアーバンデザインセンター「CLUSTER」

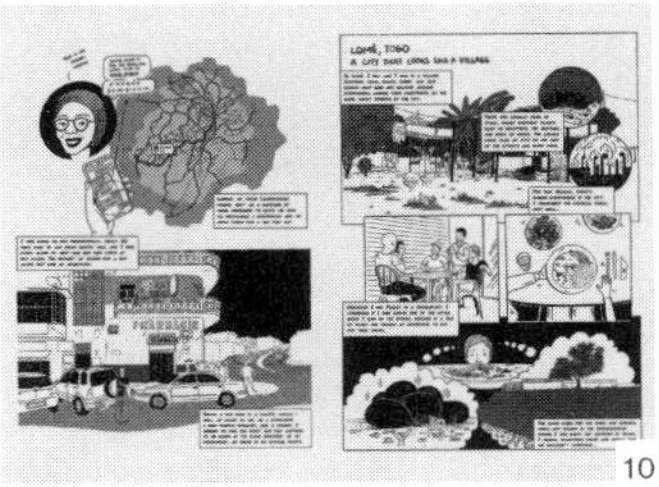

8カイロで開催した「都市の音風景」をテーマにした展示　9カイロで建築学生向けに開催したワークショップ　10グラフィック・ノベルの形式でまとめたアフリカの都市での観察記

10

との共同プロジェクト。for Citiesとして、九本のワークショップとポップアップの展示を実施。

アフリカには、植民地の歴史やディアスポラの経験、人種差別といった重いテーマがつきまとっている。そのような高い障壁にかかわらず、彼らが大陸全体として、黒人として、新しいアフリカ的なアイデンティティや未来像を積極的に描いていることに私は興味がある。だからこそ、アフリカや黒人を中心とした独自の宇宙観・SF的な世界観をもつ思想を指す「アフロ・フューチャリズム（Afrofuturism）」ならぬ、「アフロ・アーバン・フューチャリズム（Afro-Urban-Futurism）」を、私は考えてみたいと思った。アフリカの都市での観察記は現在、グラフィック・ノベルの形式でまとめており、二〇二四年春にカメルーンの出版社から出版が決まっている。

九カ月に渡ったアフリカでのリサーチだが、最後の一カ月はfor Citiesの石川も合流し、エジプトの首都カイロにて一カ月間のリサーチをしたあと、カイロ西部のインフォーマル地区アル・デル・ロワにて、「サウンドスケープ（音風景）」をテーマに二日間の展覧会と三つのワークショップを行った。期間中、ワークショ

11
11西アフリカ・トーゴで2カ月間滞在したインキュベーション施設「WoeLab」。才能あふれる若者が集まる

ップやまち歩き、スクールなどまちにも飛び出したコンテンツを用意し、現地の建築・都市デザインの学生を中心とした来場者に楽しんでもらった。

現地のパートナーとして連携したのはアーバンデザインスタジオ、CLUSTER Cairoだ。アムステルダムで知り合ったパキスタン人の建築家が、以前働いていたことがあるという縁で紹介してもらった。「カイロに一カ月行こうと思うんだけど、一緒に何かしない？」という気軽なメールから、オンラインでの顔合わせで意気投合し、期間中は彼らのスタジオに毎日朝から晩まで通い詰めたりしながら、彼らの拠点を目一杯活用させてもらった。予算や役割分担も含め現地で合意形成を取り、アジャイル的にプロジェクトを生み出していくプロセスは、今回のカイロのお陰で大体コツを掴んだ実感がある。for Citiesは、二〇二三年はベトナム、二〇二四年はナイジェリアなど、今後もインターナショナルに現地の拠点やコラボレーターと連携をしながら活動を続けていくつもりだ。すべて、短くても一カ月は現地に滞在し、限られた時間のなかで現地の空気を吸い、現地の人と対話をしながらつくる。この現場感、よそ者だからこそのよい意味での空気の読めなさ、スピード感が重要なのであって、オンラインだけのプロジェクトであれば、長期間関わっていようがつくれない関係性がここではできる。

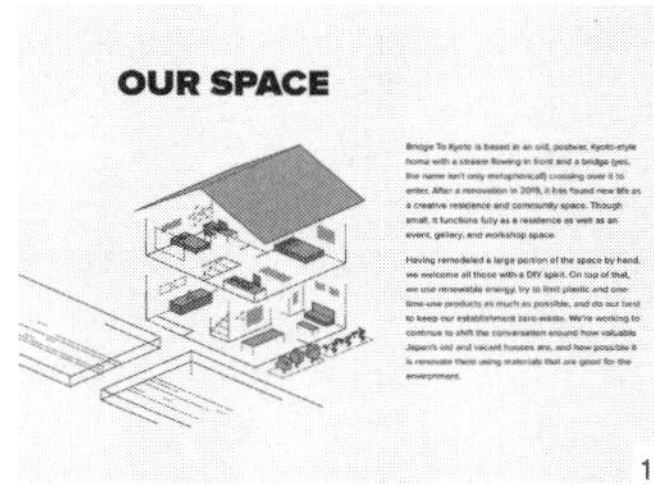

12

12「Bridge To」コンセプトイラスト

——拠点が増えれば増えるほど、学びも、チャンスも増えていく

以上、多拠点をベースにした私の活動・プロジェクトをまとめると、以下のようになる。

● 京都・東京の二拠点で行う都市体験のデザインスタジオ「for Cities」
・プロデュース&ディレクション

● 国内外からアーバニストたちが集う拠点である「Bridge To」
・場づくり
・キュレーション

● 世界の都市の物語を集める編集&出版レーベル「Traveling Circus of Urbanism」
・編集、執筆
・出版
・リサーチ

世間一般に語られるほど、海外にプチ移住することのハードルは高くない。海外で気になる都市、ホットな都市に一定期間滞在し人脈を増やすことは、海外案

13

13「Bridge To」にて企画した、ニューヨークを拠点に活動するアーティストAugust Henryの展示

件やコラボレーションを生み出すきっかけになる。ビジネスは日本だけに閉じる必要は全然ないし、むしろ不景気ないまの時代、日本だけ、しかも東京など限られた経済文化圏のなかだけに活動を閉じてしまうのは、リスクのほうが高い気がする。日本円はこれからどんどん弱くなっていくし物価も下がっていく。海外のチームとも仕事をしたいのならば、海外案件もガンガン取って外貨を稼いでいくことが大切だ。投資対象を多様化させることで資産運用に伴う価格変動リスクを低減させて好リターンを目指す分散投資ではないけれど、活動の拠点、ビジネスのレベニュー、スキルの多様化、外貨の獲得は、不確定なことが多いこれからの時代をしなやかに生き延びるための手段なのではと、私は思う。またこれまでの経験上、海外滞在のためのビザや、税金・健康保険・年金などのお金のあれこれには、できるだけ詳しくあるべきだ。

今後はアーバニスト・イン・レジデンスでありクリエイティブ拠点の「Bridge To」をレーベルとして扱い、海外にも複数拠点をつくる計画を進めている。海外での文化芸術系のプロジェクト、ワークショップの企画や展覧会の開催も積極的に増やしていきたい。また二〇二三年から始まった左京区浄土寺の有志が集まる一般社団法人を基盤に京都の地域コミュニティに根ざした活動も続けていく予定だ。

三拠点の暮らしの延長にまちをつくる

高円寺＝新庄＝佐賀

加藤優一

専門領域	実践的なまちづくり／建築・都市の企画・設計・運営・研究
仕事内容	「小杉湯となり」「銭湯つきアパート」企画・運営／「万場町のくらし」運営協力／大学での教育・研究／公共施設の基本計画・設計・運営計画など
所属	（株）銭湯ぐらし 代表取締役／（一社）最上のくらし舎 共同代表理事／東北芸術工科大学 専任講師／（株）オープン・エー＋公共R不動産 パートナー
多拠点の魅力	人・場所・時間の捉え方を相対化できること、地域の課題と可能性を見つけやすくなること

——はじめに——私の週末

ある日の金曜日。私は、佐賀県庁で会議をしていた。老朽化した体育館をリノベーションするプロジェクトで、建築設計と運営計画を担当している。会議を終え、県庁を出ようとすると、昔一緒に仕事をした職員から声をかけられた。「デザインしてくれた公園でお花見したんだけど、最高だったよ！」「苦労した甲斐がありましたね！」

最終の飛行機に乗り、深夜二三時に自宅がある東京都杉並区の高円寺にたどり着いた。疲れた体で向かったのは、老舗銭湯「小杉湯」だ。ジェットバスで凝り固まった体をほぐし、熱湯と水風呂に交互に入ることで心も癒やされていく。この生活ができるのは銭湯のおかげである。湯上がりには、小杉湯の隣にあるシェアスペース「小杉湯となり」（二〇二〇）に顔を出した。スタッフが締め作業をしていたので少し雑談をして家

1

2

路についた。明日は実家に帰省する日だ。翌日、新幹線で向かったのは山形県新庄市。親に顔を見せたあとに、事業パートナーと運営している「万場町のくらし」(二〇一八)でのイベントに参加した。

この原稿は、イベント後の実家で書いている。五月になると、夜はカエルの大合唱に包まれる。夜道を歩けば、時間はゆっくり流れ、小さな出来事に敏感になれる。明日からはまた東京だ。そこにも大好きな銭湯があり、仲間がいる。私にとってはどちらも大切な時間で、どちらも帰りたくなる場所だ。

私は現在三つの拠点で活動している。決して計画通り進めてきたわけではなく、自分が関わる土地で、自分が欲しい暮らしをつくろうとした結果、このような働き方・暮らし方にいき着いた。

――三つの拠点の概要

まずは、私が行っている活動の概要を紹介したい。三つの拠点で共通するのは、建築の設計だけではなく、企画から運営まで担っていることだ。また、暮らしの延長で地域に関わることを前提にしている。

(一) 東京都高円寺:(株) 銭湯ぐらし代表取締役

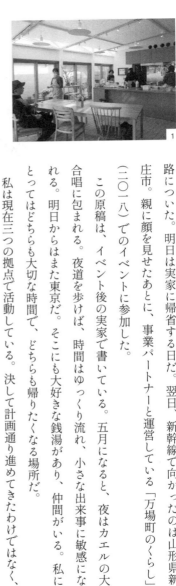

3

1シェアスペース「小杉湯となり」(設計：T/H、企画・計画・運営：銭湯ぐらし、二〇二〇年)。日本建築学会作品選集選出　2喫茶＋間貸し「万場町のくらし」(企画・設計・施工・運営：最上のくらし舎、二〇一八年)。日本財団わがまち基金を活用した地方創生支援スキームに採択　3廃校を再生した合宿所＋オフィス＋カフェ「SAGA FURUYU CAMP」(設計：馬場正尊＋加藤優一／オープン・エー＋OSTR、二〇二〇年)

現在住んでいる東京都高円寺では、老舗銭湯「小杉湯」を起点に、まちづくりを展開している。小杉湯の隣にある、銭湯つきシェアスペース「小杉湯となり」に加え、半径五〇〇メートル圏内にサテライトスペース「小杉湯となり-はなれ」や、銭湯つきアパート「湯パートやまざき」などを企画・運営している。

(二) 山形県新庄市：(一社) 最上のくらし舎 共同代表理事

地元である山形県新庄市では、空き家再生を軸に、まちづくりを行っている。古民家を活用した喫茶＋間貸しスペース「万場町のくらし」の企画・運営や、商店街と連携したイベントなどを実施している。

(三) 佐賀県佐賀市：(株) オープン・エー＋公共R不動産 パートナー

佐賀県には、設計事務所のマネージャーとして、月一～二回ほど通っている。おもな仕事は、公共空間の設計や運営計画の策定など。今年度から山形にある東北芸術工科大学に着任し、設計事務所とはパートナー契約を結ぶことになったので、関わり方は変わりつつあるが長期的にコミットしていきたいと考えている。

――学生時代の気づき

次は、この働き方に至った経緯を振り返ってみる。

4

5

私は学生時代、大学で建築設計、大学院で都市デザインを専攻し、両者に隔たりがあることに課題意識をもった。建築のデザインは優れていても、地域との関係性や運営のことが考えられていないばかりに、使われていない建物。他方で、大きな構想を描いても、絵に描いた餅になってしまった計画。そんな事例を見てきた。

そこで博士課程では公共発注という研究を通して、都市のビジョンを建築として具現化するプロセスについて学ぶことにした。また在学中にいくつかの学生プロジェクトを行い、実際に場を運営する実験を行ってみた。たとえば「語らいカフェ」（二〇一一）という活動では、学内に「語らいの森」という誰も語らっていない広場があることに目をつけ、廃材で家具をつくりコーヒーを振る舞うことで、「語らえる場」をつくろうとした。そこで実感したのは、家具の配置一つで人の動きが変わることだ。また、物を売るためには、企画・設計・運営の連携が重要だということを学んだ。

当時は、東日本大震災が起きたこともあり、震災復興に関するプロジェクトにも携わった。「新・港村（ヨコハマトリエンナーレの連携プログラム）」では被災地での建築家の活動を紹介する展示空間の設計・施工を担当した。また「家まっち

Project」という活動を立ち上げ、住宅情報の提供支援などを行った。震災直後は時間もマンパワーも限られており、プロジェクトのマネジメントがアウトプットに影響することを実感した。そんな学生生活を経て、建築のプロセス全体に関わる大切さを学び、進路を決めていった。

4「語らいカフェ」(二〇一一年)。多様な学科の学生と協同して、仮設カフェの企画・制作・運営を実施した　5「新・港村：アーキエイド展」(二〇一一年)。空間デザイン賞にノミネート。Archi+Aid(東日本大震災における建築家による復興支援ネットワーク)学生代表として展示空間を担当。約二カ月で企画・設計・施工を終えた

——設計事務所への参画—佐賀との関わり

二〇一五年、東京の設計事務所「オープン・エー＋公共R不動産」に参画することとした。博士課程の研究テーマでもあった、公共空間の計画や仕組みづくりを実践していることに魅力を感じたのが理由だ。そこで、たまたま佐賀県の担当になり頻繁に通うことになった。

最初に担当したのは、庁舎・図書館・公園などを一体的にリノベーションする事業「佐賀城内エリアリノベーション」(二〇一八)だった。これまで縦割りで管理してきた公共空間の連携を図るため、エリアのビジョンを策定したうえで、部署横断会議を設けながら設計を進めるなど、空間と運営の仕組みを両方デザインすることを心掛けた。

次に担当したのは、温泉地の廃校を合宿所に再生する事業「SAGA FURUYU

6「こころざしのもり／佐賀場内エリアリノベーション」（デザイン監修：加藤優一・清水襟子／オープン・エー、二〇一八年）。土木学会デザイン賞奨励賞受賞。図書館と広場の境界にあった壁を多目的デッキに改修し、公園を再整備。検討段階から両施設の担当課を交えた会議を設置し、空間と組織の両面から接点を生み出した

CAMP」（二〇二〇）だ。このプロジェクトでは、公共事業において別々に委託されることが多い〝基本構想・設計・運営〟が一括発注されたことで、運営を見据えた設計が実現できた。

最近担当しているのは、体育館を複合施設に再生する「(仮)市村記念体育館利活用事業」だ。基本計画・設計に加え、運営計画の策定まで行っている。

このように、設計事務所のスタンスでもあるが、担当した事業は運営まで関わることが多かった。佐賀に通い始めた当初は、その土地の人間ではない自分がどのように関わってよいか悩んでいたが、運営まで考えることで当事者意識をもてるようになっていった。

——銭湯ぐらし—東京での暮らしづくり

そんな生活のなか、自分の法人を立ち上げるきっかけになったのは、二〇一七年三月のことだ。当時、仕事のフィールドは佐賀県だったが、ほかにも仕事があったので家は東京に構えていた。そして、出張の疲れを取るため、たまたま近くにあった銭湯「小杉湯」に通い始めた。ある日、番台でオーナーと雑談しているなかで、隣にある風呂なしアパートの活用方法に悩んでいるという相談を受けた。

7解体前の風呂なしアパートを「銭湯つきアパート」と名づけ一年間の暫定利用を行なった

老朽化によって解体することになったが、立ち退きが早く完了して一年間は誰も使わない状態にあるというのだ。そこで思いついたのが「銭湯ぐらし」プロジェクトである。内容は、銭湯好きの入居者を集め、一年間生活しながら「銭湯のある暮らし」の可能性を探るというもの。空きアパートを活用しながら、場所のニーズやポテンシャルを見出すことで、解体後につくる建築のあり方も見えてくるのではないかと考えた。その提案にオーナーは喜んでくれ、すぐに仲間を集めて暮らすことになった。

一年間の銭湯ぐらしで気づいたのは「日々の暮らしに余白をつくる大切さ」や「まちで暮らしをシェアする豊かさ」であった。その後、アパートは予定通り解体されたが、この体験をより多くの人に伝えたいという思いから、解体跡地にシェアスペースをつくるアイデアを見出した。そして、風呂なしアパートのときと同様にオーナーに提案した結果、新しい事業も任せてもらうことになったのだ。

そこから二年間の準備期間を経て、二〇二〇年三月に「小杉湯となり」をオープン。湯上がりに食事をしたり、仕事終わりにくつろいだり、銭湯のある暮らしを体験できる場所として使われている。オープン直後に新型コロナウイルスの影響を受け、運用形態を会員制に切り替えたが、最近では土日に飲食営業を再開

8

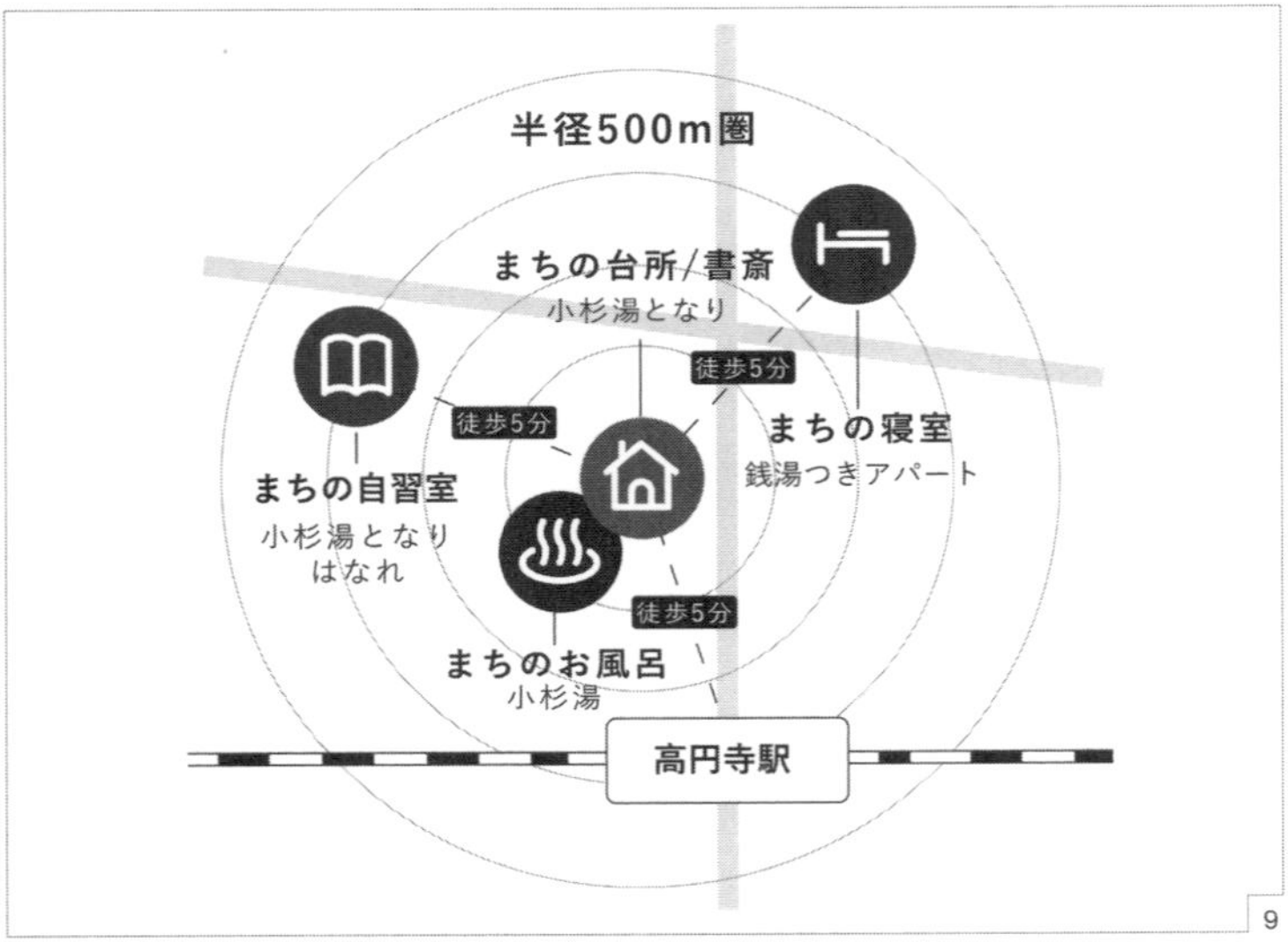
半径500m圏
まちの台所/書斎
小杉湯となり
徒歩5分
徒歩5分
まちの寝室
銭湯つきアパート
まちの自習室
小杉湯となり
はなれ
徒歩5分
まちのお風呂
小杉湯
高円寺駅

9

10

8「小杉湯」と「小杉湯となり」の鳥瞰　9「小杉湯となり」から半径五〇〇メートル圏内の拠点の広がり。取り組みは国の空き家対策モデル事業にも採択された　10古民家を活用したサテライトスペース「小杉湯となり-はなれ」(デザイン監修：銭湯ぐらし、二〇二〇年)

している。

また、二〇二一年からは、周辺の空き家再生にも着手しており、古民家を活用したサテライトスペース「小杉湯となり-はなれ」や、空きアパートを再生した「湯パートやまざき」などを企画・運営している。それぞれ半径五〇〇メートル圏内に立地しているので、小杉湯がまちの〝浴室〟であるならば、となりが〝台所・書斎〟、はなれが〝自習室〟というように、まち全体を家のように見立てることができる。また、「小杉湯となり」の会員と運営メンバーを合わせると、二〇歳から八〇歳の計一〇〇名以上の人が関わっている。場の広がりに合わせて、人とのつながりも広がり、結果的に徒歩圏内に「新しいご近所付き合い」のような関係性が生まれている。

——最上のくらし舎——地元での暮らしづくり

三つ目の拠点は山形だ。山形での活動は、一からプロジェクトを立ち上げ、仲間集めから物件探し、場の企画・設計・工事・運営まですべて行ったので、これから地域に関わる人の参考になりそうな事例だ。そこで以降は、事業のプロセスをフェーズごとに詳しく紹介していく。

11

12

（一）きっかけ

活動の拠点は、山形県最上地域にある新庄市という人口約三万人のまちだ。地元で活動を始めた理由は二つある。一つ目は、全国のまちづくりに関わるなかで「地元でも何かやってみたい」と考えたからだ。中高生の頃から、地域が衰退していく様子に課題意識をもっていたので、いずれは挑戦したいと考えていた。二つ目は父が体調を崩したことが影響している。そのときに頭をよぎったのは、このまま年に数回しか帰省しなかったら、父と会えるのも数える程度ということだった。

東京でもやりたいことはあったので、いますぐUターンは考えにくかったが、定期的に帰省するために仕事をつくりたいと思い、活動を始めることにした。ただ、いざ活動しようと決めたところで、何から始めてよいかわからなかった。まずは仲間を集めようと、学生時代の同級生に声をかけたが、彼らもそれぞれの道に進んでいて「まちづくり」と言ってもピンとこない様子だった。

そこで、私が目をつけたのは「マルシェ」だ。全国のまちづくりに関わるなかで、マルシェには地域のプレイヤーが集まっていることを知った。将来お店を出したい人や、こだわりの地産品を扱う人など、面白い人が多い印象があった。さっそく地元で開催されているマルシェに行き、買い物をしながら店主の話を聞いてまわっ

11新庄まつりの様子　12・13「キトキトマルシェ」。国の研究所だった旧蚕糸試験所を活用したマルシェ。数年後、オープン・エーと最上のくらし舎で活用計画に関わることになる。じつは祖父が勤務していた場所でもある

た。そこで、イベント運営のサポートをしていた吉野優美（のちの事業パートナー）と出会う。彼女は、東京で生まれ育ったが、祖父母のいる山形に関わりたいという思いから、地域おこし協力隊として働いていた。そこで、私が地元で活動したいという話をしてみると、ありがたいことに興味をもってくれた。気をよくした私は、そのとき考えていた、行政と連携するまちづくりのアイデアを話してみた。すると「最初から行政だけに頼るのはナンセンスじゃない？」とバッサリ切られた（笑）。逆に「小さいことでもいいから、何かやってみようよ！」と提案してくれたのだ。その言葉にあと押しされ、自分ができることを考えた。そこで思いついたのが「空き家勉強会」だった。設計事務所で空き家活用のノウハウは培っていたので、「空き家を所有して困っている人と、空き家の活用に興味がある人が集まる場をつくれば、物件も仲間も集まるかもしれない」と考え、勉強会を企画することにした。情報発信においては、多様な世代に届くように、SNSでの告知に加え、回覧板などでの周知も行った。

（二）実験フェーズ

●二〇一八年五月：空き家勉強会

勉強会当日は、三〇名ほどの参加者が集まってくれた。その内、空き家の所有者

14

が五名、活用に興味がある人が一〇名ほどいた。(じつはこのなかに、のちに活用する空き家の大家さんと、そこに入居してくれる事業者さんがすでにいた)。

勉強会の内容は、空き家活用の事例を紹介したあと、参加者の悩みを共有する流れにした。最初は、発言する人がいるか不安だったが、それぞれ悩みを抱えていたようで議論は思いのほか盛り上がった。会の終わりには「会議だけでは何も始まらないので、行動に移そう!」ということで、翌月に参加者の空き家をみんなで見学することになった。

●二〇一八年六月:空き家見学会

見学会は、前半に参加者が所有する空き家を見学し、後半で活用のアイデアを出し合った。そこで、活用に向けて動き出したのが齋藤智博さんが所有する空き家だ。立地は、駅から徒歩一五分の万場町商店街というエリア。人口減少・空き家の増加が顕著な場所だが、家賃相場は比較的安く、昔ながらの商店も残っている。物件は築一〇〇年の古民家。かつて仕立屋として使われていた歴史ある建物で、地域の大切な資源である。齋藤さんは、古い建物なので活用は難しいと思っていたようだが、参加者から魅力的なアイデアが出たことで、活用に前向きになっていった。また遺留品が残っていることも、活用を躊躇う理由だったが、これを機にみ

15

14空き家勉強会。参加者の属性は店舗経営者・不動産仲介業者・行政職員・銀行職員・建築士・農家などさまざま　15空き家見学会。現在の活用案はこの日のワークショップの案がベースになっている

んなで大掃除をすることになった。いきなり事業化する予算はないが「できることからやってみよう」というスタンスだ。ちょうど地域の夏祭り（新庄まつり）を控えていたので、祭の休憩所として開放することを目標に動き出すことにした。

●二〇一八年七月：大掃除

掃除前は足の踏み場もない状態だったが、みんなで力を合わせ一日で概ね片付けを終えることができた。また床や壁が傷んでいるところもあったが、参加者が自主的に工具を持ち寄り、DIYで修繕してくれた。ちなみにDIYスキルが高いのには理由があって、山形では冬になると「雪囲い」といって家屋や植栽を雪から守るための囲いをつくる文化がある。この力も地域の資源の一つだ。こうして勉強会の参加者が自然にプロジェクトメンバーとなり、休憩所が整備されていった。

●二〇一八年八月：トライアルオープン

新庄まつりは、各町内の大人たちが毎年山車をつくり、それを子どもたちが引いてまち中を練り歩くという、住民参加型の祭だ。休憩所では歩き疲れた人が休める場所を設けたうえで、祭の調度品の展示や、かき氷の販売などを行い、多くの人で賑わった。また近所の人も遊びに来てくれて「昔はお茶を飲む場所があったので、記憶が蘇ったようで嬉しい」「今日限りではなく、いつもオープンしてほしい」

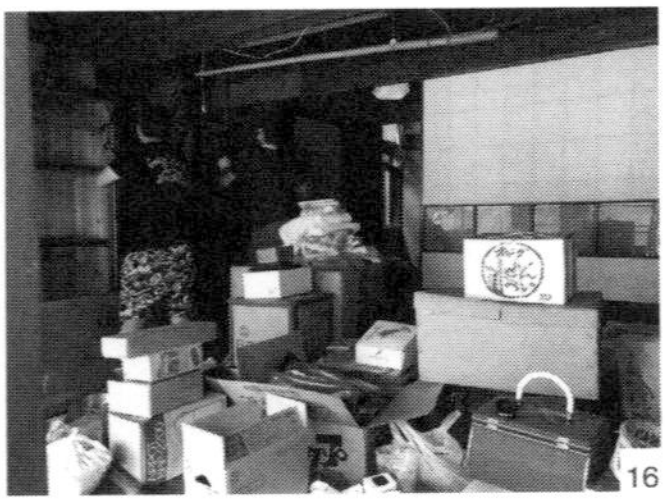
16

17

という声をいただいた。さらに、メンバーからは「この場所でイベントがしたい」「雰囲気がいいので事務所を構えたい」という人まで現れた。私自身も「空き家の活用を通して、地域の人が活動できる場所をつくることが、まちづくりにつながるのではないか」と感じ始めていた。その考えを吉野に話したところ、彼女も同じ思いをもっており、ここで法人化・事業化を決意した。話し合いの末、法人名は「最上のくらし舎」に決めた。最上地域という、厳しい自然環境のなかで培われた「自分の暮らしを自分の手でつくる文化」を継承・発展させていきたいという思いを込めている。

（三）準備フェーズ

●二〇一八年九月：法人化・事業計画

翌月、トライアルオープンの反省会を開催し、メンバーに事業化への思いを語った。すると、大家である齋藤さんは破格の家賃を提示してくれ、鈴木直さんという方は社会福祉系の事務所を構えたいと言ってくれた。吉野と私は、地域の人が日常的に使える、喫茶とイベントスペースを運営したいと思っていたので、概ね活用イメージが具体化されていった。なお、このプロセスを「テナント先付け」という。一般的には、建物が完成する前後にテナント（入居者）を募集するが、今回のように

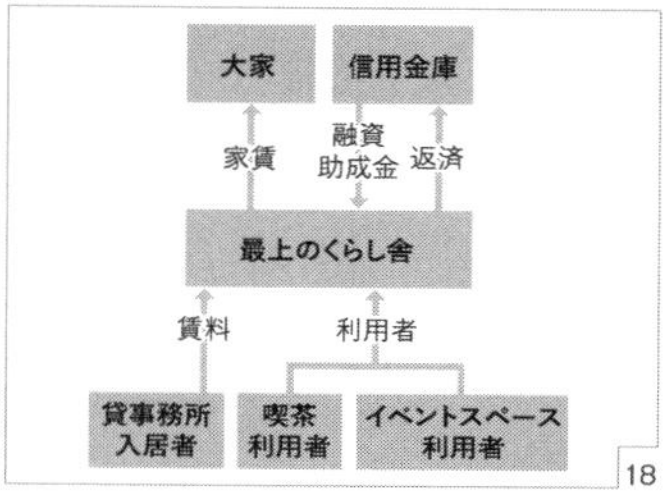

18

16大掃除。これを機に隣で美容室を営む藤澤さんがお茶の差し入れをくださるようになった　17トライアルオープン。地域の人は「空き家活用」と言われてもイメージしづらいようだったが、形になることで理解が促された　18店舗事業のイメージ。喫茶営業・イベント貸し・事務所貸しの三本柱

準備段階で決めておくことで、ニーズを踏まえた計画が可能になる。工事が終わったあとに誰も入居しないというリスクを回避できるので、小さな場づくりにおいては有効な手段だ。

その後、メンバーに長谷川雅幸さんという信用金庫の職員がいたので、アドバイスをもらいながら事業計画を立てた。まずはこの場所で店舗事業を行い、順次周辺の空き家を活用して宿泊事業などを展開することにした。このように計画は順調に進んでいったが、一つ問題が起きる。建物の調査を進めるなかで、大きな工事が必要な場所が見つかり、予想以上に初期投資がかかることがわかったのだ。しかし、ここでも長谷川さんに助けられた。助成金の応募をサポートしてくれたことで見事採択され、初期投資の目処がついたのだ。運営に助成金を使うのは持続可能ではないが、初期投資にうまく使うことは有効だと考えている。メンバーに多様な専門知識の人がいることの大切さに気づいた一件でもあった。

●二〇一八年一〇〜一一月：設計・運営体制・各種デザイン

続いては建築設計だ。間取りは、通り土間に三つのスペース（イベントスペース・喫茶スペース・貸事務所）を配置する計画とした。壁には地域の杉材を活用し、床には解体部分の廃材を再利用。仕立屋の記憶を継承し、中央に小上がり席を設け、

19

20

21

19「万場町のくらし」竣工後　20 改修前　21 DIYワークショップの集合写真

仕立道具をインテリアに活用することにした。

運営体制については、吉野が店主として立ち、料理は吉野の義母、アルバイトスタッフには義姉が入るという、家族総出の運営体制に決まった。また、お店の名前やコンセプト、ロゴやウェブサイトのデザインも進めていった。もちろんデザイナーも地域の人（吉野敏充さん）である。お店の名前は、地域の人たちのくらしが集まる場所にしたいという思いで「万場町のくらし」とした。

●二〇一八年一二～三月：工事・DIY

工事は、なるべく手づくりで進めることにした。一般的には施工業者に一括で発注するが、知り合いの大工さんを中心にチームアップしてもらい、必要なところは職人さんにお願いしつつ、それ以外はDIYで仕上げていった。入居予定の鈴木さんは当事者意識をもって、自分の部屋の断熱や塗装に力を注いだ。

またSNSで工事の様子を上げていると、少しずつ仲間が増えていった。壁の仕上げを担当した三上俊一さんは、SNSで活動を知り、お孫さんと一緒に手伝いに来てくれた。ちなみに、DIYに参加してくれた人の多くが、オープン後も常連になってくれている。建物をつくるプロセスを開くことは、コスト削減だけではなく関係づくりにもつながるのだ。

22

23

（四）運営フェーズ

●二〇一八年～二〇一九年

二〇一八年五月、「万場町のくらし」はオープンを迎えた。空き家勉強会を始めて、ちょうど一年が経つタイミングだ。初年度の喫茶営業は試行錯誤だったが、少しずつリピーターが増えていった。驚いたのがイベントスペースの稼働で、一年間でなんと一〇〇回ほどのイベントが行われた。たとえば、カレーが得意な人は「カレーのくらし」と題して週末食堂を開き、事務所を構える鈴木さんは「福祉のくらし」と題して、認知症予防の取り組みを始めた。ほかにも「音楽のくらし」「手仕事のくらし」というように、「〇〇のくらし」というイベントが利用者主導で行われていくようになった。

また農作物やお裾分けが届くようになったほか、古い家具や節句飾りなども持ち寄られるようになり、事業も空間も地域の人に育てられていった。結果的に、喫茶事業だけで十分な売上げを確保することは難しかったが、間貸し事業が収益の一端を担っている。また場所があることで、いろいろな相談が増え、定期的に仕事を受けるようになっていった。

●二〇二〇年～二〇二二年

22・23 オープニングイベント　24 利用者主導で行われる「〇〇のくらし」という一連のイベントの様子

しかし、二〇二〇年以降は新型コロナウイルスの影響で、営業形態を切り替えることになった。平日の喫茶営業はいったんお休みにして、シェアスペースとしての利用や英語教室への間貸しに切り替え、週末も知り合いの飲食店に間貸しするかたちを取っている。他方で、地域連携に力を入れ始め、商店街で「よろず市」というイベントを隔月開催することになった。各店舗に協力を得ながら、使っていない場所を期間限定で新規出店希望者に貸したり、軒先で限定商品を販売したり、新旧の事業者が連携して新しい動きをつくっている。また高校生・大学生向けの教育プログラムとして、地域の伝承野菜を活用したメニュー開発や商店街マップ・テーマ曲づくりなどにも取り組んでいる。

この五年間、最上のくらし舎は少しずつ活動を広げてきたが、ここまで続けてこられたのは、ひとえに共同代表の吉野をはじめ、プロジェクトメンバーのおかげである。彼女らが場の運営面を担当し、私が建築・まちづくり面を担当するという役割分担があることで成り立っている活動だ。最近では、彼女が不在のときでも場の運営が成り立っており、場が自走しつつあることを実感している。

二〇二三年度からは、新しい空き家活用に着手する予定だが、このプロセスに

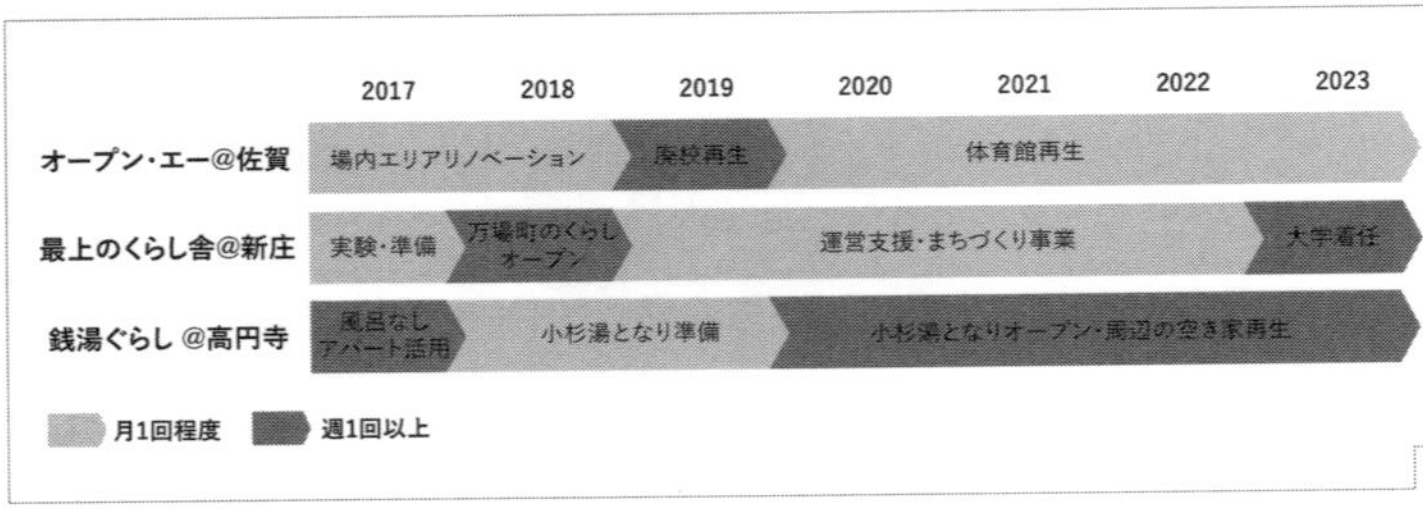

25

おいても、次なるプレイヤーと協同することを心掛けていきたい。歩みは遅いかもしれないが、当事者意識をもつメンバーを少しずつ増やしていくことが、持続可能なまちづくりへの唯一の方法なのではないかと考えている。

――三つの拠点への関わり方――役割・時間・報酬

このように、三つの拠点に関わることができているのは、一緒に事業を行うメンバーがいるからだ。いずれの活動でも、プロセスを開くことで多様な人が関わり、そのなかから運営に関わる人が現れ、少しずつ役割を分担してきた。「建てたら終わり」ではなく運営まで伴奏しながらも、すべて自分でやるのではなく新しいメンバーに任せることで、新しい活動や拠点が広がっている。

「任せる」というのは意外に難しい。私も最初は任せるのが下手で、細かいところまで手を動かしてしまい、運営から離れられない時期があったが、それは変化の機会を失うことでもあった。任せることで想定外のことも起きるが、変化があることで場は続いていく。そのためには、経営と現場が互いにリスペクトをもち、適切に役割分担することが大切だと感じている。

また、三つの拠点への関わり方は、事業のフェーズに応じて変化してきた。

25　二〇一七年から二〇二三年にかけての筆者の拠点ごとの関わり方

二〇一七年は風呂なしアパートを活用した東京が中心だったが、二〇一八年は「万場町のくらし」をオープンした山形、二〇一九年は廃校再生を担当した佐賀、二〇二〇年以降は「小杉湯となり」がオープンした東京が再びメインのフィールドになっている。そして、二〇二三年からは山形の比重を増やすつもりだ。最近では、個人事業主としての仕事も増えており、今後は別の地域に関わることもあるだろう。私のスタンスとしては、大きな流れに逆らおうとせず、ライフステージの変化やそのときどきの機会を大切にしながら、臨機応変に拠点を行き来していきたいと考えている。

――多拠点で活動するポイント

以上のように三つの拠点で場づくり・まちづくりを進めてきたがいくつかの共通点を見出すことができる。これから多拠点で活動を始めようとしている方に向けて、私が実感・実践しているポイントをいくつか整理したい。①から④は法人を設立した山形と高円寺での共通点、⑤は佐賀でも共通するポイントだ。

―。①暮らしの延長でまちをつくる／きっかけは自分本位でいい山形で活動を始めた動機は「地元で何かやってみたい」という思いであり、高円寺では「銭湯のある暮らしを体験したい」という至極私的な理由だった。しかしながら、活動を続けるうちに少しずつ仲間が集まり、事業に育っていった。実感を伴う活動は、ときに共感が集まる。また、自分の生活圏で活動できるため、無理なく続けられる。「まちづくり」と聞くとハードルが高く感じる人もいるかもしれないが、自分の「暮らしづくり」と捉えることで身近に感じることができるのではないだろうか。

②小さいことから始めてみる／偶然のチャンスを捕まえる

山形で事業を始めたきっかけは、空き家の所有者との出会いであり、高円寺では、銭湯のオーナーとの出会いだった。そう聞くと再現性がないように聞こえるが、そもそも勉強会を開催したり、好きなお店に通ったりしなければ、出会いすら生まれなかった。

まずは、自分の興味がある場所に行ってみるだけでもいい。そして、目の前にチャンスが現れたときに、すぐにチャレンジできることが重要だ。これだと思える人・場所に出会うまではフットワークを軽く、出会えたときには覚悟をもって取り組む。そのスタンスが、事業を生み出すきっかけになる。

③地域の資源を活かす／場と人のネットワーク

場づくりを行う際、その土地の「地域資源」を見つけて、つなぐことを意識してきた。高円寺では「風呂なしアパート」×「銭湯」×「多様な常連客」、山形では「古民家」×「商店街」×「地域住民の暮らしの力」の掛け算で場をつくってきた。掛け合わせる要素は、場所だけではなく、人や出来事などさまざまだ。最初から新しい場をつくることだけが選択肢ではない。すでにある資源の組み合わせで新しい価値は生まれる。

④実験から始める／ニーズを捉え、協力者を巻き込む

高円寺では、新築の計画を進める前に空きアパートで生活実験を行い、山形ではリノベーションに着手する前にトライアルオープンを行った。実験を経ることで、地域のニーズやポテンシャルを把握し、計画に反映することができる。また途中経過を見せることは、多様な人を巻き込むことにつながる。集まる人のなかには、一緒に事業を行うことになる人もいれば、お店をオープンしたときに常連さんになってくれた人もいるだろう。

⑤当事者として関わる／運営を見据えて計画する

高円寺と山形の活動では、運営者として関わり続けているが、佐賀での活動でも、

運営を見据えた計画を意識してきた。プロセス全体に関わることは、計画を実装する精度を高めるだけではなく、継続的なフィードバックを可能にする。また、その土地に長期的に関わり、次の仕事に展開していくきっかけにもなる。小さなアクションを少しずつ広げていくことは、持続可能なまちづくりに寄与するだけではなく、自分自身が地域に関わり続けることにもつながる。

――多拠点のよさについて

最後に、多拠点で活動してよかった点を振り返ってみたい。私のように、地元への関わりと東京での仕事を両立できるのはメリットの一つだが、それ以上に多くの気づきを与えてくれるのがこの生活のよさである。

まずは、都市と地方それぞれの豊かさに気づける点だ。都市には多様な機会を提供してくれる場所があふれているが、地方には自らが生産者として新しいものを生み出せる空間の余白や地域の資源が数多く残されている。同様に、都市には多くの情報が集まっているが、地方にはそれらをゆっくり咀嚼し、小さな変化に気づける時間の余白があるように思う。都市と地方を行き来することによって、その両方の価値を享受することができる。

次に、暮らしの選択肢を広げてくれる点だ。私を含む「小杉湯となり」の運営メンバーや会員は「まち全体を家」のように使っている。お風呂は「小杉湯」、仕事は「小杉湯となり」、食事は近くの飲食店というように、まちで暮らしを共有することで、自宅以外の生活環境を選ぶことができている。多拠点に関わることは、この暮らし方が自宅からまちへ、まちから全国へと広がっていく感覚に近い。さらに、この生活はコミュニケーションの選択肢も広げてくれる。たとえば、銭湯では一人の時間を過ごすこともできるし、言葉を交わさなくても人とのつながりを感じられる。まちに出れば顔見知りの人と会釈を交わしたり、馴染みの店で世間話をしたり、多様な関係性を育むこともできるだろう。私自身は地方で生まれ育ち、他者との関係性が近い環境から離れてみたいと思うことがあった。しかしながら上京後はその関係性が失われ、逆に物悲しさを感じることもあった。この経験を経て、現在つくろうとしているのはその中間にある関係性だ。このように多拠点で生活することは、自分に合った他者との関係性を築くきっかけにもなる。

まちづくりは、一人ひとりの暮らしづくりの延長にある。自分が大切にしたい「働き方」「暮らし方」、ひいては「生き方」を実践し続けることが、結果的にまちづくりにつながると信じて、今後も活動を続けていきたい。

新潟＝横浜

キャリアを活かし
ネイバーフッドに貢献する

大沢雄城

拠点A

新潟

at オンデザインパートナーズ新潟オフィス
／個人活動

建築・都市の企画・設計・運営

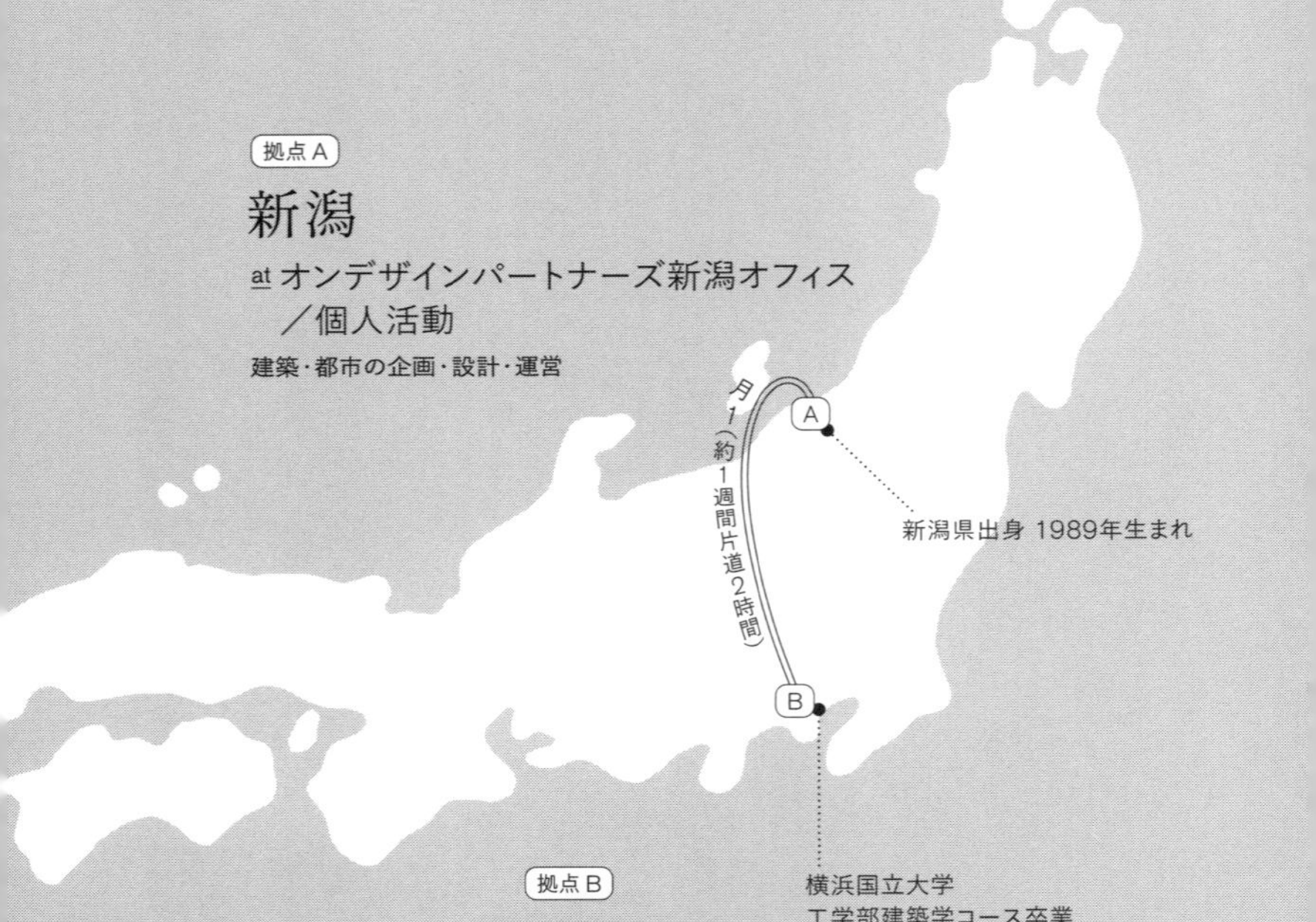

拠点B

横浜

at オンデザインパートナーズ

建築・都市の企画・設計・運営

専門領域	建築設計・都市戦略・エリアマネジメント
仕事内容	建築設計／まちづくり・エリアマネジメントの戦略立案、企画／遊休不動産リノベーションの企画・設計・運営
所属	（株）オンデザインパートナーズ
多拠点の魅力	同じ場所に留まり続けず、常に動きながら考え続けられること

——まちを楽しくするパートナーとしての建築家

私は横浜の建築設計事務所、オンデザインパートナーズ（以下、オンデザイン）に所属しながら、新潟県新潟市にも個人の拠点を構え、設計や企画などの活動を行っている。設計事務所スタッフという立場でありながら多拠点で活動しているのは珍しいケースだろう。本稿ではその仕事と生活ぶりを併せて、多拠点でのワーク＆ライフスタイルの可能性について論じてみたい。

私がオンデザインに所属するきっかけは、大学在籍時に発生した東日本大震災（二〇一一年）復興に際し、オンデザインが参画していた「ISHINOMAKI2.0」を手伝ったことだ。もともと閉塞感の漂う石巻という地方都市において、震災をきっかけに外部から来た建築家やクリエイターと地元若手らがともに奮闘する姿に、市民が自分たちの手でまちをアップデートしていく、行政の復興計画には収まらない、かつてないまちづく

1

2

りの大きなうねりを感じた。

建築家はこのようなかたちでまちと関われるのだと大きな刺激を受け、二〇一二年にオンデザインに入社し、以降、都市に関するプロジェクトに携わってきた。

具体的には民間企業や行政と協働しエリアマネジメントや公共空間利活用などでまちを魅力的にするための戦略・計画立案や、その実現に向けた社会実験の企画運営など、建築の設計事務所としては少し毛色の異なるプロジェクトに多く携わってきた。

そのひとつが、プロ野球球団である横浜DeNAベイスターズとの一連のプロジェクトである。横浜DeNAベイスターズは二〇一二年に球界に参入して以来、マーケティングによる先進的な経営戦略によって観客動員数を伸ばしていた。そのさらなる展開として彼らのホームである横浜スタジアムを横浜公園と一体化し、まちに賑わいをもたらすプロジェクト「コミュニティボールパーク化構想」(二〇一六)、さらに二〇一七年にははじめて横浜公園外に取り組みを広げるための拠点として複合施設「THE BAYS」(二〇一七)を立ち上げた。

オンデザインではこの「コミュニティボールパーク化構想」のビジョンづくり

1神奈川県横浜市のみなとみらいエリア　2新潟県新潟市の信濃川から万代エリアを見る

から、球場内のボックスシートなどの新たなスタイルの客席の企画設計や、各種のショップの企画設計、また「THE BAYS」全体の企画から業態開発、空間設計、企画運営など多岐にわたるかたちで現在に至るまで携わっている。

またそのほかにも横浜のまちなかエリアの遊休不動産の利活用プロジェクトにも携わってきた。戦後建てられた古いビルをクリエイター向けのオフィスとして再生するというもので、オーナー側としても改装に投資しすぎないラフな仕上げとすることで比較的手軽に着手しやすく、入居するクリエイターにとっては賃料が安価なうえに自由に内装に手を入れられるというユニークな仕組みとした。とくに独立時のスモールスタートの拠点として需要が高い。

これら事例のようにアトリエ系の建築設計事務所がクライアントと最初の段階から伴走しながら、事業計画の作成や空間設計、完成後の運営マネジメントまで一貫して関わるケースは多くないと思う。しかしオンデザインではこれらを建築家の職能の延長と位置づけ、「建築の川上から川下まで自分たちの手でやれることはやってみる」という実践的な意識で取り組み、クライアントや都市にとっての価値や未来へのつながりを見据えた活動を行っている。

私自身も、まちづくりや都市の専門家でありつつプレイヤーの一員でもあると

3

4

いうスタンスで、クライアントやまちの人々と一緒に試行錯誤を繰り返しながら、新しいまちの楽しみ方や未来のライフスタイルを提示する実験的な取り組みに参加してきた。

――自分自身が実践するまちとの関わり方

オンデザインでこのような活動を行っているうちに、自分自身ももっと自由で実験的な新しいライフスタイルにチャレンジしてもよいのではないか、という思いが強くなっていた。そこで二〇一八年の第二子の誕生をきっかけに、横浜の自宅マンションでのリモートワーク体制を整え、在宅勤務を試してみた。いざ始めてみると、もともと打ち合わせで事務所を不在にしがちだったこともあり、これまで通りの仕事ができた。加えて移動時間が激減したことで仕事の時間効率が上がり、家族との時間も取れるようになった。さらに二〇二〇年からのコロナ禍によって、クライアント側もオンライン会議に対応し始めたことで、ちょっとした打ち合わせであればオンラインで済むようになり、ますますリモートワークがしやすい環境が整っていった。

そうして場所に縛られずにフレキシブルな働き方ができる可能性は思っている

3「THE BAYS」(設計：オンデザインパートナーズ、二〇一七年)。横浜DeNAベイスターズによる「スポーツ×クリエイティブ」をコンセプトとしたスポーツまちづくりの拠点。写真は二階の「CREATIVE SPORTS LAB」　4「泰生ポーチ」(設計：オンデザインパートナーズ、二〇一五年)。横浜関内のビンテージビルをクリエイター向けのスモールオフィスとシェアスペースに改修したプロジェクト

より高いかもしれない、という実感が得られた。そこで今度はこれまで横浜で取り組んできたような、規模が大きく時間軸の長いプロジェクトだけでなく、ほかの地方都市で自分の目の届く範囲の小さな実践的取り組みをしたいという思いが強まり、出身地である新潟市にも活動拠点をもつことを考えるようになった。家族が増えて横浜のマンションも手狭になってきたこともあり、主とする生活拠点はゆったりとした環境が得られる新潟に移し、一方で横浜のマンションも残してオンデザインでの仕事も継続するという、二拠点でのライフスタイルが具体的なビジョンとして固まった。

――人と出会うことからゆるく始める「お試し〝逆〟二拠点スタイル」

新潟出身ではあるものの大学進学時に上京してから一〇年以上が経つこともあり、まずは活動の基盤づくりが必要と考え、二〇一九年頃から「お試し〝逆〟二拠点スタイル」を二年間ほど実践してみた。数カ月に一度のペースで新潟に一週間ほど滞在してリモートワークをしながら、時間をつくってはさまざまな場所やイベントに出向いたり、人に会いに行ったりを繰り返し、新潟の人々とのネットワークを構築していくというものだ。このときにはいわゆる同級生などの地元

コミュニティではなく、積極的に足を使って動きまわり、新しい人々と出会い、つながることを重視した。このときに、いまも新潟でのサブオフィスとして利用しているコワーキングスペース「Sea Point NIIGATA」に通い始め、現在は新潟市古町で定期的にマーケットイベントを開催している「8BANリノベーション」のメンバーらとも出会った。現在の新潟におけるネットワーク的な基盤が本格的な移住前にできたことはとても重要だったと思っている。

ちなみに都心と地方との二拠点という話をすると、よく山間地域などで自給自足の生活を目指すような、いわゆる「都会と田舎」でイメージされがちなのだが、私の場合はこれまで横浜で取り組んできた都市との関わりを新潟の都市部でも実践したかったため、当初から「都市と都市」の二拠点を目指していた。「大きい都心と小さい田舎」といったステレオタイプな構図だけで多拠点でのライフスタイルをイメージするのはあまりにもったいない。

実際に私が出会う多拠点でのライフスタイルを実践している人は、海外と国内地方都市だったり、複数の地方の小さなまちを行き来していたりする人も多く、とても多様性がある。既存の価値観にとらわれることなく、もっと広い視点でそれぞれの地域に関わっているのがとても興味深い。これも、自分自身が二拠点で活動してみることで、周囲の反応も含めてわかったことだ。

——二拠点目は中古物件のリノベーションのモデルハウス

また、「お試し〝逆〟二拠点スタイル」では生活拠点としての物件探しも平行して行った。当初は新潟市内で広めの戸建て賃貸物件を探していたが、いざ不動産屋をまわってみても、非常に物件が少ないうえに賃料も横浜とほとんど変わらないくらい高い。地方都市では家族ができると新築戸建て住宅をローンで購入して住むのが一般的なため、戸建て賃貸の需要があまりないからである。一方で自分のように複数拠点での生活を検討する場合、いきなりローンを組んで新築するのもイメージできず、とはいえせっかく地方都市に移り住むのにまた賃貸マンションに住むのも味気ないと思い、生活拠点の選択肢があまりに少なくて途方にくれてしまった。

しかし自分の困っている状況こそが、そのまま現在の地方移住の課題だということにも同時に気づいた。そこで安い中古物件を探し出して購入し、ミニマムにリノベーションをすることで、気軽に地方に拠点をもてるモデルケースをほかの人にも提示できるのではと、生活拠点探しの方針をシフトチェンジした。

5

そうして中古物件を探し始めたものの、今度はなかなかリノベーションに適した物件が見つからない。世の中では空き家問題が頻繁に話題に上るが、実際には空き家も市場にはなかなか出まわっておらず、中古物件というと不動産再販業者によって簡易にリフォームされ価格も付加されているものが大半で、この内装をわざわざ再度解体してリノベーションするのもさすがに気が引ける。

しかしいくつも物件を見ていくうちに自分のライフスタイルや改修のイメージに合わせて適切な条件を取捨選択することで、〝ちょうどよい〟物件が見えてくるということもだんだんわかってきた。たとえば駐車場がない物件などは地方都市では一気に価値が下がるが、近隣の貸駐車場も比較的安価なので月極で借りればよいとか、そもそもまちなかに近いエリアであれば車がなくても生活できるので許容できるとか、現状の内装や設備がある程度傷んでいてもリノベーション前提であればあまり関係ないなど、人によってさまざまなケースがある。

そのようにして次第に移住者や多拠点居住者にマッチする中古物件の探し方がわかってきたところで、ついに二〇二〇年八月に自分の条件に合う空き家物件を発見し即購入。昔からのまちなかである古町にほど近いエリアにあり、床面積も大きく建物の状態もそれなりによい。一方で住宅密集地域にあるため敷地内に駐

6

5・6自宅用に購入した中古物件。新潟市の中心市街地にほど近い住宅密集地に位置する築四五年ほどの木造住宅。古いものの丁寧に住まわれていた様子が伺えた

車場がなく、解体や建て替えが法規的にも施工的にもハードルが高いということで、四、五年ほど空き家になっていた物件だった。しかし私からすると、駐車場は目の前に月極駐車場があるのでそこで十分だし、リノベーション前提なので建て替える想定もなかったため、まさに自分たちのライフスタイルにピッタリの物件だった。

物件を取得してからは、すでに「お試し〝逆〟二拠点スタイル」を通じて信頼できる工務店などともつながっていたため、横浜からの遠隔での設計や現場の監理だったにも関わらず、かなりスムーズかつ迅速にリノベーションを進めることができた。

またせっかく新潟でのはじめてのプロジェクトなので、新潟のクリエイターとプロセス自体を楽しめるようなリノベーション計画とした。近所で写真本専門書店を営む写真家に、改修前から改修中の現場、竣工までをフィルムカメラでドキュメンタリーとして撮影してもらったり、空間造作が得意なアーティストと私自身が一週間ほど現場に張り付いて、一緒に造作家具の製作や壁の塗装などを仕上げていった。

そして二〇二一年三月にリノベーションが完了し、本格的に生活拠点を新潟に

7

8

7・8「西大畑のリノベーション」（設計：大沢雄城、二〇二一年）。既存を活かしつつ窓まわりや床下の断熱を施し、必要最小限の改修で明るく開放的な空間を目指した

移した。物件を見つけてからここまで半年ちょっとなので、なかなかのスピードで駆け抜けた感覚があったが、それが実現できたのは、時間をかけながら新潟と少しずつでも関わり続けてきた成果でもある。

――自分の暮らすまちを自分たちで楽しくする

そうして完成した自宅兼オフィス「西大畑のリノベーション」（二〇二一）を「移住者・多拠点居住者のための中古物件リノベーションのモデルハウス」と称し、暮らしながらさまざまな人を招いているうちに、訪れてくれた友人の紹介で、自宅からほど近い古町の上古町商店街にある築一〇〇年の長屋をリノベーションし、新しくまちの拠点となる施設をつくるプロジェクトに携わることになった。

そもそも私が活動拠点としている新潟市の古町は新潟駅から徒歩二〇分ほどの旧市街地エリアで、新潟駅前の商業ビルが並ぶ万代シティエリアから信濃川を挟んだところに位置している。古くは港が古町側にあったことから昔はまちなかといえば古町だった。しかし以前は二つあったデパートや若者向けのファッションビルもついにはすべて閉店し、この一五年で商業中心地としての力が急速に衰えている。典型的な地方都市の中心市街地の課題が山積しているエリアだ。

9

9上古町商店街。歩行者天国化した恒例イベント「カミフル門前市」の様子。とくに周辺で暮らす住民らで賑わう

一方で昔から個性のある服屋や飲食店などの集まったカルチャーのまちという側面もあり、私も一〇代の頃にはその魅力に惹かれ足繁く通っていた。その古町エリアの一番端に位置する上古町商店街では、二〇年ほど前からここに拠点を構えたデザイン集団ヒッコリースリートラベラーズの活動が核になって、味わいのある古くからの店舗と若者が営む古着屋や飲食店などの個性的な新しい店舗という新旧が入り交じり、魅力的なエリアとなっているのだ。

二〇二一年一二月、ヒッコリースリートラベラーズは、このエリアで長らく若者たちに愛されていたカフェバーが閉店したのち、その場所を活用して、まちに開かれた観光案内所であり、交流拠点のような場「上古町SAN」（二〇二一）をオープンさせた。

私もこのプロジェクトに設計者として参加している。企画当初は彼らのぼんやりとしたイメージや想いをベースに議論を重ねていき、やがて彼らのオフィスやシルクスクリーンの工房、自主事業であるカフェに加えて、移転を迫られていた近隣の花屋と飲食店らとシェアする複合施設とすることに。そして近所で暮らす人も日常的に集い、遠方から古町を訪れた人もまずはここに立ち寄ってまちの魅力を発見してもらうような、「まちを体験する小さな複合施設」というコンセプトが固まっていった。

この民間の施設でありながら古町全体を自分たちの手で楽しくしていきたいというパブリックマインドに共感し、私自身もリノベーションの設計者としてだけではなく、まちを楽しくするためにどうすればよいかを常に意識しながら、プロジェクト自体の企画デザインから空間の設計まで自分ごととして関わることができた。

完成した施設では、人々を自然と路地に引き込む「ストリート」と呼ぶエントランス空間でまちの歴史を、そしてカフェバーのカウンターを残しつつ新しい要素を足したインテリアデザインで人々の思い出を、最大限にリスペクトした空間を目指した。昔の常連がここを訪れ、うっすらと残る面影から当時の思い出を語ってくれることもよくあるそうだ。いろいろな人の記憶が積層されるような空間になっていることが嬉しい。

また自宅の設計から引き続き、新潟のおもしろいつくり手との協働を積極的に取り入れ、特徴的な左官仕上げのカウンターや、折り畳みできるテーブルなどを製作した。このプロジェクトを通じて二拠点でのライフスタイルのなかで取り組みたいと考えていた「自分の暮らすまちを自分の手で楽しく豊かにしていく」チ

10

11

10・11「上古町SAN」（設計：大沢雄城、二〇二一年）。上古町商店街のまちの特徴や、もとのカフェバーの名残などを継承しつつ、新しいまちのランドマークとなる親しみある空間を目指した

12

ャレンジができたと思う。

――身のまわりの環境を、動きながら整える

にいがたの古町エリアではほかにも、前述した「8BANリノベーション」という本町通八番町周辺を拠点にエリアリノベーションを仕掛けるプロジェクトに携わっている。このプロジェクトでは、勝亦・丸山建築計画が富士市で展開していた立体駐車場を活用したイベントなども参考にして稼働率の低い立体駐車場の屋上を活用したマーケットイベント「8BAN PARK」を二〇二〇年から展開している。これはいまではすっかり古町エリアの人気コンテンツだ。新潟は雨天も多いため他都市に比べて屋外でのイベントが難しいといわれているが、ワンフロア下がれば屋根がある立体駐車場はイベントスペースとして非常に便利である。しかも完全に民地なので、公園や河川敷などの公共用地と比べて活用の自由度が高く、飲食や物販はもちろん焚き火やテントサウナなども定番のコンテンツとなっている。

「8BANリノベーション」での活動は、ほかのメンバーも、仕事でもボランティアでもないライフワークとして取り組んでいる。ただ純粋に自分たちが暮らし、働くまちである古町の魅力をもっと同世代に知ってほしい、そしてもっと楽しく

12「上古町SAN」でのイベントの様子。二階ではアーティストの作品から地域の子供たちの書初めまでさまざまな展示や、トークイベントなどが定期的に開催される

13「8BAN PARK」の様子。現在は冬季をのぞいて隔月で年四回ほど開催している。まちなかの屋上からの眺めが人気

していきたいという想いで、それぞれの経験やスキルを最大限活かしながら活動を続けている。私が二拠点でのライフスタイルを始めたことでもっとも変化した意識は、こういった自分の身近なまちや、人と人とのつながりとしてのネイバーフッドへの貢献だ。好きなまちがずっと魅力的でいてくれることが、自分のライフスタイルの豊かさにつながる。

じつはこれは横浜でのプロジェクトにも通じると感じていて、とくにこの数年はオンデザインのオフィスがある関内エリアでのプロジェクトに多く携わっており、そこでの成果は直接自分たちが働き、活動するまちそのものをよくしているという実感がある。

すでによい場所だから拠点を構えるのではなく、「自分のまわりの環境をよくするため」に自分たち自身が体を動かし〝整えていく〟という感覚が、横浜と新潟の複数の拠点で並行して、まちに関わっていくなかで改めて重要だと感じている。

――横浜と新潟で仕事をつくる・混ぜる

このような二拠点での活動を、仕事とプライベートといったかたちで切り分けすぎずに取り組めているのも、成立できる重要なポイントだろう。あまりそれら

14

15

を切り分けると、どちらかに重心が偏ってバランスが崩れ、周囲に迷惑をかけてしまうことが往々にしてあると思う。

じつはオンデザインでは業務の二〇％を自主的な活動に費やしてもよいという「自由研究ルール」があるのだ。こういった会社の仕組みやサポートを最大限に活用することで、日常のなかで連続的かつ一体的に取り組めている。一応、名刺も個人用と会社用の二枚を持ち歩き、場面に応じて使い分けているが、その両者が連続的になりすぎ、僕自身もほとんど意識しなくなってきた。普段つき合っているまちの人々もそのときどきに僕がどのアカウントで活動しているのかわかっていないと思う。

また新潟にオンデザインの支店となる「新潟オフィス」を立ち上げ、オンデザインとして新潟の企業や行政の仕事の受注にも積極的に取り組んでいる。新潟と横浜を行き来しつつ、仕事とプライベートワークも日常的に行き来するなかで、新しいオンデザインでのプロジェクトも生まれている。新潟駅前の道路再整備に向けた計画のローカル側でのサポート業務や、スキーリゾートホテルの一部をワーケーションのオフィスに改修するプロジェクトなどだ。

このようにオンデザインのメンバーとして新潟でのプロジェクトに関わること

16

14社会実験「旧新潟駅前通プレイ・ストリート」（企画・運営：日建設計+オンデザインパートナーズ）の様子。新潟駅前エリアの「旧新潟駅前通」の再整備に向けて、一部道路を通行止めとし利活用空間とする社会実験　15「妙高ワーケーションオフィス」。スキーリゾート地として有名な妙高市のホテルの客室の一部を、東京のIT企業のサテライトオフィスとしてリノベーションしたプロジェクト

もあれば、逆に横浜でのオンデザインのプロジェクトで新潟のクリエイターと協働するなど、双方向での水平展開にも意識的に取り組み、それぞれのプロジェクトに新しいネットワークや刺激を生み出すことを目指している。

——横浜と新潟での働き方、働く場所

現在は新潟を拠点としてオンデザインの業務をリモートワークで行いながら、一カ月のうちまとめて一週間程度は横浜に滞在し、現地で必要な業務や用事を集中的にこなすスタイルとしている。横浜に滞在しているあいだはどうしても予定を詰め込みスケジュール過密になってしまい、さらに打ち合わせやイベント運営仕事などで飛びまわっているため、横浜関内のオンデザインオフィスで落ち着いて仕事をしているタイミングはあまりない。当然、私の固定デスクもオンデザインオフィスにはないが、二〇二二年に「オンデザインイッカイ」というオープンスタジオスペースが誕生したことで、私も含めた流動的な働き方をしているオンデザインのスタッフや、外部パートナーとして連携する人たちなどは、そこでフリーアドレスで働いている。

また新潟では自宅の一室をメインオフィスとし、さらにサブオフィスをいくつ

17

16「オンデザインイッカイ」(設計：オンデザインパートナーズ、二〇二二年)。二階にあったオンデザインのオフィスを、直下の一階路面スペースに拡張。打ち合わせをはじめ、イベントスペースとしても活用されている　17自宅オフィス。自宅の三メートルのロングテーブルは、ダイニングテーブルとしてだけでなく打ち合わせなどにも重宝している

か契約して、こちらでも転々としながら仕事をしている。そのひとつが半常設型の〝海の家〟をワークスペースとして利活用したコワーキングスペース「Sea Point NIIGATA」である。このコワーキングスペースには「お試し〝逆〟二拠点スタイル」のときから新潟でのワークスペースとして使わせてもらっている。ほかの会員に仕事を発注することもあり、そういう意味でも重宝しているが、何よりも日本海の目の前ということで、本当に景色が美しく、季節のよいときなどはとても気持ちがよい。

自宅でずっと一人で仕事をしていると煮詰まってしまうので、とくに朝は出勤するような気持ちで自転車でこの海にあるコワーキングスペースに向かい、事務的な作業をこなして、午後にはまた自宅に戻り集中力が必要な仕事をする、というのがひとつのパターンだ。

もうひとつのサブオフィスは、二〇二二年から「8BANリノベーション」のメンバー有志で借り始めた古町エリアの「WORKWITH本町」というシェアオフィスの一室だ。ここをシェアしているメンバーはフリーランスや公務員などさまざまなため、それぞれが利用する時間帯や頻度が異なり、入れ代わり立ち代わり使われている。こちらはまちなかにあるため、役所との打ち合わせやまちなかで

18

19

の仕事の前後に、非常に使い勝手がよい。このオフィスができたことでグッとまちなかでの活動がしやすくなった。広いシェア会議室もあるので、定期的に「8BANリノベーション」の企画として読書会やトークイベントなども開催している。

住宅地にある自宅と、海辺の「Sea Point NIIGATA」、まちなかの「WORKWITH本町」の三つの拠点は、それぞれ自転車で一〇〜一五分の圏内にあることも、運動がてら行き来できて気に入っている。

新潟ではそのようなかたちで、三つのワークスペースを日々行き来しているのだが、それによってそれぞれ異なったコミュニティの仲間と日常的に顔を合わせることができる。毎日同じメンバーと顔を合わせながら働く会社のオフィスよりも風通しもいいし、それぞれの職業もまったく異なるので、それこそご近所付き合いしながら働いている感覚が気に入っている。このように遠隔では横浜と新潟という二拠点だが、それぞれの生活圏内に働く拠点を複数もつことで、リモートワークにありがちな孤立感や閉塞感を回避できている。この方法はぜひおすすめしたい。

――地域との関わり方ってもっと多様でもよいかもしれない

二拠点でのライフスタイルの本質が見えてきつつあるいま、もっとさまざまな地域にいろいろなかたちで関わることができるのではと感じている。これまでもオンデザインの出張で全国各地のさまざまな地域を訪れてきたが、もっと自分のライフスタイルと紐づけ、主体的に参加できるのではないだろうか。ただ拠点が増えればそれぞれの地域への滞在期間や頻度が必然的に下がるので、「家がある」という単位で拠点を増やしていくのは限界がある。

最近はいわゆるアドレスホッパーに向けた、複数地域のネットワーク型シェアハウスのようなサービスもあるが、一方で暮らすだけでなく、それぞれの地域との関係性をもっと多様なかたちにできないかと考えるようになった。たとえば定期的に、観光客のように訪れる拠点もあってもよいかもしれないし、お店やゲストハウス、コワーキングなどの〝場所〟を媒介とした拠点のもち方があってもよいかもしれない。いろいろな可能性があると思う。つまり私の二拠点でのライフスタイルの実践は、さまざまな地域に自分ごととして参加する方法の模索そのものではなかっただろうか。地域にとっても、そうやってさまざまな関わり方をする人が増えていくことで、コミュニティの風通しがよくなったり、活動にも流動性や柔軟性など、よい影響が生まれていくのではないかとも思う。

18「Sea Point NIIGATA」。海の家でありながらコワーキングスペースも併設し、さまざまな起業支援や移住支援などにも取り組んでいる　19「WORKWITH本町」。二〇二二年にオープンしたシェアオフィスで快適な環境。入れ代わり立ち代わり「8BANリノベーション」のメンバーが出入りする

――軽やかに生きるために

また多拠点でのライフスタイルの魅力と本質は「軽やかさ」に尽きると思う。いつでも地域に出たり入ったりできる気軽さ。もちろん移動に必要な時間や交通費、拠点維持コストなどの不自由さもあるが、そのことでしか得られない自由な感覚がある。それは社会において「〇〇すべき」「〇〇でないといけない」といった、知らずしらずのうちにインストールされている規範や呪縛をいったん解除して、自分にとってちょうどよいバランスや心地よさを、実際に自分の体を動かし揺さぶり続けながら模索する、ある種のエクササイズのようなものかもしれない。

いつ始めてもよいし、いつやめてもよい。いつ再開してもよいし、いつ変えてもよい。それまでやってきたことはゼロにならないし、いつでも大小にかかわらず新しいチャレンジができる。これらは至極あたり前のことのような気がするが、いざやってみようとすると腰が重くて動けなくなってしまうものだ。多拠点でのワーク&ライフスタイルを広げるため、これからも自分自身が体を動かしながら模索し、考えて続けていきたいと思う。

東京都区部＝水戸

「生涯を通して取り組むべき課題」を見つけるために

中山佳子

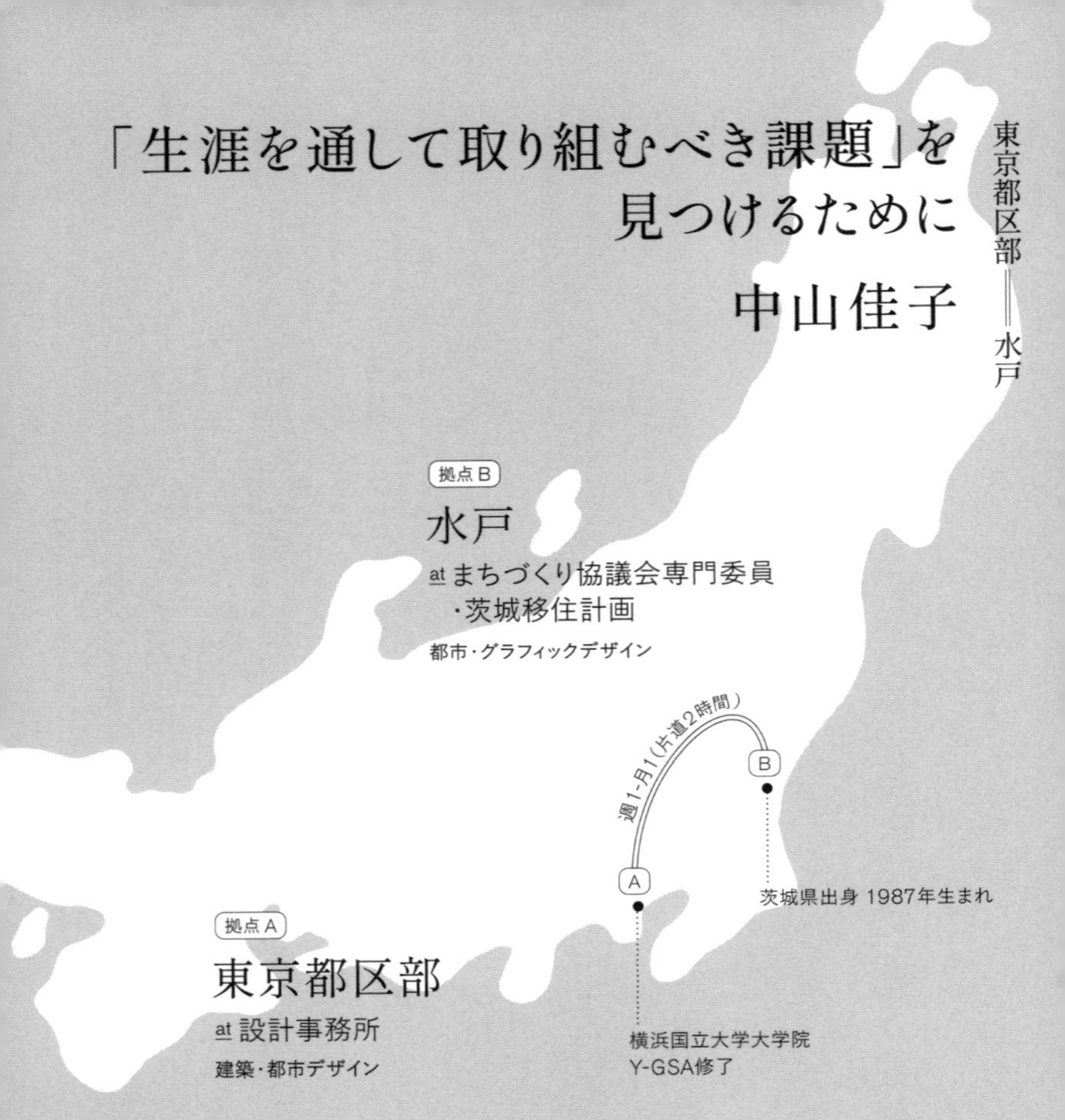

専門領域	建築・都市・グラフィックのデザイン、ディレクション
仕事内容	調査・分析、コンセプトメイキング、マスタープランニング、設計・デザイン、プロジェクトマネジメント、コンサルタント／市民・ユーザー参画型プロジェクトにおけるプロセスデザイン／サイン・ロゴ・装丁画等のグラフィックデザイン
所属	設計事務所、明星大学
多拠点の魅力	俯瞰的視点を養えること、新規領域開拓、人生のリスクヘッジ

――三六歳の春の日に

二〇二三年の春のはじめ、私は三六歳になった。生まれ育った故郷、茨城県の水戸市で暮らした時間が一八年、大学進学を機に上京し、東京をおもな拠点に暮らす時間が一八年。自身のアイデンティティが二つの地域で均衡する感覚は、地方出身者には少し新鮮な感覚だ。二〇一七年から、東京の都心をおもな暮らしと仕事の拠点としながら、水戸を中心とした地方都市に想いを馳せ、仲間をつくり、職能を活かした活動を展開するようになり、約五年の時間が経った。「多拠点」をテーマにした本書に執筆させていただく機会を得たことは、自身を振り返るうえでも今年はちょうどよいタイミングなのかもしれない。

冒頭からいきなり結論を申し上げると、多拠点――おもな拠点に加え、それとは大きく異なる環境下の別の場所、私にとっては地方都市と東京都心のように――において、リアルなまちの中で精神的な深いつながりをもちながら活動することは、職業人にとって大きな自己成長ができるかけがえのない機会であり、とくに建築や都市づくりに携わる若手人材にはおすすめしたい。

本パートでは、自身がこの数年で取り組んだ都心と地方での取り組みの一部を紹介するとともに、設計事務所の会社員として働きながら、プライベートの時間を活用した研鑽活動の枠組みのなかで個人の建築家としても社会に接続する、独自の働き方について紹介したい。

――自己紹介――茨城・水戸

簡単に、自己紹介をさせていただきたい。私は茨城県水戸市で生まれた。いまも仕事に情熱を傾けている父は、建築家として設計事務所を主宰しており、母と二人の祖母はかつて服飾デザインに携わっていたということもあり、ものづくりは身近な環境であったように思う。高校卒業まで過ごしたのは、水戸駅北側に位置する中心市街地(以降、水戸まちなか)というエリアで、標高ゼロメートル地帯に囲まれた馬の背状の高台地先端に広がるコンパクトな市街地だ。平安時代末期頃から城が構えられたといわれ、その後徳川御三家のひとつとして江戸時代に水

1

1水戸まちなかの遠景。河川や湖沼が囲む高台地の先端に、市街地が広がる

戸城と城下町が形成され、現在の都市骨格につながっている。

通った三の丸小学校は幕末当時に国内最大の藩校であった弘道館の敷地内にある。通学路には広大な梅林が香り、水戸城の防衛のために築かれた堀跡の銀杏が四季折々の表情を見せ、県庁舎や裁判所などの官庁街や文京地区があり、隣接する業務・商業地区は賑わいを見せるというルートで、地方とはいえ都市の文化や営みを感じ取れるエリアであった。

実家近くには磯崎新氏設計の「水戸芸術館」(一九九〇)があり、小澤征爾氏率いる水戸室内管弦楽団の演奏や、奈良美智氏など気鋭のアーティストの展示に幼い頃から触れることができた。なかでも印象的だったのは、「カフェイン水戸2004」という企画展示で、作品群がギャラリーを飛び出し、水戸まちなかの広場や空き地、デパートの壁面や商店街のフラッグやショッピングバッグまでを展示会場として、まちじゅうを美術館にするというもの。それは当時高校生であった自身にとり強烈な空間体験であり、普段当たり前のように見ている都市空間は、「見せ方ひとつでこれほどまでに新鮮に映るのか!」と驚いた。高校卒業後の進路で建築学科を選択したのは、自然な流れであったように思う。

2横浜国立大学大学院Y-GSA時代。台湾ワークショップにおける山本理顕先生の講評会のシーン

――建築学生時代――東京・横浜

その後大学進学を機に上京。学部時代を過ごした法政大学建築学科では、歴史・地形を重んじた都市リサーチと、空間構成の双方に重きを置いた建築教育が行われており、設計課題に没頭する日々を過ごした。

大学院は、「建築をつくることは未来をつくることである」というタグラインに心を奪われ、猛特訓を経て横浜国立大学大学院Y-GSAに進んだ。一人の教官のもとに所属する研究室制ではなく、欧米の建築教育で採用されるスタジオ制を取る大学院で、山本理顕先生、北山恒先生、飯田善彦先生、西沢立衛先生という国内外で建築文化を牽引する偉大なプロフェッサーアーキテクトのスタジオを、二年間で四つ合格することで卒業ができるというもの。学生の年次による上下関係もなく、週に二回あるエスキースに向け日々仲間たちと泊まり込みで建築討論を交わし、半期ごとには課題の成績が一位から四〇位まで張り出されるという、まさにスパルタ建築道場だ。スタジオのテーマはそれぞれ異なるものの、建築をつくることから、現実の都市や社会課題を捉えた具体的提案に落とし込むというもので、身体的な空間スケールと広域な都市スケールを行き来するプロセスは共通した教育方針であった。

――アトリエ系建築家と組織系建築家の溝？

学生時代のこうした思考トレーニングを経て、いまの日本社会のなかで建築家が都市課題に向き合い、スケールそのままに提案を具現化するためには、一度はそのど真ん中に行くべきではとの想いから、都市スケールのプロジェクトを多く手掛ける設計事務所に入社を決めた。

大学院の修了時、専攻首席であるY‐GSA山本理顕賞に選出いただくことができた。授与式の際に当時の校長であった山本先生に、冗談交じりに言われた「建築家養成スクールの首席が、なぜアトリエに行かないのか」という何気ない一言は、自身のキャリア形成に関して喉につかえた小骨のように、いまも引っ掛かりになっている。建築家のキャリア選択は、大きくアトリエ系建築家と組織系建築家の二極であるかのような錯覚が強く、同じ釜の飯を食ったはずなのに双方には溝があり、心理的距離があるように感じ取れることへの長年の違和感だ。

――設計事務所に入社――東京

心機一転、二〇一一年の春に社会人になった。国内外の大規模開発におけるグランドデザインやバスターミナル・市庁舎・研究所・商業施設等の計画に勤しむ

3

4

なかで、藻掻きながらも都心のワークライフを忙しく充実させていた。

そのようななかで、年末年始に故郷に帰省する度に、生まれ育った水戸まちなかに増える青空駐車場やシャッターを閉ざしたままの店舗、空き地、閑散とした人通りは年々際立つようになり心が痛むようになっていった。都心の発展ばかりに専門的スキルと労力を捧げ、故郷の空洞化には何もできていないことに疑問を感じるようになった。

―地方都市への想い―茨城との再会

同じ頃、二〇一四年の終わりに発表された地方創生政策の流れを受け、人口の東京一極集中を是正し、地方都市の人口減少に歯止めをかけるため移住支援や地方都市へのスキル人材派遣制度などの具体施策が始まっていた。

都心においても、地方都市に関するニュースをよく目にするようになり、日に日に地方都市再生に関するプロジェクトに携わりたいという想いは強くなっていたが、都内を拠点とする設計事務所において地域貢献プロジェクトは当時皆無であり、貢献できる場を求めていた。その頃、民間では「ここで生きてゆく人たちの旗印になる」ことを基本方針に、移住した人たちと地域に住まう人たちをつな

3空洞化した水戸まちなかの様子。当時、青空駐車場や空き店舗が年々増加していた　4水戸で開催した、「茨城移住計画」のキックオフイベントの様子

ぐ「みんなの移住計画」というゆるやかなグループが立ち上がっていた。そのなかの、現在では二〇地域を超える移住計画ユニットのひとつとして、二〇一七年、茨城に縁ある三〇代、四〇代のメンバーからなる「茨城移住計画」が立ち上がり、ふとした縁からクリエイティブ担当として加わることになったのだ。

キックオフイベントとして、水戸と神田においてトークイベントを自主開催した。登壇にあたり、「ライフスタイルシミュレーション」と称し、県内にある特徴的なまちなかエリア（水戸）と農村エリア（笠間）を取り上げ、車に頼らずとも徒歩圏内で実現できるライフスタイルを紹介した。現状の分析を行い都市の特徴を明らかにしたうえで、実際にロケを行い、生活者視点で都市の魅力を伝えたストーリーだ。小さなイベントであったが、五〇名を超えた来場者へ建築・都市視点での切り口は新鮮に映ったようで、このときに生まれたご縁がきっかけとなりその後、水戸まちなかのプロジェクトにつながることになる。

「MITO LIVING ISLAND」プロジェクト——茨城・水戸

水戸まちなかは、長らく広域都市圏の核として中心性を維持してきたが、二〇〇〇年代に入り、急激な歩行者通行量の減少や空き店舗・空き地が増加する

5

など、深刻な空洞化が待ったなしで進行している。国土交通省による「官民連携まちなか再生推進事業」の補助金採択を受け、水戸市や沿道企業・商店等の官民構成員からなるまちづくり協議会により、車から人中心の都市空間再編に向けた取り組みであるウォーカブル関連事業がエリア再生の望みをかけ実施された。地元で協議会が発足し二カ月程が経過した頃、専門家不在の議論に不安を感じた検討委員より「助けてほしい」との連絡を受け、プロジェクトへの参画が始まった。

先述した、水戸まちなかのライフスタイルシミュレーション提案から三年の時を経て、当時の内容を覚えてくれていた友人からの誘いだった。二〇一九年一〇月のことだ。予算がない状況下の個人的依頼ゆえ、協議会の専門人材委員という立場で、休日と平日の就業外の時間を使い、私的活動としてこの取り組みに携わることになった。

6

5水戸まちなか再生にむけた未来ビジョン素案、「MITO LIVING ISLAND」構想の概略版　6「水戸まちなかデザイン会議」におけるワークショップの様子

持続可能性の高いウォーカブルな都市空間の実現は、車社会の地方都市で極めて困難な挑戦である。空洞化の要因を一概に捉えることは難しいが、「当事者組織の無関心」が大きな要因であることに気づいた。着実な変化の兆しを感じ取れるものにしたいと考え、当該エリアの「当事者組織」の意識変革を待たず、まちづくりに自分ゴトで取り組む「個人的共感者」の獲得を目指した。

そのためにまず、ウォーカブルまちづくりの基本方針となる、未来ビジョン案「MITO LIVING ISLAND」構想をオンラインシンポジウムで公開。ビッグデータ解析も組み合わせた緻密なリサーチに、地元若手の想いを加え、水戸の地形骨格に根差したユニークなコンセプトを導出。五〇〇〇年ほど前には河川と湖に囲まれる中に、ぽっかりと浮かんだように見えていただろう水戸の市街地形状を「ISLAND CITY」と形容し、コンパクトシティに相応しい特徴を評価したライフスタイルの提案だ。シンポジウムは好評となり、まちづくりプラットフォーム「水戸まちなかデザイン会議」を組成するきっかけとなった。

まちに関わる取り組みを「自分ゴト」とするきっかけづくりとして、インプットとアウトプット×頭と身体を使うプログラムを設計し、約半年間で合計一〇回を開催。地元の学生、行政職員や不動産オーナー、大手メーカー支店責任者に加え、都内で活動するクリエイターなど一八歳から六八歳までの約四五〇人もの人々に参画いただいた。

そして、二〇二一年一〇月の三週間、未来ビジョン案の妥当性検証を目的とし、都市空間活用実験「水戸まちなかリビング作戦—みんなで作ろう、新しいまちなかの日常。」を実施した。空地、広場、屋上、貫通通路、道路など、何気ない都市空間に着目し、人のための居場所づくりを試みた。敷地は、南町二丁目の大通り・裏通りの約五〇〇メートル区間沿道に点在する、屋内外の立地特性と規模の異なる一〇の場所。会場計画として、六つの滞在空間と、それらをつなぐ四つの動線空間とした。圧倒的な低予算（都内で実施される同様の社会実験と比較し、十分の一以下！）、短期間、広範囲という極めて厳しい条件のなか、場所がもつコンテクストを丁寧に解読し、グラフィック・サインデザインや照明デザイン、インスタレーションといった費用対効果の高い手法を用い、既存のポテンシャルを最小限の操作で最大化するデザインを施した。

実証実験を通じ、当初に設定した目的—①人中心の居場所づくりは需要があるか？　②市民参画型プロセスは適合するか？—これらの問いに対し、①来場者による約九三％のウォーカブルまちづくりへの取り組み継続要望、②合計四五〇

7

7実証実験のDIY会場施工を担った、デザイン会議メンバーの集合写真

人のプラットフォーム参加者から、合計一〇組の自主的空間活用企画が実現、という成果が生まれた。また、住民らに行ったアンケートでは、実験前後で、未来ビジョン案への支持率が約二〇%向上した。

実質的に関わった一年半のあいだ、自身のもてるスキルや人脈すべてを駆使し、水戸まちなかのためにやれることを全力でやり切るという決意のもと、あらゆることがゼロベースのなかで、具体的な企画立案と設計、運営を一貫して主導し走り切った。

——実験終了後の変化

実験終了から一年半が経過した現在（二〇二三年四月）まで、約半数の実験会場が利用者の要望を受けて継続した。三週間の仮設を前提とした暫定的な居場所の一部は、地元の商店街や水戸市の管理のもと、恒常的なパブリックスペースとして日常に根づいている。

それは、まちなかに住む愛犬家とワンちゃんのとっておきのお散歩ルートであり、高校生たちが放課後に語らえる居場所であったりする。個々の空間はささやかなものだが、まちなかで生きる人たちの新しい日常に寄り添っている。車社会

8

9

10

8水戸まちなかリビング作戦2021。車道に車速低減効果のある、ストリートサインを設置　9民間ビルの遊休していた屋上を活用した「ROOFTOP PARK」　10官産民学の有志でなる、デザイン会議メンバーによるストリートサイン施工の様子

のなかですっかり忘れ去られていた、地方都市における公共空間の存在意義を思い起こさせてくれるような、そんな場所になっている。

さらに民間ビルを保有するオーナーにより、クラウドファンディングも活用した資金調達を経て、実験会場を活用した企画が「水戸読売会館ビル」（実験時は「LIVING GATE」）、「AT WORK BLDG.」（実験時は「ROOFTOP PARK」）の二カ所で事業化されるに至った。二人のオーナーの人間的魅力が生み出す吸引力も相俟って、この二カ所を中心に空間活用の新しいチャレンジが生まれている。都心の事情と異なり、民間主導によるアセット活用や更新機会に乏しい水戸まちなかにとって、これは大きな変化である。

一方、企画・設計に携わった我々は、取り組みのアーカイブと客観的評価の獲得を目的とし、日本建築学会や土木学会での論文発表や、空間やサインのデザイン賞応募を実施し、複数の受賞機会を得た。世界三大デザイン賞のひとつであるドイツ・iFデザインアワード受賞、国内最大のデザイン賞である、日本空間デザイン賞銅賞への入賞は、ローコストかつ暫定的な社会実験において快挙である。受賞報告に水戸市長表敬訪問を実施、その様子は主要新聞社三社により大きく報道がなされ、関係者の記憶により鮮明に刻まれることとなった。

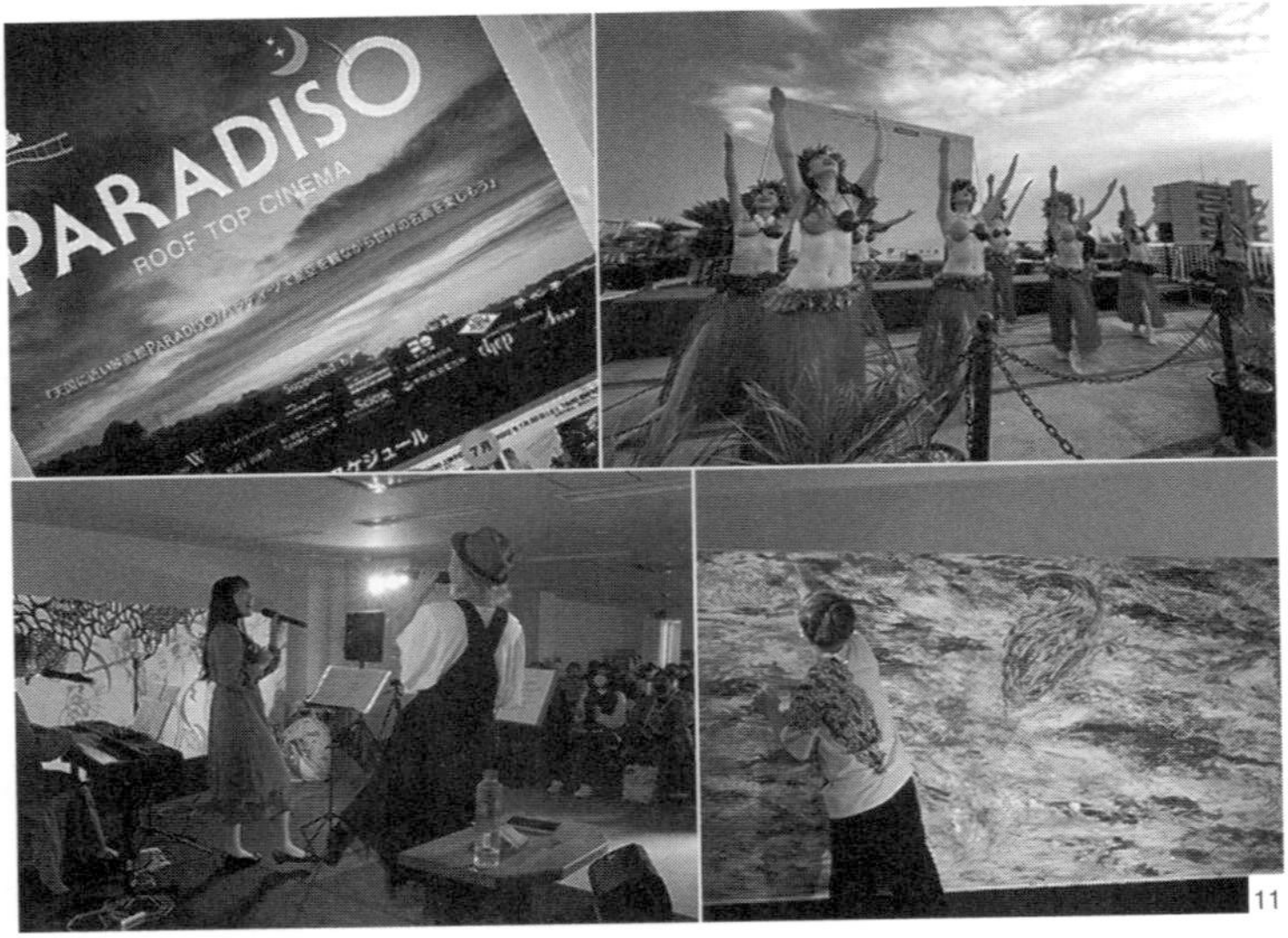

11

12

11実験会場となったビルオーナーらによる空間活用事業の様子　12実証実験の開催初日、最終仕上げを官民のチームで施工する様子

一連の取り組みを通し、当初に設定した目標である「個人的共感者」の発掘は、一定の成果を収めたと言っていいだろう。何もなかったところから、まちづくりが起爆剤となり波及効果が生まれた背景には、一連の企画設計のうえで地域のコンテクストを丁寧に読み取り、対話を重ね、デザインを効果的に用いたことにあると感じている。水戸まちなかで生まれた「個人的共感者」同士の連携が、「当事者組織」の意識改革につながり、より持続的かつ長期的な都市再生の取り組みにつながることを期待する。

――多拠点活動で見えること

東京と茨城の二拠点活動を始め、早五年ほどが経過した。プロジェクトを通し、東京都心と水戸を物理的、思考的にも頻繁に行き来するなかで感じたことを記述したい。

まず、建築・都市づくりにおいて都心と地方の置かれた状況は真逆といっていいほど異なっており、双方でプロジェクトを同時に走らせることは、異なる思考回路をフル稼働させることになる。都心の場合、都市づくりの主体者として行政はじめディベロッパーの存在が大きく、大きな事業規模となり、事業推進主体の

13

14

ステークホルダーとそれらを支援する専門家らが非常に多く携わる。そのため合意形成には時間を要し、事業期間は長期にわたる。それが再開発ともなればなおさらだ。一方で、とくに人口三〇万人以下の地方の場合、都市づくりの主体者は行政とならざるを得ない状況が多く、大抵の場合の予算は少なく、そもそもリソース不足のため事業推進側も支援側もマンパワーが限られている。高コスト・多数・長期間な都心の事業と、低コスト・少数・短期間な地方では、建築家やデザイナーに求められる領域は異なることが多い。

都心のプロジェクトから地方のプロジェクトに移行すると、関係者の顔が見える安心感と意思決定の早さに、新鮮な感覚を覚える。事業推進側の体制やプロジェクトの全貌も把握しやすいため、こちらの覚悟とクライアントの同意が得られれば、担う役割は建築家でありプロジェクトマネージャーであり、都市デザイナーでありグラフィックデザイナーでもあり事業コンサルタントでもあり…と職能をどんどん広げていくことができる（仮に業務となれば、追加検討に伴う報酬交渉は容易ではないが）。

また予算が目に見えて限りがあるため、たとえば水戸の社会実験会場計画で水性スプレーや工場用の路面テープ、ミラーボールが活躍したように、普段建材と

13大通り沿いの空き地をドッグランに転用。利用者の継続要望を受け、常設化した　14受賞報告へ水戸市長表敬訪問を実施。左から、中山、高橋靖市長、協働仲間である藤氏

しては使わないような身近なものまでもデザインの道具になり得る。ここでおもしろいのは、地方のプロジェクトでこうした展開を一度経験すると、契約によって綿密に依頼事項が定義される都心のプロジェクトでも、与えられた業務仕様をこなすだけではなく、必要な役割を自ら定義し、事業推進をリードしていく「余白」があることに気づくようになる。

大規模プロジェクトにおいても、そこにあるべき空間を実現させるために、線を引くだけではない複層的なデザインを建築家自らが行うことはいまの時代こそ有効であり、役割を拡充していくためには多方面の意向を汲む調整能力こそがそれを実現する手立てになる。つまり、より精度の高いデザインを具現化するためには、絵を描く力と同じだけのマネジメント力が重要になるのだ。

またライフスタイルにおいても、公共交通と徒歩を中心とした都心と、自動車交通を中心とした地方都市では大きく異なる。都市空間を滞在する場所として使いこなす習慣がない地方都市でウォーカブルまちづくりを推進するためには、その魅力を企画設計者自らが体得していなければ共感を得られにくい。徒歩圏内で都市生活を営むことが可能な、都内の歩いて楽しいエリアに日々身を置くからこそ、見るものすべてが参考事例になり、それとはかけ離れた状況下の水戸を訪れ

た際、表層的なデザインでは太刀打ちができないことを直感的に感じ取り、戦略づくりの思考を深めることができたように思う。

15東京・吉祥寺、井の頭公園に続くウォーカブルなまちなか空間の様子

――多拠点活動の舞台裏

ここからは、多拠点活動を実践する生活環境に触れていきたい。

冒頭でも述べた通り、私は設計事務所に勤務しており、平日は朝から晩までフルタイムで働いている。働き方の多様性が拡充する一方で、建築業界では副業を認める企業は少なく、現在のところ私が所属する組織も同様だ。よって地方都市のプロジェクトは、副業規定には違反しない範囲のなかで、自己研鑽活動として就業時間後、休憩時間、休日の時間を充てたプライベートワークとして取り組んだ。大学講師や、学術団体・まちづくり協議会の委員活動に対し許可申請ができる制度を活用し、業務時間外で活動している。

建築業界は職種として一人前になるまでに時間がかかることもあり、長時間残業は当たり前のこととされてきた。しかしながら、二〇一五年に大手広告代理店で過労死に至る事件が発生し、日本社会全体として労働環境の改善が早急に求められるようになり、建築業界でも同様の対応が求められるようになった。

16 水戸に向かう特急電車中の様子。簡易な作業や思考を整理する時間に使える

二〇一七年頃から、自身の周囲でも長時間残業の管理抑制はより厳格なものになり、自身も以前よりは時間をコントロールしやすくなった。

—— 日常のワークライフを延長した先にある多拠点活動

二〇二〇年の春に日本でも蔓延したパンデミックの影響で、地方都市でもリモート会議の体制が急速に浸透したことは、本業を都内でフルタイムに進めながら水戸のプロジェクトを推進できた非常に大きな要因だ。基本的にリモートでプロジェクトを進めていたが、二〇二一年は、東京―茨城間の物理的な行き来の頻度が高く、一時期毎週末は水戸に二、三泊という生活をしていた。もちろん体力的な負担がなかったわけではないが、水戸という場所は、東京から約一〇〇キロに位置しており、door to door で二時間の距離は思ったほど苦にはならなかった。特急列車での指定席移動ができることも時間の有効活用がしやすく、たったいまも、講演のため水戸に向かう「特急ときわ」の車中でこの原稿を書いている。

地方都市に貢献したいという想いを抱いた際に、移住するか・関わらないか、という究極の二択を選ばなければならないという先入観を抱いている人も多いが、私にとっての多拠点活動は日常のワークライフを延長していった先にあるもので、

カバンひとつで出かけていく感覚がちょうどいい。

――組織に属し、個を耕す働き方「シナジーキャリア」とその意義

多拠点活動に費やした時間は、会社員でありながらも、一人の建築家としての活動が充実した時間でもある。日々目の前の仕事で目いっぱいな状況が続くと、自身にとっては地方都市の取り組みや、グラフィックを含む横断的デザインのように、自発的な興味が生じた際は、組織の一員であることをやめゼロから独立開業しなければ踏み込めないだろうと思っていたし、いまだに個人活動に懐疑的な会社員は多数いる。しかし結果的には、働き方改革で以前より増えた余暇を自己研鑽に充てることで、そこで培った自己成長が本業の成果拡充につながり、一見関係のなさそうな点と点が自身のなかで線となり、相乗効果を生む実感を得ることができた。

このように、組織に属し個を耕すことで双方にシナジー効果が生まれる働き方を「シナジーキャリア」と名づけてみる。組織にフィードバックした成果は、自身の知見拡張による新規領域開拓や、発信力強化による就職活動等への貢献、クライアントとの信頼関係の継続的構築はできたのではと感じている。個人として

も、依頼をいただく講演は年間一五件を超え、アワード受賞や執筆の機会をいただくようになった。自身の考えを、多くの方に伝えフィードバックをいただけることは大変ありがたいことである。

ただし、上記の自分の興味対象が何であるかは戦略的である必要がある。事業単位が小さく低予算で発注されがちな新規領域プロジェクトは大企業では手が出しにくく、気づけばスタートアップ等によって確立されやすい類のものはどの業界にもあると思う。建築・都市領域において、ウォーカブルまちづくりはその一例だ。さらに地方都市では事業自体がローコストローリターンであることが多いため、小まわりが利くプライベートワークのほうがフィットする。そしていざ携われる機会を得たならば、わかりやすいアウトプットに表出するまでとことんやり抜いたほうがいい。体力、時間を奪われハードワークに陥る瞬間も生じるが、中途半端に終わらせてしまうほうがもったいない。

またシナジーキャリアで得られた姿勢は、たとえ会社員であったとしても、与えられた仕事をこなす、のではなく、プロジェクト推進において必要な仕事を自ら提案し履行する、というものだ。仕事の楽しさにもつながるし、プロジェクトの質を高めることにつながるのではと思っている。おそらくこの姿勢を有する「建築家」に備わる職能であり、どこに属しているかは、あまり本質的な問題でないと感じている。

17プロジェクトメンバーでお祝いした、元・水戸市都市計画部長加藤氏の定年慰労会

――ともに高め合えるパートナー、水戸に帰ると出迎えてくれる信頼できる仲間

多拠点活動には家族の理解が欠かせない。私たち夫婦は三〇代のDINKSで、主人は同じ大学院を出て同じく設計事務所に所属する都市計画プランナーだ。ワークライフバランスというワードを以前より増して見聞きするようになったのだが、私たちにとっては職業柄もあり、都市生活を送るライフとワークは切り離されて存在するものではなく、常に共存し相互に影響を与え合う存在だ。また夫と私それぞれの専攻、都市計画と建築デザインは、専攻は異なるものの同じ分野であり、相互の意見交換が大きな刺激をもたらしている。「MITO LIVING ISLANDプロジェクト」の都市ビジョンをつくる段階ではとくに、信頼のおける都市計画の専門家である夫の壁打ちはなくてはならないものだった。

また水戸と東京それぞれに信頼できる仲間が増えたことは、多拠点活動を通し得られた財産だ。プロジェクトの終了後も、水戸に帰ると必ず仲間たちが出迎えてくれる。損得勘定なしに、ともに汗をかき頭を悩ませてプロジェクトを完成させた仲間の存在はかけがえのないもので、自分の居場所が居住地以外にもあることの精神的充足はかけがえのないものである。

――「生涯を通して取り組むべき課題」を見つけるために

Y-GSA時代の恩師、西沢立衛先生から、日々の設計スタジオの中で建築家として生きていくための、宝物のような言葉をたくさんいただいた。そのうちのひとつがいまも痛烈に焼き付いている。当時、設計課題の高評価獲得に勤しんでいた私の姿勢を見透かし、「中山さん、大学院は〝S〟を取るための場所じゃないんですよ。生涯かかって取り組むべき課題を見つける場所なのですよ」と。

社会人になり、一人の建築家の元で働くスタイルではない設計事務所に入ったことで、否応なく自分自身と向き合い、当たっては砕け、発信しながら、暗いトンネルの中で光を目指し必死にもがいていた。最近になってようやく少し、他者への貢献を通じ大きな充実感を得られる領域、自分だから提供できる独自のスタイルのようなものが見えてきたように思う。それは、建築・都市・グラフィック領域におけるスケール横断的なデザイン&ディレクションを通し、事業課題・地域課題・社会課題を解決するということだ。その先に、建築学生のキャリアは、「アトリエ系建築家、組織系建築家の二択である」かのような固定概念を払拭するような、独自のスタイルで建築や都市プロジェクトに末永く取り組んでいきたい。そして建築的思考をもつ、多くの若い人材が設計側のみならず、発注側、行政側などあらゆる立場から、旧来的な「建築家」というポジションだけにとらわれずにその素晴らしい特性を活かし、社会のど真ん中で日本をリードしていくことで、より創造的で、より横断的な社会のムードになったらいいと願っている。

私にとって、多拠点活動を通して得られた経験、繰り返した自己内省、かけがえのない仲間たちとの協創こそが、「生涯を通して取り組むべき課題」を見つけるための時間であったように思う。

函南町‖日本全国／世界各国

旅する建築家を目指して

梅中美緒

専門領域	建築・空間・場づくり、エスノグラフィー
仕事内容	ワークスタイルデザインにおける企画・戦略立案・ディレクション／エスノグラフィー調査・仮説構築・施策提案・建築デザインへの実装／イラストレーション・フィールドサーベイ・運営サポートなど
所属	Unknown Meets Ethnography代表
多拠点の魅力	日常と非日常の交互浴、多視点であり続けるためのトレーニング

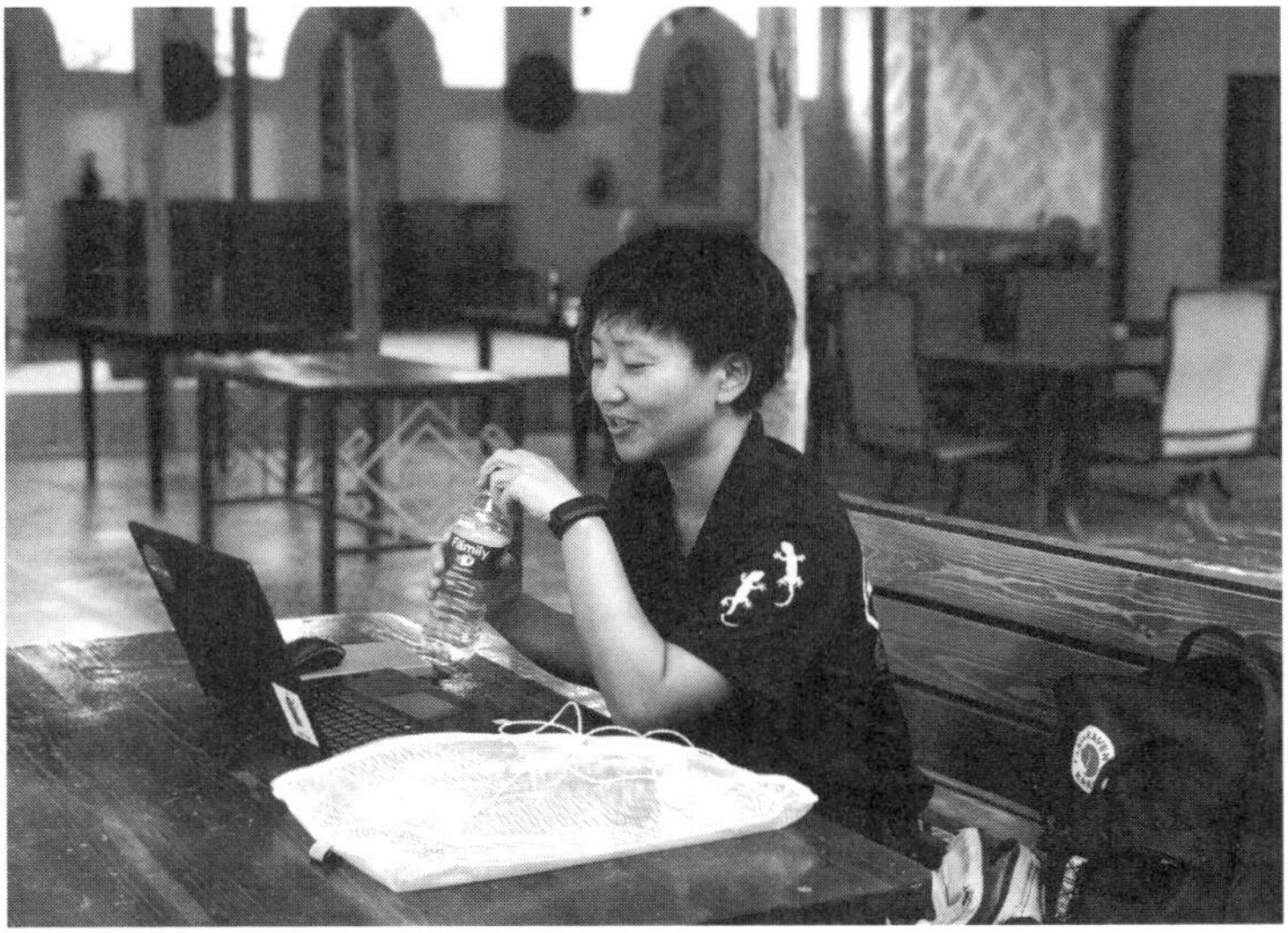

――旅する原体験―四歳からの一〇年間

「今日の宿に着いたよ。テントを組み立てるから、ほら早く降りなさい」。三菱デリカスペースギアの後部座席三列目、大量のアウトドア用品の隙間が指定席だった。北海道の大地を長時間ワゴン車に揺られ見知らぬ土地に到着し、森の中で兄弟とともにその日の寝床をつくり、市場で買った蟹や山で採ってきた山菜を野外で食べるというアウトドア旅が、我が家の夏の定番行事。父の転勤先であった北海道をこれでもかと遊び尽くそうとする両親の目論見に乗せられて、大自然を遊び尽くしていた。

毎週末の早朝、まだ半分眠ったままワゴン車後部座席に押し込まれるのが週末スタートの合図。小学校までに北海道にある離島（じつは北海道には北方領土以外に五つも有人離島がある）も制覇したし、夏にはほとんどの山に登頂したし、冬にはスキーの英才教育を受け

1

2

て育った。

大人になってからそんな子どもの頃の話をすると、「なるほどそんな幼少期を過ごしたから、そんな風に育ったんだね」と妙に納得されることも多いのだが、何事もやりすぎは逆効果なようで、おかげで大人になったいまは山登りがあまり好きではないし、キャンプや雪山へも数年に一度誘われたら付いて行く程度になっていった。

――はじめて降り立ったアムステルダム――一四歳からの一〇年間

人生で赤いパスポートしかもったことがない。中学生のときに北海道から神奈川県に引っ越したので、キャンプや雪山からはしばらく離れて暮らし、バスケやバイトに打ち込んでいたこともあり、家族行事で出かけるということは自然消滅していった。

はじめて海外へ旅したのは二〇歳のとき、建築学生らしくヨーロッパ近代建築巡りだ。初海外でヨーロッパ近代建築旅をした以降も、アルバイト代を貯めてはアジアやインドへ貧乏旅に出かける、絵に描いたようなプロトタイプ建築学生だったと思う。当時はまだスマートフォンやSNSがなく、『地球の歩き方』とト

3

1学生時代の建築旅で訪れた「ロンシャン礼拝堂」（設計：ル・コルビュジエ、一九五五年、フランス）　2「アユブ国立病院」（設計：ルイス・I・カーン、一九六九年、バングラディシュ）。多くの市民が行き交う公立大学病院　3ルアンパバーン（ラオス）。夜明け前、オレンジ色の袈裟に身を包んだ僧侶による托鉢。もち米を喜捨し、ご先祖様へ届けてもらう

ーマスクックの時刻表を握りしめて旅に出て、次のまちに到着してから当日の宿泊先を探し歩き、ゲストハウスのデスクトップPCを異国のバックパッカーと譲り合っては日本からのメールを確認したり、公衆電話から家族に安否確認の連絡を入れたりしていた。知らぬ間に世界二〇数カ国を訪れていて、「夢は死ぬまでに世界のすべての風景を見ることです」という決め台詞とともに就職試験に臨み、話題に困ったら地球の裏側の裏話を披露して就活戦線を乗り切った。

はじめて赤いパスポートを握りしめて降り立った海外のまちは、アムステルダムだった。世界一〇〇カ国以上を巡ったいま思い返してみても、はじめて踏み締めたアムステルダム以上に感情が震えることは、もう二度とないのかもしれないと思っている。歳を重ねれば重ねるほど、はじめて体験する出来事や、まだ見ぬ瞬間や感動に遭遇する確率は減っていくばかりであり、これまで想定外だった未知の領域が、「まぁそういうこともあるよね」という想定内の枠に収まってくるようになる。臨機応変な対応力が身についてリスクヘッジができている状態と言えば聞こえはいいのかもしれないが、心が震える感動の総量が減っていくことには、危機感を感じざるを得ない。

4

5

――リーマントラベラー讃歌――二四歳からの一〇年間

「社会人になったら人生終了」……理由はないが自由気ままなバックパッカーだった青春時代に別れを告げて、社会を構成する組織の一員になるということは、人生終了くらいの覚悟がいるのだと、そう思い込んでいた。そんな学生時代の考えは、入社後早々に間違いだと思い知らされることになった。アトリエでもゼネコンでもなく、就職先として選択した組織設計事務所という居場所が、どうやら肌に合っていたこともあり、第二の青春時代のようなサラリーマン人生が始まった。

社会に対して豊かな〝環境をデザイン〟していく仕事とともに、自分に対して働く〝時間をデザイン〟する責任を負っていて、裁量次第では自由に使える時間とお金を獲得してしまったため、元・バックパッカー建築学生がリーマントラベラーと化すのは必然だった。旅に出るために必死にワークライフバランスをやりくりし、年末年始やゴールデンウィークの前後に有給休暇を数日加え、一週間強の連休をつくっては、アフリカやブータンやアイスランドに弾丸で行くような生活を謳歌していた。

経験を積むとともに与えられる裁量も倍増していったので、一週間はやがて二週間になり、期間が長くなるとともに行動範囲が拡張していった。しかし、大型

6

4ナミブ砂漠（ナミビア）。中学時代に美術の授業で油絵の題材として選び、憧れ続けた赤い砂漠　5コトルのまち並み（モンテネグロ）。中世から交易都市として栄え、アドリア海に面した港町の丘の上から　6ビクトリアフォールズ（ジンバブエ）。ザンビアとジンバブエの国境に位置しナイアガラ、イグアスと並び三代瀑布に数えられる

連休＋前後の土日＋直前の金曜日＋直後の月曜日を休んだところで最大一二日。中央アジアや南米など、辿り着くまでに日数を要する地域を巡るには短すぎて、コスト&タイムパフォーマンスが悪い。陸路で国境が続いているのならば、越境したくなってしまう衝動を抑えられないので、行くのであれば三週間〜一カ月は最低でも欲しいというエリアをあとまわしにし、スリランカやニュージーランドなどの島国や、チベットなどとりわけアプローチが難しい限定したエリアを旅するようにしていた。

「そんなに生き急いで旅をしていたら、行く場所がなくなってしまうんじゃない？」と聞かれることがある。確かに経験値を積めば積むほど想定内領域が拡張し、心が震える瞬間は減っていくのだけれど、不思議なもので、いろいろな場所に行けば行くほど、行っていない場所が増えていくのだ。一度行った場所はもう行かないということにはならず、隣まちにも足を延ばしてみたい、違う季節も見てみたい、今度はあの人と来てみたい、と別の顔を見てみたくなるのだ。世界一周のスタンプラリーをしているわけではないので、解像度が上がればさらに別のレイヤーや解像度や視点で、そのまちを認識したいという欲求が湧き上がる。出会いの総量も増えるため、あのときあのまちで一緒だったあの人がすすめていた

7

あの場所へ、いつか必ず行ってみなければと、どんどん候補地リストが増えるばかりだ。本を読めば読むほど、読んでいない本が増えていく、そんな感覚に似ているると言えば、少しは伝わるだろうか。

――不毛な夢の計算式―一〇年目の気づき

入社一〇年が近づいた頃、ふとした瞬間にあることに気づいてしまう。社会人になってから一〇年間で訪れた国は三〇カ国ほど。世界二〇〇カ国あるとして、このペースでいくと「死ぬまでに世界のすべての風景が見たい」という夢がどうやら叶いそうもないと計算ができてしまったのだ。休暇は一日も無駄にしていないし、旅好きサラリーマンとして最大限時間を有効活用し、いまを謳歌しているという自負があったが、数字として計算式が目の前に現れてしまったその瞬間に、夢が叶わない絶望感に突き落とされた。そもそも叶うわけがないことは知っていた。「すべての風景が見たい」というのはあくまで概念であって、世界中の人と喋ってみたい、まだ見ぬ瞬間や感動に一生触れていたいという意味なので、スタンプラリーが達成しないという定量値にがっかりすることは見当違いではあると理屈ではわかっているものの、焦燥感に襲われてしまったのは事実だった。

7ウズベキスタンの少年たち。スマホを持っていると、写真を撮ってほしいと寄ってくる

絶望を感じると同時に〝いましかない〟と背中を押されたような気がした。少し前から温めていた想いを、いまこそ伝えるときだと決意を固め、当時の上司に「半年くらい休んで南米へ行きたい」とダメ元で切り出した。煙に巻かれるか、窘められるのか、はたまた呆れられて仕事を干されてしまうのか、いくつかのパターンは想定していたのだが、「それおもしろいから研究でやりなよ」と想像の斜め上の返事が返ってきた。所属していたチームが、二〇一八年からR&D機能として一人ひとつずつ研究テーマをもちたいと考えていたからちょうどよいと。それならば、とすぐに研究計画書を書き上げて提出した。

研究計画書には、目的・仮説・解決すべき社会課題・文化人類学や考現学をベースとしていること・自分がやる優位性／必然性・実行体制・予定目的地・スケジュール・費用などを、夢中で書きなぐった。一見ばかげているようだけど、私のサラリーマン人生のすべてをかけて、驚くほど真面目に書いた。タモリさんの「真剣にやれよ！　仕事じゃねえんだぞ！」という名言が大好きなのだけど、しょうもないな、くだらないな、と思う書類申請や上司確認・承認などハンコリレーの類ほど、徹底的に真面目にやった。逆に言えば、そういった類の一見面倒そうな作業を淡々とこなし、ロジック立てて説明し、やるべきことをやって筋を通せ

8

ば、じつはサラリーマンのほうが新しい働き方にチャレンジしやすいのではと思っている。根まわしと段取りはサラリーマンの最大の武器でもあるし。組織側も自分らしい働き方を模索できる社員の選択を認め、そういった人材を評価していく方向転換をしなければ生き残れない時代になった、というほうが正しいかもしれない。

そうしてタモリさんの顔を思い浮かべながら一気に書き上げた企画書は、無事上司に承認をいただき、ワーキングトラベルという挑戦が始まった。

——コネクティング・ドッツ

タイミングにも恵まれたと思う。「それおもしろいから研究でやりなよ」と言われた当時、日本全国に大企業サラリーマン向けの多拠点型シェアオフィス事業を立ち上げるプロジェクトに参画しており、全国各地に一〇〇拠点の働く場をつくることに奔走していた。それぞれの拠点におけるコンセプトとデザインをすべて変えて、その場所の周辺で働く企業や駅からの距離、求められる環境によってひとつひとつローカライズさせながらつくり続けるという圧倒的なスピードの渦中にいたのだ。もしも、自分がアウトプットに忙殺され、インプットが枯渇して

8・9三井不動産が展開する法人向けシェアオフィス。空間・戦略ディレクションを事業立ち上げ期から行う。8は「ワークスタイリング汐留アネックス」(デザイン監修:NAD〈Nikken Activity Design lab〉、設計・施工:三井デザインテック、二〇一七年)。9は「ワークスタイリング六本木一丁目」(デザイン監修:NAD〈Nikken Activity Design lab〉、設計・施工:三井デザインテック、二〇二一年)

しまったならば、設計の手が動かなくなって筆が止まってしまう。本質的な場づくりに取り組むことができず、表層的な表現だけを追いかけてしまう。そんな焦燥感と常に隣り合わせだったのだ。世界を旅しながらコワーキングスペース・シェアオフィスを研究することが、仕事に還元できるという絶妙な好条件が重なった。

また、二〇一六年以降「働き方改革」が声高に叫ばれ始めた時代背景とも重なり、社会課題と共鳴度の高い実験でもあった。当時は大企業サラリーマンが、複数の他企業と日常的にオフィスを共有する、なんてことはほとんど考えられていなかったなかで、ほかでもない組織設計事務所のサラリーマンである自分自身が常に移動しながら働き、課題抽出と問い直しの旅に出ることは必然でもあった。自らを被験者として、リモートワークのメリット・デメリットを最前線で体感したうえで、実装するワークプレイスは、場としてもサービスとしても強度をもつに違いない。そして幸いにも、自らをモルモットとしてけもの道を切り拓いていくことは、嫌いじゃない。世界中を旅しながら見てきたもの、体験してきたオフィスに根ざさない働き方を、これから創造する空間にインストールする約束をクライアントと交わし、視察出張という名の研究活動へ乗り出すことになった。

ちなみに視察出張という言葉を使用したのは、当時は周囲からもっとも理解を

10

10「GOオフィス」（デザイン監修：NAD〈Nikken Activity Design lab〉、設計・施工：江口、第一期：二〇一九年／第二期：二〇二二年）。「変化と挑戦にコミットする」クリエイティブカンパニーのワークプレイス

得やすかったからであって、現時点で世の中にないものをつくろうとした場合に、「視察」という行為は絶対にしてはいけないと思っている。「視察」によってもたらされるのは、すでに世の中にある事例のチューニングによって生み出されるもの。言わばパクリのデザインを助長し、あれが欲しいというボキャブラリーの貧困が起こり、結果的に発想が凝り固まってしまう恐れすらある。「視察」というのはそれだけ即効性があるので、過去から脱却した発想を得てから、既存の可能性を広げる建築をつくりたいというときにはもちろん有効である。

しかし、まだ現時点において世の中にない用途の建築をつくるときは、視察先という目的地をつなぐ行為には、注意が必要である。むしろ目的地を定めず、そのまちに同化して生活し、いつもとは違う日常に身を寄せることで、異なる空気を肌から吸収するほうが好ましい。インスピレーションの瞬間を待ってみたり、何気なく見て感じた気づきを書き留めたりして、自分のなかに取り込んだ情報を再編集していく。未来への動向を捉えるための〝フィールドワーク型〟の出張が必要なのだ。「コネクティング・ドッツ」を意識し、一見無関係な点と点をつなぎ合わせ、新しい概念を発見していくようなインプット方法が有効だと言える。予定調和で得られるインプットなど、ないのだから。

11カラカルパクスタン共和国。ウズベキスタン西部に位置する自治共和国のワークスペースにてリモートワーク

――三歩先より半歩先

二〇一八年三月から開始した「旅をしながら働く実証実験」において、実際にどのように行っていたのか。はじめのうちは比較的ソロワークで可能な、ルーティーン作業や原稿作成を中心に海外にもち出した。いまでは普通となったがオンライン会議でのブレスト、講演会や研修へのリモート参加、チームメイトやアルバイトへの指示伝達、新規プロジェクトのキックオフミーティングなども不慣れながらに挑戦した。第一回目の実験から、おもしろさ半分で出国前日にコンペを任されたので、国内にいるときよりもむしろ仕事していたかもしれない。当時は先進的すぎる働き方のように見られていたが、いまとなっては皆さんが普通に行っているオンラインでの会議やリモートワークと一緒である。

旅をしながら研究材料として採取していたデータは、その日そのときに働く場所のプランや写真はもちろん、机上面照度や騒音レベル、周波数特性、残響時間、自分自身のバイタルデータやライフログなど。あくまで〝サラリーマンとして〟旅をしながら働くことにこだわっていたので、就業規定を厳守したうえでどこまで可動域を広げられるかを、大きなテーマとしていた。

けもの道をつくりたいけど、ルールは逸脱したくない。サラリーマンが変わら

12スコピエ（北マケドニア）。バルカン半島の中央部にあるマザーテレサ生誕の地。宿のテラスでオンライン会議

ないと日本が変わらないとまで思っていたが、ルールは守ったうえで挑戦をしないと、「あの人は変な人だから」「特別だから」とレッテルを貼られることになる。しかしルールというものは往々にして曖昧なので、ファールラインを確かめるための実証実験でもあった。見るからにあからさまなファールをしてしまったら、日本のサラリーマンを変えるためにやっているのに、後続を置き去りにしてしまう。出る杭は打たれることは仕方のないことだが、半歩先くらいの、ほんの少しだけ手が出せそうな働き方だと後続が現れる。三歩先よりも半歩先を意識し、やるからには本気で、いつか誰かの未来を幸せにすることを心から願って。ときどき現れる障壁はニヤニヤしながらよじ登って、旅をしながら働く実験を続けた。

コロナ禍によって働き方変革の時計の針が三年進んだともいわれているが、三歩先どころか五歩も十歩も先すぎて理解できないといわれた働き方は、半歩先くらいの話になった。その証拠に、こうして多拠点×建築×まちづくりという本まで出版されるのだから。

――何をしていたら仕事と呼ぶのか？

ロバの悲鳴、ヤモリの鳴き声、突然の雷鳴のあとに空にかかった虹、国境越え

13ムーンランドスケープ（ナミビア）。月面世界を想像させる見渡す限りの荒涼とした大地で、瞑想しながら思考の整理

のバスが故障した荒野でハクナマタタと歌い出した中国人、ニワトリのめざまし、モンキーフォレストのざわめき、目が覚めるほど冷たい湖水、街灯がいらないほど明るい月灯り、コンサートホールの屋外広場で下手くそなトランペットを吹き続けるおじいさん、銃を背負った女兵隊のスキップ、スコールでびしょ濡れになったスニーカー、いつの間にか満ちていた潮、新月の夜空に浮かぶ南十字星、べタ凪の水面に映った逆さまの船。これらは旅をするなかで、私の脳内を刺激し、インスピレーションを生み出すきっかけになったものたちだ。

旅をしながら働くことに決め、同僚と働く空間の共有をやめたときに最初にぶつかった壁は、「自席に着席しパソコンを開いている＝仕事している認定」だった。実際に会社に与えられたパソコンのログインデータで出退勤を管理されているし、何よりも自分のなかでそうマインドセットされていた。だから必ず始業時間にはパソコンにログインし、終業時間まではセキュリティの保たれた部屋の中にいなければならないと考えていた。しかし、よく考えてみたら現場への直行直帰だって立派な仕事だし、クライアント先でのプレゼンなどオフィスにいないときも、スケッチや模型づくりのようなPCを開いていないときだって、寸分狂いなく建築の仕事である。いつからパソコンを開いて着席していることが仕事だ、なんて

14

15

いう思考になってしまったのか。しかし国内にいてパソコンを開いていないのと、旅をしているときにパソコンを開いていないのでは周囲からの見られ方が違う。コロナ禍で在宅勤務に移行した人であれば共感していただけると思うが、そんな先入観からの脱却が、一見簡単そうに見えて、じつは一番難しいところでもあった。

それならば実験をして証明しよう。移動中の読書やまち歩きなどでインプットしている時間と、パソコンをつなぎアウトプット作業している時間、それらをクリエイティブワークとルーティーンワークに分類。それぞれの割合と、相関関係を視覚化し比較することにした。それを「ライフログ」と名づけた。実際に移動をしながらインプットをこまめに挟んだ旅をしている最中のほうが、クリエイティブワークの時間総量が多いという結果となった。

わざわざ「ライフログ」という仕組みをつくり定量的に証明したのは、コロナ前の年長ビジネスマンから理解を得やすいからであって、アフターコロナの現在ではそのような証明は不要な世の中になっている。仮眠を推奨する企業も多く、リモートワークを始める前にウォーキングし、合間にサウナで整うなどのルーティーンが、ビジネスに効果的であることは多くの人がイメージできるだろう。あのとき、トゥクトゥクに乗って砂埃を浴びながら聞いた突然鳴り響くクラクショ

14クルーガー国立公園（南アフリカ共和国）。世界最大級の野生動物保護区の象のファミリー　15プエルト・アヨラ（ガラパゴス諸島）。エクアドルのダーウィン研究所があるサンタクルス島の屋台で、仕事後の一杯

ンの音が、私のインスピレーションを生み出したように。

余談であるが、私はウユニ塩湖で就職試験をつくった人類初の人物だと思っている。未来の動向とそれに対する提案を問う課題をつくる必要があったが、どうにも手詰まりだったときにあの鏡張りの空を見て閃き、慌ててスマホにメモを取ったことをいまでも鮮明に覚えている。

——アフリカにだってインプットはある

行き先をどのように選定しているのか？という質問に敢えて答えるとしたら、「行ったことのないところ」ということになる。「交互浴状態」が最大の目的なので、言ってしまえば行き先なんて、これまで行ったことがなければどこでもよい。あまりにも僻地へ訪れるので「なんでそんなところに行くの？」と聞かれるが、答えは「そこにまちがあるから」であって、それ以上でもそれ以下でもない。アフリカにだって素晴らしい場や空間や急成長している市場など、未来のヒントがたくさんある。極東の島国の北の大地で生まれ育った日本人の私にとっては、いつまで経っても非日常を与えてくれる麗しい大地なのだ。一度行ったことがあったとしても、季節や自らのコンディションによって風景は変わる。ひとつとして

16

17

同じ風景はない。つまり、目的地はどこだっていいのだ。あえてひとつ挙げるとすれば、昼の時間が長いほうが、フィールドワークがより捗るため、〝地軸の傾き〟によって行き先を決定している。

　また建築プロジェクトはそこそこに長い期間を費やす。キックオフやフィールド調査、現場など絶対にリアルで行わなければならないタイミングは、ある程度事前に予測できるというメリットがある。持ち歩き困難な高性能機器を要する作図はもちろんあるが、建築という仕事だからリモートワークしにくいという弱点は、スケジュールを巧妙に組み立てることによって解決できる可能性がある。

　そもそも「世界のすべての風景が見たい」という夢の近道として、建築があると思っている。この仕事ほど、老若男女あらゆる立場の方と出会えて、プロジェクトによって敷地や用途が変わるたびに一から勉強をしなければならず、ミクロからマクロまで横断的なスケールで視点をもち、計画段階から引渡し後の運用段階までさまざまなフェーズにおけるあらゆる瞬間に出会える職業はない。

　そんな建築という職業を生業にした人間として、オフィスという場所に縛られている状態で、リモートワークを促すための場を設計してはいけないという高潔な強迫観念もあったのかもしれない。実際に自分の目で見て体験したことを血肉

16アオアシカツオドリ（ガラパゴス諸島）。絶滅危惧種。生態系に想いを馳せる　17ボルダーズ・ビーチ（南アフリカ共和国）。美しい砂浜を埋め尽くす、ペンギンの楽園

化して、身体のなかに取り入れたうえで、脳内で編集・構造化し直したのちに、右腕からアウトプットするような設計作法でいたかった。実際に旅をして世界の働き方を見ながら感じた、リモートワークにおける酸いも甘いもひっくるめたうえで筆を動かさなければ、設計を進めることができなかったのだ。

――移動の価値を最大化したい

多拠点生活をし続けている人の一定数が、「移動疲れ」によってこの生活を止めてしまうらしい。そんなときは、目的地へ辿り着くことを移動の目的とせずに、移動自体をビッグチャンスとして捉えてみよう。新幹線で突然アウトプットが捗るという経験を誰しも一度はしたことがあると思うが、とくに海外での長距離移動は電波が入らないことが多く強制的にデジタルデトックスタイムになるので、逆にインプットのスイッチが入る。移動という行為を通じて、モードをチェンジしているのだ。

また、移動して辿り着いたまちの構造を理解して、現地の生活に溶け込むという繰り返しの訓練は、エスノグラファーになるための効果的なトレーニングでもある。一点を深掘りして熟知するというよりも、多視点であることで情報に厚みを与え

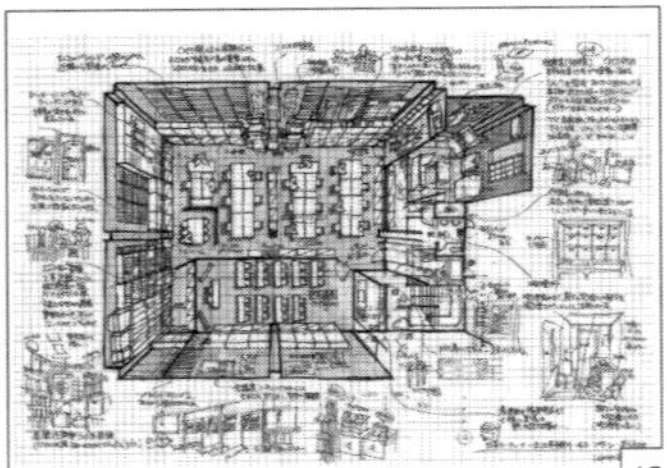

18

ることがエスノグラフィーの基本であるが、同じ時代の世界の働き方をフラットな気持ちで見続けることで、相対化できたことは大きな糧となっている。どこかのまちに定住して肩入れをするという訳ではなく、すべてのまちに対してフェアに捉えて、助演として振る舞う。そうすることで、地球の関係人口になっていくのだ。

多拠点生活を続けるには、移動方法や時間や次なる目的地の情報をあらかじめ調べてスケジュールを調整し、次へ次へと駒を進めていくという〝段取り〟と〝推進力〟が必要になる。理想とする建築をつくるためのロジックを構築して、法令や制度を解釈したうえでクライアントや行政に根まわしし、全方位的に交渉を進めながら道を切り拓いていけるという建築家特有の能力をもってすれば、「移動疲れ」によって多拠点生活をやめてしまうことはないはずだ。そういったロールプレイング能力を鍛えて、ときどき出くわしてしまうハプニングを逆手に取って楽しむための訓練は、建築家としての特殊能力をより一層磨き上げるための一助になるに違いない。

しかももっともリモートワークが難しいといわれる建築カテゴリの設計士としてだから、多拠点生活が有効だと立証できたときの説得力が違う。サラリーマンではなくとも建築を生業としている人が多拠点生活に挑戦することが、いつか社

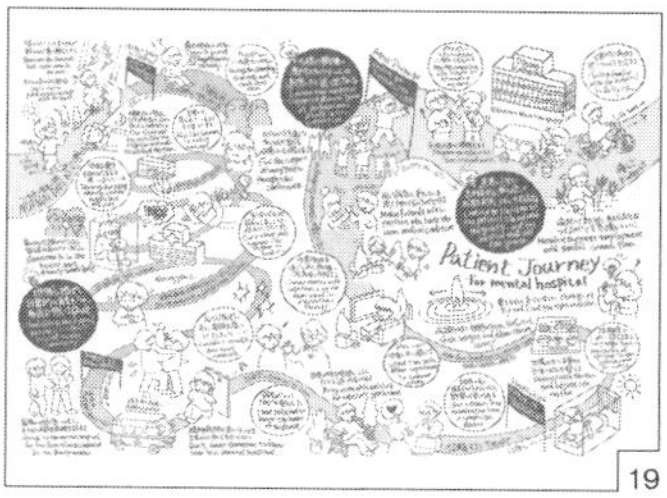

19

18エスノグラフィー調査（クライアント：日本リーテック、二〇一九年）。既存の事業所での働き方を観察し未来へのヒントを紡ぎ出す

19「Patient Journey」（クライアント：広島草津病院、二〇二三年）。精神疾患患者の体験ストーリーを描き、病院のあるべき姿を提案する

会全体に大きなインパクトを与えていくに違いない。

——地球を自宅と見立てた在宅勤務

在宅勤務の〝自宅〟の定義とは何か、調べてみたことがあるだろうか？二〇二〇年春にコロナ禍に突入しほとんどの企業が出社率制限を三〇％程度に下げた頃、実家に長期間帰省したり、里帰り出産に同行する人が出現した。それまでは勤務地と居住地は近接し、呼べばすぐに駆け付けられる距離で働くのが主流だったが、ソーシャルディスタンスを取ることが正義というパラダイムシフトが起こったことで、ライフがワークに侵食することとなったのだ。当時の私も多分に漏れず、海外からの帰国を余儀なくされた。四八ページでは足りずに増補した二冊目の赤いパスポートを押入れに封印し、夫婦で日本全国をアドレスホッピングしながら働くというスタイルにシフトした。

さて、これまたルールを解釈し直して、別のロジックを立てなければならない。そう思って在宅勤務の〝自宅〟の定義を調べてみれば、「本人または家族が、起居寝食の用に供する場所」と書かれている。続けて〝起居寝食〟を広辞苑で調べてみたら、「日常」と書いてあるではないか。住民票のある場所が自宅であるとは、

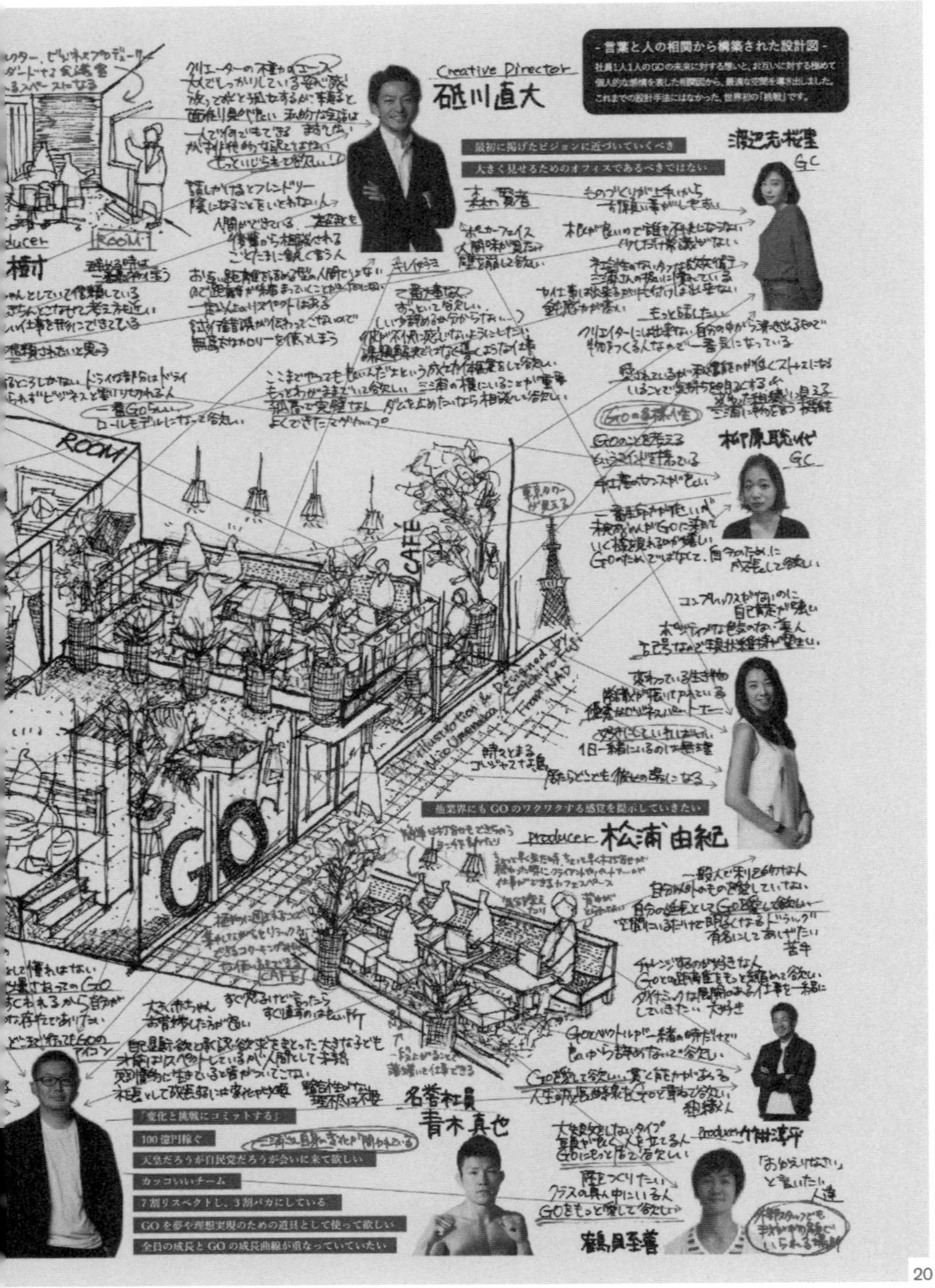

- 言葉と人の相関から構築された設計図 -
社員1人1人のGOの未来に対する想いと、お互いに対する極めて個人的な感情を表した相関図から、最適な空間を導き出しました。これまでの設計手法にはなかった、世界初の「挑戦」です。
Creative Director
砥川直大
最初に掲げたビジョンに近づいていくべき
大きく見せるためのオフィスであるべきではない
GC
GC
他業界にもGOのワクワクする感覚を提示していきたい
Producer
松浦由紀
名誉社員
青木真也
「変化と挑戦にコミットする」
100億円稼ぐ
天皇だろうが自民党だろうが会いに来て欲しい
カッコいいチーム
7割リスペクトし、3割バカにしている
GOを夢や理想実現のための道具として使って欲しい
全員の成長とGOの成長曲線が重なっていていたい
ROOM
CAFE
GO
20

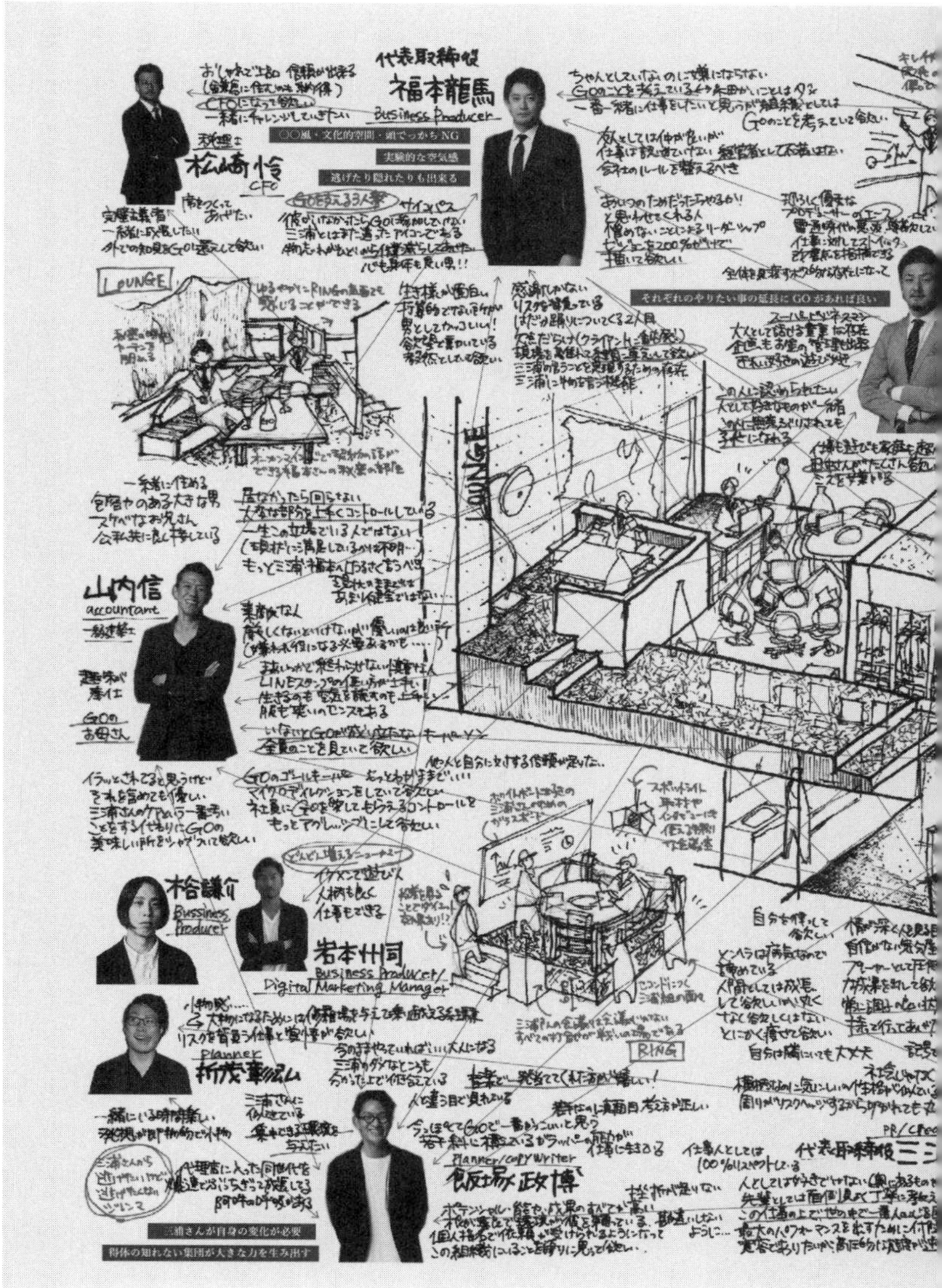

代表取締役
福本龍馬
Business Producer
〇〇風・文化的空間・頭でっかちNG
実験的な空気感
逃げたり隠れたりも出来る
松崎怜
CFO
それぞれのやりたい事の延長に GO があれば良い
LOUNGE
山内信
accountant
Planner
RING
Planner/copy Writer
三浦さんが自身の変化が必要
得体の知れない集団が大きな力を生み出す

勝手に思い込んでいただけで、どこにも書かれていなかったのだ。当時は夫も国内を転々とする仕事をしており、夫が起居寝食を行う場所は自宅であると言ってよいだろう。妻の里帰り出産へ同行し妻の実家で作図することも、実家で親の介護をしながらオンライン会議に参加することも、間違いなく在宅勤務だと言えそうだ。拡大解釈だと怒られそうなこの理論を会社の人に伝えてみたら、「たしかにサーカス団とか遠洋漁業も立派な仕事ですよね。その妻が夫の帰りを待ち続けるしか選択肢がないなんて、古い考え方かもしれませんね」と返答があった。心底いい組織に所属していると、誇りに感じた瞬間だった。多拠点生活を始めたいが、会社のルールで踏み出せないというのはもしかしたら思い込みかもしれない。いますぐに就業規定を調べてみるべきだ。

20「GOオフィス」言葉と人の相関から構築された設計図（クライアント：Go.inc、二〇一九年）。社員一人ひとりの個人的な感情から導き出す設計手法

──日常と非日常の交互浴

定量と定性、多拠点生活と定住生活、オンラインとリアル、フィジカルとバーチャル、クリエイティブとルーティン…対極にある状態の落差が大きければ大きいほど、日常と非日常の横断ができる。そうしていると、あるときインスピレーションが舞い降りる瞬間が訪れる。慣性の法則で生活していると出会うはずもな

い閃きに出会い、常にクリエイティブでいることができるのだ。だから私は、年の半分以上住むことがなくても自宅を手放さないし、iPadと一緒に紙とペンを持ち歩くし、たまに意図的にルーティーンワーク（単純作業）を入れ込むことにしている。

知らないまちで目覚めて朝食を取り、寝巻きを畳み、荷物をまとめて、スニーカーを履き、次のまちへ移動する。旅も一カ月を超えてくると、そんな多拠点生活そのものが日常化し、定住するということが非日常になるという逆転現象が起こる。そうした頃に自宅に戻ると、洗濯機に脱ぎたての洗濯物を入れられること、つくり置き料理がつくれること、その日の気分で靴を選べること、そんなちょっとした日常が極上のご褒美になる。日常と非日常を強めに横断することで、これまで見えてこなかった視点を獲得し、新たなことに挑戦する勇気も湧いてくるのだ。

多拠点生活にこれからトライする人は、水風呂にじっと浸かってやがて快楽を得るように、旅が日常化するくらい少し長めの滞在で、この「交互浴状態」をぜひ味わってみてほしい。

――多拠点生活は多視点生活

世界を相対的に捉え続けるなかで、どこのまちにも肩入れをしないが、どこのまちの誰の懐にも潜り込めるという技術を磨く。出会ってきた人生の数だけ、「こういうときに、あのときに出会ったあの人なら、こう考えて、こんな行動をするかもしれないな」と、憑依できる人格の引き出しが増えていく。客観的であると同時に、主観的な視点をもち、鳥の目をもちながら、虫の目で。ときには魚の目にも、コウモリの目にも、イグアナの目にもなるかもしれない。そうやって視点の厚みを増やしていく多拠点生活の積み重ねは、THICK DISCRIPTION＝〝厚い記述〟が重要視されているエスノグラフィーを極める道へとつながっている。

そんな自由に動く〝利き足〟としての多拠点生活と、〝軸足〟としての定住生活の横断では飽き足らず、さらなる多様な視点をもつことへの渇望を抑えきれなくなってきた。世界一〇二カ国を旅してきて、最後にガラパゴス諸島に辿り着いたことで、利き足側ではひとつの区切りをつけた感覚があったため、軸足側で二つの変化を与えることにした。二〇二一年に静岡県函南町へ移住し、二〇二二年にはあれほど執着していた「サラリーマン」の肩書を手放して、エスノグラファーとして独立。視点の変化を与えるものは、決して利き足側の多拠点生活の多様さだけとは限らない。軸足側の多様さもまた、多視点であるための重要な一因となるだろう。

いつも通りいつもの場所でいつもの人と、いつも通りに見知らぬ場所で見知らぬ人と。

軽自動車の後部座席をフルフラットにし、ルームシューズや最低限の調味料を乗せて、日本全国を転々と暮らす。その日の晩御飯を道の駅や地域密着型スーパーで買い出し、近くに温泉があれば立ち寄ってもみる。次の拠点に着いたら荷解きをして、寝床のシーツをセッティングする。三菱デリカ後部座席から四半世紀を経て、いまもなおそんな生活をしているのだから、「三つ子の魂百まで」とはまさにこのことである。

おわりに

本書のサブタイトルにある〈建築・まちづくりのこれから〉は、本書に登場する九組の多拠点での働き方の実践が、どれも時間と空間のデザインを踏まえており、それが建築やまちづくりのデザインと地続きであることを示している。働く時間のデザインはそもそもオフィスデザインの未来を語ることだ。またシェアや地域での実践は、時間の捉え方、暮らし方をリデザインすること。そこから生まれる建築や地域の営みは、これからの地域で必要になる複合的な用途を示し、もともとの風景をアップデートし、リアルでローカルな建築や環境のデザインとなっている。

九組の実践をケーススタディとして捉えると、新しい地域への入り方もさまざまで、自分の実家がある地元で活動するというケースも多いが（それにしてもまちのネットワークを構築するのに、丁寧に準備をして活動を始めている）、偶発的な出会いで始まる例もある。そして地域イベントをサポートしたり、リサーチから運営まで行う設計手法を考案したり、シェアアトリエをつくり出会いを日常化したり、地域おこし協力隊の仕組みを使ったり、まちづくりの有識者として行政側のアドバイザーになったりと、きっかけもその後のプロセスも多種多様である。

そしてそこでのインプットが、すべて各自の建築・まちづくりの実践にアウトプットされていることもおもしろい。地域に入っていくこと自体が、その土地に対するインプットとなり（地域の人たちにとっては当たり前にある素材を見過ごしていることも多く）、多地域で働くからこそ客観的かつ実践的に、常に発見したインプットをどうデザインし、アウトプットにつなげられるかを考える循環型の思考が生まれている。

建築・まちづくり関係者が多拠点で働く試みは、まだまだ始まったばかりである。実践者も多いが、それ以上に日本の地域の数は多く、圧倒的にブルーオーシャンである。もし少しでも興味があれば、はじめの一歩は、小さくて、細やかなことでよい。本書の実践者の方法を真似してみるでもよいし、「地域名 まちづくりデザイン」でweb検索してみるのもよいし、地域にあるお気に入りのお店に出入りしてみるのもよい。そこでの偶発的な出会いが、きっと、自分と地域をつないでくれ、そこに訪ねる理由が生まれるだろう。

地域には、都市の時間より、スローな時間が流れている。地域に馴染むには、最低二年はかかるといわれている。急がずに、時間をかけて付き合ってほしい。半年が経ち、1年が経つうちに、自分が「そこに行く」という感覚が、徐々に「そこに戻る」という感覚に変わると思う。

自身周辺の変化の気づきをきっかけにスタートした本書の企画は、編集委員として集まってくれた編著者四名の献身によって少しづつかたちづくられ、さらに趣意に賛同してくれた著者六名の多大な協力で具現化した。ここに改めて心よりの感謝の気持ちを捧げたいと思う。

二〇二三年七月

西田 司

図版クレジット

巻頭座談会
「多拠点で働く」ことのすすめ

p.008撮影：ユウブックス

「不在」を想像し
デザインで人や場所をつなぐ
永田賢一郎

No.1,10撮影：長谷川健太
No.8撮影：島村鋼一
No.9,16,17撮影：加藤甫

惚れたまちで伝統的なまち並みを残す
藤沢百合

p.049提供：石徹白洋品店
No.4提供：ブルースタジオ
No.7撮影：Shunta
No.8,9撮影：Sayuki INOUE
No.12,14撮影：semi photograph
No.16,17撮影：Ryo Hayamizu

建築と伴走しながらエリアと
設計事務所を成長させる
勝亦優祐+丸山裕貴

p.073,No.1,3-6撮影：干田正浩
No.2,9-12,14,15撮影：千葉正人

客観的視点をもつことで
島でこそ可能な建築のつくり方を探る
石飛 亮

No.2-6提供：ノウサクジュンペイアーキテクツ
No.8撮影：平山忍
No.9提供：五島自動車株式会社
No.10撮影：大竹央祐
No.17提供：草草社
No.18撮影：武井良祐

世界の都市を転々としながら育む
〝ここではないどこかへの想像力〟
杉田真理子

p.125：撮影：Manjahi Njoroge
No.3撮影：Paritosh Goel
No.5撮影：村上大輔
No.10イラスト作成：Mayar Salama

三拠点の暮らしの延長にまちをつくる
加藤優一

No.3撮影：阿野太一

キャリアを活かしネイバーフッドに貢献する
大沢雄城

p.173,No.10,11撮影：鈴木亮平
No.3,15撮影：島村鋼一
No.5-8撮影：小倉快子

「生涯を通して取り組むべき課題」を
見つけるために
中山佳子

No.4提供：茨城移住計画
No.7-10撮影：新井達也／Graphy
No.11下段2点：GuuZEN／水戸読売会館ビル
No.14提供：水戸市

旅する建築家を目指して
梅中美緒

No.8撮影：ナカサアンドパートナーズ
No.9撮影：鈴木渉

略歴

p.253右・中撮影：干田正浩
p.254右撮影：小泉なみこ
p.254左撮影：Ebrahim Bahaa-Eldin
p.255中撮影：新井達也／Graphy

※上記に記載のないものはすべて各執筆者による提供

略歴

編著者

永田 賢一郎
（ながた けんいちろう）

1983年東京都生まれ。横浜国立大学大学院Y-GSA修了。YONG architecture studio 代表。商店街の空き店舗を活用した設計事務所兼シェアキッチンの「藤棚デパートメント」を拠点に、空き倉庫を活用したシェアアトリエ「野毛山 kiez」「南太田ブランチ」などエリア特化型のストックを活用した拠点づくりを横浜で展開。2020年より長野県北佐久郡立科町地域おこし協力隊を兼任。2023年長野県にて（同）T.A.R.P設立。

編著者

西田 司
（にしだ おさむ）

1976年神奈川県生まれ。1999年横浜国立大学工学部建築学科卒業後、同年スピードスタジオ設立。2002〜7年東京都立大学大学院助手。2004年（株）オンデザインパートナーズ設立、現在同代表。東京理科大学准教授、大阪工業大学客員教授、ソトノバパートナー。住宅・各種施設の建築設計や家具デザイン、まちづくりなどにて幅広く活動を展開。

編著者

大沢 雄城
(おおさわ ゆうき)

1989年新潟県生まれ。2012年横浜国立大学卒業後、(株)オンデザインパートナーズ。まちづくりやエリアマネジメントなどの都市戦略の企画から実践まで取り組む。2021年より新潟市に(株)オンデザインパートナーズ新潟オフィスを開設。現在、横浜と新潟の2拠点にて活動を展開。

編著者

丸山 裕貴
(まるやま ゆうき)

1987年埼玉県生まれ。2012年工学院大学大学院工学研究科建築学専攻修了後、2012〜16年(株)KUS一級建築士事務所。2015〜18年工学院大学客員研究員。2017年に勝亦優祐とともに(株)勝亦丸山建築計画を設立、現在同取締役。

編著者

勝亦 優祐
(かつまた ゆうすけ)

1987年静岡県生まれ。2012年工学院大学大学院工学研究科建築学専攻修了後、2012年(株)日建設計。2013〜15年静岡にてフリーランスで活動。2015年勝亦丸山建築計画事務所設立。2017年(株)勝亦丸山建築計画設立、現在同代表取締役。空間と使い手の持続可能な関係性を生み出し、新しいスタンダードを社会に実装することを目指す建築家チームとして、「その場所や前提の条件を探り(RESEACH)、そこに何が必要かを考え(DESIGN)、現場での実践を還元させる(OPERATION)」ことを指針とする。

著者

杉田 真理子

（すぎた まりこ）

1989年宮城県生まれ。2016年ブリュッセル自由大学アーバン・スタディーズ修了。2021年都市体験のデザインスタジオ（一社）for Citiesを共同設立、現在同共同代表理事、（一社）ホホホ座浄土寺座共同代表理事。出版レーベル「Traveling Circus of Urbanism」、アーバニスト・イン・レジデンス「Bridge To」運営。都市・建築・まちづくり分野における執筆や編集、リサーチほか文化芸術分野でのキュレーションや新規プログラムのプロデュース、ディレクションなど国内外を横断しながら活動を行う。

著者

石飛 亮

（いしとび りょう）

1987年栃木県生まれ。2013年横浜国立大学大学院Y-GSA修了。2013-19年ノウサクジュンペイアーキテクツ。2019年WANKARASHIN設立、現在同代表。2021年より横浜国立大学大学院Y-GSA設計助手。横浜と長崎県五島列島を拠点として、その場所の歴史や文化に接続するような建築をつくることを目指し、設計活動に取り組んでいる。

著者

藤沢 百合

（ふじさわ ゆり）

1975年岡山県生まれ。1998年東京女子大学文理学部卒業後、不動産ディベロッパー勤務。2007～9年工学院大学2部建築学科。2010～14年（株）ブルースタジオ。2014年（株）スタジオ伝伝設立、現在同代表。2020年Art & Hotel 木ノ離開業。法政大学大学院兼任講師、名古屋造形大学非常勤講師。東京と岐阜の郡上八幡を拠点として「日本の伝統建築と生活文化を次世代に、世界に伝える」を目標に設計・不動産・宿泊業を柱に活動する。

著者

梅中 美緒

（うめなか みお）

1982年北海道生まれ。2008年工学院大学大学院工学研究科建築学専攻修了後、(株)日建設計。2018年より勤務しながら『旅をしながら働く』実証実験。世界の働き方を観察するフィールドワークを続けながら、多くの企業のワークスタイルデザインを手掛ける。日本全国を多拠点生活しながらアドレスホッパーサラリーマンとして働き、2021年静岡県函南町移住。2022年Unknown Meets Ethnography創業。建築エスノグラファー、世界100ヶ国以上を旅するバックパッカー。

著者

中山 佳子

（なかやま よしこ）

1987年茨城県生まれ。2011年横浜国立大学大学院Y-GSA修了後、設計事務所に入社、現在に至る。2020年〜明星大学建築学部非常勤講師。建築・都市・グラフィックの横断的デザインとディレクションをとおし、事業課題・地域課題・社会課題解決を目指す。おもな受賞に、iFデザインアワード（ドイツ）、北米照明学会Lumen Award（アメリカ）、空間デザイン賞・銅賞（日本）、サインデザイン賞（日本）、都市計画実務発表会都市計画コンサルタント協会長賞（日本）ほか多数。

著者

加藤 優一

（かとう ゆういち）

1987年山形県生まれ。東北大学大学院工学系研究科博士課程満期退学。(株)銭湯ぐらし代表取締役、(一社)最上のくらし舎共同代表理事、(株)オープン・エー＋公共R不動産パートナー、東北芸術工科大学専任講師。建築・都市の企画・設計・運営・研究を通して、実践的なまちづくりに取り組む。近作に「SAGA FURUYU CAMP／旧富士小学校の再生」（基本構想・設計）「小杉湯となり」（企画・計画・運営）「万場町のくらし」（設計・施工・運営）など。著作に『銭湯から広げるまちづくり』（単著・学芸出版社）など。

多拠点で働く　建築・まちづくりのこれから

二〇二三年九月一〇日　初版第一刷発行

編著者：西田 司・永田賢一郎・勝亦優祐・丸山裕貴・大沢雄城
著者：藤沢百合・石飛亮・杉田真理子・加藤優一・中山佳子・梅中美緒

発行者：矢野優美子
発行所：ユウブックス
〒二二一-〇八三三　神奈川県横浜市神奈川区高島台六-二
電話　〇四五-六二〇-七〇七八
FAX　〇四五-三四五-八五四四
info@yuubooks.net
http://yuubooks.net

編集：矢野優美子
ブックデザイン：岡嶋柚希
装画：田渕正敏
印刷・製本：株式会社シナノパブリッシングプレス

ISBN 978-4-908837-14-2 C0052

序章……《時《と》間《き》》のかたち

1　「はじめて買った腕時計の蓋をあけたときのおどろき」——《田園に死す》©1974 テラヤマ・ワールド/ATG

捉えどころのない時間

本書は時間を巡る物語である。「「時」というものは不気味でしかも不可思議なもの」だとは、二〇世紀後半、多彩な活動を展開した詩人・寺山修司が、シチズン社内報に連載した短文中の言葉だ。「不気味」で「不可思議」な時間に対して、この連載の寺山は、「魔女時計」や「時計牢」などといった、メーカー大手にとって思いもよらないようなイメージを紡ぎ続けた。

時間は捉えどころがない。なるほど時計は、「測る」というかたちで、これを捉えようとする。けれども時計が時間を捕まえていないことは、それを分解してみればわかる。寺山が、その映画作品《田園に死す》で主人公に呟かせたように、時計の蓋を開けてみても、なかには歯車などの部品があるだけで、どこにも時間など見当たらない（**図1**）。時計は、なるほど「正確」な時刻を与えてくれるように見えるが、刻まれる針の動きは、あるいは刻々と増える数字は、あくまで運動であり数字であって、時間そのものではない。時間を巡る寺山のイマジネーションは、言葉のかたちと格闘した彼の原点の一つだが、捉えられないものを捉えてみたいという気持ちは、寺山の場合に限らず、知ることの源泉だし、本書もまた、そこから活力を汲み上げている。

もっとも、時間は捉えられないにもかかわらず、そこにある。むろん目の前の石ころのようにあるわけではない。だがそれは、まちがいなく私たちとともにある。いや私たち自身、そのなかに生きていて、文字通り「片時」といえども、そこから離れない。したがって時間の捉えがたさの挑発は、私たちの知的好奇心に対する刺激に留まらない。時間は私たちが生きる場であり、私たちが生きることと結びついているのだから、その捉えがたさは、私たち自身の存在の不可解さにほかならず、悩ましさとして私たちにまとわりつく。そこから湧き上がってくる衝動は、当然生き方の模索へと私たちを促す。時間への問いは、生きることそのものへの問いとして、紛れもなく哲学的な問いであり、この書物もまた、寺山や夏目漱石ら「文学者」、小津安二郎や是枝裕和など「映画監督」といった、普通「哲学者」と見なされていない人物を扱うとしても、あくまで哲学の書物として構想されている。

時間への問いとしての哲学

哲学とは、知を愛することである。知を愛する限り、それは、知るということの根本を探ろうとする。知るということは、生きることの一つのあり方なのだから、これまた時間のなかで起こる出来事であり、ほかならぬ時間を根本的な背景としている。したがって哲学は、時間への問いを、その中核に含み込むのであり、時間をどのように扱うのかは、哲学自身にとっても、また哲学が関わる知全体にとっても、決定的な問題だといわねばならない。時間の「本質」を捉えることによって、哲学自身の歩みを確たるものにし、そこから生き方への問いも含め知の全体像を捉え直そうとする志向は、時間と知との関係性を顧みることから、おのずと生じてくる欲望だし、実際にそうした試みに着手した哲学者も、かつて居た。

だが時間の「本質」を確定し、その上に知的営為を堅牢な建物として組み直そうとする体系的意図に反して、寺山がいう時間の捉えがたさは、その「基礎」に侵入し、これを溶解してしまう。座標軸に表わされる「時間の流れ」は、近代自然科学という知的建造物のベースであるとともに、以来科学の領野を超えて、今日の私たちの日常的な生活体制を支えている。この「時間の流れ」への信頼がなければ、私たちは電車一つ選ぶこともできまい。しかし、たとえ強力に私たちを支配しているとしても、時間のこの「本質」は、一つのイメージ、一つのフィクションにすぎない。座標軸やタイムテーブルの上に時間を数値化して書き込むとき、私たちは、時間の外部に立つ者としてこれを計測しているが、この立場は、明らかに人為的に想定されたものであり、計測するはずの私たちは、どこまでも時間のなかに留まっている。私たちがそのなかに居るこの時間は、数値化の眼差しから、そうしてこぼれ落ちているのだから、私たちがほとんど疑うことなく知と生活の「地盤」としている計測された時間とは、中味が抜け落ちた蜃気楼のようなものなのだ。

同様のことは、計測された空間についてもいえる。距離の総体としての空間イメージもまた、その外部に超出した視座という、現実の私たちには不可能なものを想定しているからだ。空間もまた時間と同様、私たちの生とともにあり、経験に付随しながら、常に背景に留まる。私たちは遠い山々を眺めるが、遠さそのものを見ることはできない。鐘の響きを聞くことはできるが、響きの長さそのものが聴こえないのと同じだ。にもかかわらず私たちは、遠さを距離として算出し、長さを持続として数値化して、これが「本質」であり、「客観的」なものだと考えている。それがいわゆる「純粋」な時間、「純粋」な空間の出現である。

時空の二分法

時間と空間の区別は、物理学を始めする近代自然科学が展開していくなかで前提とされてきたが、実はそれほど自明なことではない。この展開への哲学的応答といえば、たとえばイマヌエル・カントの『純粋理性批判』が挙げられる。それによれば、空間は「外感」の形式であり、時間は「内感」の形式である。しかしながら、そもそも感性に関わるこうした二分法からして、そんな簡単にいえることではないと思う。視覚に代表されるような、対象による感覚の触発を指す「外感」は、まあよいとしても、そもそも「内感」とはなんだろう。『純粋理性批判』の記述を読んでも、どうもはっきりしない。別な文脈ではあるが、『実用的見地における人間学』のカントが両者を区別して定義しているところによると、「内感」とは、「人間の身体が心性によって触発されるところ」とある。たとえば「悲しさに涙が出る」というのが、その一つとして考えられよう。だが「涙が出る」という身体現象は、はたして空間を欠いているのだろうか。「恐ろしさに身が縮む」という場合、「縮む」といった具合に、文字通り空間的な緊張が生ずるし、爽快な気分になったときは、逆に身体が拡がるような解放感を覚えるのではないか。そうだとすると身体というヴォリュームをもつものが絡む限り、「内感」というものが、もっぱら「時間を形式とする」とはいえないように思われる。もしもこうした疑念が、いささかでも当たっているとすると、時間と空間の二分法そのものが、一つの虚構ではないか、「時間は空間的であり、空間は時間的である」といった方がよいのではないか、と思えてくるのである。

時空の二分法の登場は、カントが直面していた時代状況、つまり近代自然科学の誕生と展開に応じた、時間論もしくは空間論の産出であり、本書に合わせていえば、捉えどころのない時間、そして同じく捕まえがたい空間に与えられた歴史的なかたちの一つである。この二分法に基づく時間空間は、先に見たようにそれが本質とする「測定」の条件としての外部的視座のことを考えれば、あくまで仮構されたものにすぎず、フィクショナルである点では、寺山の「魔女時計」や「時計牢」と寸分のちがいもない。「ちがい」というなら、フィクションを産出したのが、寺山においては、捉えどころないものを捉えどころないままになぞろうとする想像力であるのに対して、「純粋時間」「純粋空間」の場合、時空を私たちから切り離された物体であるかのように偽装し、さらにこれを二つに切り分けて、コントロールしようとする欲望が支配している、といったところだろう。少なくとも本書の場合、空間なき時間、もしくは時間なき空間はないというのが、基本的な考え方であり、本書は時間についての物語であると同時に、空間についての物語でもある。したがって本書では、「時間」という言葉を使うが、以後基本的には空間をも含意していると思っていただきたい。それゆえまた私自身は、「時」と記さずに、「時間」と記載する。「時」は本質的に「間」を含んでいるのだ。その昔、私の師匠筋に当たる人が「時間などという間延びしたものは、本来の時ではない」としていたのを思い起こすが、最終章で少し考えてみるように、「瞬間」とか「刹那」とかに時間本来の姿を見るのもまた、特定の伝統に拠った一つのイメージ産出であると私は考えている。

ただしタイトルには、「とき」とフリガナを振った。「じかん」より音がしっくりくるからだ。つまらないことに思えるかもしれない。けれども「音」とその感覚は、第一章で考えてみるように、捉えられない時間に与えられた最初の、あるいは根源的なかたちだと思う。それゆえ私は、自分の音の感覚にしたがうことにしたのである。

物語という知

だが、こうして時間が、空間と区別しがたく、しかも捉えどころないものとして、私たちの生の根底もしくは背後に潜んでいるということは、知の全体の結構を確固とした建造物に仕上げようとする体系への哲学的欲望を萎えさせてしまうだろう。知と生の根底としての時間は、捉えたとしても一つのイメージにすぎず、とてもではないが、堅牢な建物を支える基礎石とはならないからだ。常に背景に退く時間は、捉えるという、まさにその行為によって、一個の作り物に変化し、背景に留まるという本質を失ってしまう。それは、海のなかを泳いでいた魚が、釣り上げられることによって、瞬く間に元の色彩を失ってしまうのに似ている。標本を以って満足するというのなら、それでもよかろう。けれども魚が生き生きと泳ぐ姿の記憶を瞳のどこかに残している釣り人にとって、標本は所詮まがい物にすぎない。そうだとすると生き生きとした知を求める者は、体系としての哲学にうさん臭さを覚え、知の別なかたちを求めることだろう。

冒頭で私が本書をさして、時間を巡る物語だといったのは、哲学的知の別なあり方に関わる。「物語」だというのは、まずは知の非体系的なかたちを意味する。時間空間がイメージとしてしか捉えられないとしたら、私たちは、「捉えられない」という、その事実から出発するほかない。それ自体姿を現わさないことを本質とする時間に対して、さまざまに紡ぎだされるイメージを取り集めることが、とりあえず一つ私たちにできることだろう。イメージは、いままで創られてきたものに含まれているゆえ、この知的作業は、静止した構造物ではなく、過去との対話という意味で歴史的な営みとなる。ヒストリーはストーリーの語源であり、ドイツ語の「歴史《ゲシヒテ》」は「物語」でもある。だから私は、時間を巡る「物語《ストーリー》」という言葉を、意図して使うのである。

もっとも「物語」という言葉は、単なる絵空事や妄想を、野放図に許すものではない。歴史や物語の語源となるギリシア語ヒストリアーは、ヘロドトスの著作であるその名も

『歴史《ヒストリアー》』の序で示されているように、「探求する」ことを意味するヒストレインから由来する。本書の歴史的対話は、直接の対象を時間イメージというフィクションにもつものの、イメージの背後に探求の眼差しを向け続ける。カントが時間・空間を「形式」と呼んだことも、一つの探求的物語の結果と見なしうると、私は思う。時間も空間も、「現象」の背景となって、けっしてそれ自体「現象」しないことを、彼は「形式」というこの言葉によって記録したが、この記録は、現象しないものへと落とされた探求の測針の方位を示していよう。時間は、背後に退くことを本質としながら、それでも与えられている。対話は、与えられたこの事実の回りを巡って行なわれるのであり、けっして、ただの夢想ではない。ただし「巡る」という言葉が含みもつ、原本的事実との距離感を、対話は忘れてはならない。批判的に挙げた体系的な知のスタイルもまた、実は物語の一つである。そう見れば、そこにも対話するに値するイメージが少なからず含まれているだろう。ただし、体系は、あるいは体系性への固執は、自身がイメージからなる一つの物語でしかないことを忘却していると私は考えている。

エロースというダイモーン

そういう意味では、時間を巡る物語は、時間そのものに達することの断念でもある。時間への「接近」という言葉も、私は使うに躊躇する。近づいたかどうかを測ることができる視点に立つことは、人間には不可能だからであり、できないことをできるように装うのは、誠実さを欠くからだ。けれども事柄を捉えることができなくても、それへの眼差しを保ち続けることは、有限な人間にできる数少ない麗しい行為だと私は思う。私たちは実際獲得できないものを求めているし、その希求によって生きてもいるからだ。

試みに、人間がときとして生命さえ賭けることもある愛のことを考えてみればよい。愛はさまざまなかたちで現われるが、単純に人間間に生ずる愛で構わない。もちろん、これとても多様だが、男女の愛一つとっても、これが「成就」することなどありえない。たとえば結婚を目的として掲げるのは勝手だが、それは所詮自己欺瞞でしかなく、この仮初《かりそめ》の目的が達成された暁に、愛そのものが消えること、そうでなくても別なものに変質していることに気づかないとしたら、それはただ、お目出たいだけの話だ。愛することは、そもそもなんらかの達成を思いながらも縮まらない距離を感じ、その距離のゆえに悲しみ苦しむところにのみ、出現する感情なのだ。不可能な同一化を目指す愛は、成就しえないがゆえに人を狂おしく惹きつけるのであり、人間の無力さを告げるものだからこそ尊くもあり、場合によって神々しいとさえいいうる。人間のコントロールを超えたエロースは、昔プラトンが哲学的知の原型を語るに呼び出したダイモーンである。ただし彼が呼び出したこの神霊は、その目指すところがイデアとして固定化されるに及んで、いつしか霊力を失い始め、その末裔としての体系的知に到りついてしまったように私には思える。私としては、物語を紡ぐことを以って、知ることのダイモーンを蘇らせたいと願う。

いま・ここに生きているということ

時間を巡る物語は、体系的ではなく、過去との対話であり歴史的なものだといった。「歴史的」といっても、いわゆる「年表」をイメージしてもらったら困る。年表は、過去から現在までの流れを均一化し上から眺めて、そこに出来事を配列するわけだが、これ自体あとからの構成であり、そのような視座に私たちは原理的に立ちえないからだ。これと類縁のものとして、歴史に目的や終末を設定するのも、私がここでやろうとする対話にはそぐわない。あるいは「エポックメーキング」という形容も無縁なものだ。これらもやはり、出来事の意義づけのために、歴史を一つの全体として眺める俯瞰的な眼差しを前提としている。そんな視座はフィクショナルなものでしかなく、私たちの出発点は、寺山の終生の友人であった谷川俊太郎の詩を引き合いに出していえば、「いま生きているということ」しかない。

生きているということ
いま生きているということ
それはのどがかわくということ
木もれ陽がまぶしいということ
ふっと或るメロディを思い出すということ
くしゃみすること
あなたと手をつなぐこと

生きているということ
いま生きているということ
それはミニスカート
それはプラネタリウム
それはヨハン・シュトラウス
それはピカソ
それはアルプス

（谷川俊太郎「生きる」より）

「いま」という時間が同時に空間でもあるならば、「いま・ここに生きている」という現実だけが物語の始まる地点なのだ。

「いま・ここに生きている」というこの原点を「歴史的」と呼ぶにしても、この詩が語っているように、それは大げさなものではない。私たちは自らが生きているたった一つの状況のなかで既に、そのまま過去とつながっている。谷川の詩に乗っていえば、のどが渇いたり、木漏れ陽がまぶしかったり、あるいはミニスカートが揺れるのにときめいたりする、この「いま」――「ふっと或るメロディを思い出すということ」なのだ。

……………………………

ここで私は生まれました
ここで初めて青空を見ました
鴉がカアカア鳴くのを聞きました

（谷川俊太郎「ここ」より）

私たちが生きる「いま・ここ」のなかに、たとえば「何度も桜のほころぶのを見た」というかたちで過去は陥没点のように口を開いていて、第三章で扱う是枝裕和《歩いても歩いても》で樹木希林演ずる母親が、亡き息子とモンキチョウとを区別できなくなってしまうように、あるいは第五章で見ることになる漱石『道草』の主人公が、養父と暮らした家の残像に執りつかれるように、思いはこの口のなかに吸い込まれていく。切実な悲しみを伴う死去も別れも、たわいもない街角の光景の記憶も、いま現在の現実に含まれているのであって、いわゆる「時間系列」に落とし込まれれば、それらは退色して、ただの「事件」になり下がってしまう。本書が試みるのは、私たちの普通の生に含まれる過去とのつながりに目を凝らす思索なのである。

ハイデガーという出発点

ただしこの現実は、たとえたわいないものだとしても、ニュートラルなもの、抽象的なものではなく、具体的なもの、事実的なものであり、個別的なものである。ほかならぬこの私が語る以上、私にとっての語りの現場は、二〇世紀半ば過ぎに生まれ、半世紀以上を生きてきたその色合いを帯びているのであり、それを抜きにしては、対話は抽象的なものに終わるばかりか、本質的ななにものかを失うにちがいない。

私事に傾くきらいはあるが、私にとって考えることの原点は、二〇世紀のドイツ人哲学者マルティン・ハイデガーにあり、時間についての物語を編むということ自体、その主著

『存在と時間』に対する、私なりの応答である。日本の哲学研究の世界では、この哲学者は、ことのほか人気が高く、いまもなお彼についての論文がひっきりなしに生産されている。だが折に触れて見てみると、「テクストを読みました」「勉強しました」というものに少なからず出会《でくわ》すのであり、筆者が語っているのかハイデガーが語っているのか、判然としない、いわばモノローグ的なものに終わっているそれらに、「哲学とはこんなものなのかな」とため息をつきたくなることもある。ハイデガーが好んだからといって、ギリシア文化を取り上げ、ドイツ人詩人ヘルダーリンを、あるいはパウル・クレーを、あたかも自らのものであるかのように論じているものなどに到っては、そうした仕方での追随は、ハイデガー自身がいっていた人間の歴史性や事実性を本質的に取り逃がしているのではないかと、いいたくなる。なぜなら、ハイデガーが人間を「現存在《ダーザイン》」と名づけたときの「現《ダー》」とは、個別的な「いまここ」なのだから、日本で哲学する者のそれは、当然ハイデガーのそれとは異なるからだ。少なくともこの私個人としては、ギリシア的なものやヘルダーリンの頌歌よりも、谷川の「生きる」の方が、あるいは寺山の「海を知らぬ少女の前に麦藁帽のわれは両手をひろげていたり」の方が、自分自身の「現」を形づくっているというべきだと思う。グローバル化が進行した今日、「いや私の地盤は、ヨーロッパ文化だ」という人が日本で生活していてもおかしくはないけれども、寺山のこの短歌との出会いが、俵万智を『サラダ記念日』に導いたというから、現在日本語でものを感じ考えながら、生きている多くの人々の生の現在には、寺山の歌の響きの方が、ヘルダーリンより色濃く織り込まれているのではあるまいか。

私が知る限り、哲学関係の学会誌は、ハイデガーに限らず西洋世界の学者の名前を冠し、「だれそれにおける○○について」式の論文によって、ほぼすべてを占められてきたし、かくいう私自身もそれに加担したことがないではない。だが、こうした「勉強しました」論文で構成される世界では、理解・解釈の「正当性」が争われ、師匠と弟子の関係が繁茂していく。そうした家元的な繁みに淀む空気は、結局のところ私などには性が合わなかったのであり、いまとなっては、そういう空気に泥み、さらにはそれを吐呑することによって地歩を固めようとしている向きなど、年配者なら老醜、若い者なら意気地のなさを晒しているように見えてしようがない。そんな私は、いつしかこの繁みから逃れ、自分自身の歴史的地盤を取り上げて考えるようになった。本書もまた、問う者としての己れ自身の歴史性を意識しつつ、その形成とつながりの深い文化的形象と語り合うかたちをとっているのであり、そういう趣旨で、寺山も含め、本書の対話相手たちは選ばれている。

伝統を実体化しないこと——岡本太郎

ただし、これに関して付言しておきたいことは、「日本的なもの」をけっして実体的なにものかとして想定してはならないということだ。「日本的な伝統」は、対西洋のコンプレックスが近代化への衝動と分かちがたく入り混じって現われた一八九〇年頃や、ナショナリズムの嵐が吹き始めた一九三〇年代だけでなく1、その都度の政治的社会的コンステレーションのなかで繰り返し求められ、現在に到っている。けれども私は、多くの場合純化と美化を施そうとする「日本的なもの」への回帰を、一つの虚構であるばかりか、フィクションを実体であるかのように装うという意味で欺瞞的であり詐欺だとすら考えるのであり、これに対しては、前著『芸術家たちの精神史』で扱った岡本太郎の態度を対置しておきたいと思う。

岡本は、伝統を純潔なものとしてイメージする風潮を揶揄しながら、むしろこれを「ライスカレーの中にお汁粉とチーズと、チャーシューメンをごちゃごちゃにかきまわしたような」ものと性格づけた。この「ごちゃまぜ」のハイブリッドな「伝統」のなかには、岡

注1
これらおよび、すぐあとに出てくる岡本太郎については、拙著『芸術家たちの精神史』(ナカニシヤ出版、二〇一五年)を参照されたい。

本いわく「マヤ文明」でも入りうるのだから、ヘルダーリンが入ってきても一向にかまわないけれども、ハイデガーを始めドイツの知識人たちが愛したヘルダーリンは、たとえば伊東静雄が受け取ったものと同じではあるまい。私は、《太陽の塔》や《明日への神話》など岡本の造形物に強く惹かれることはないが、美化や純化と無縁なかたちで伝統に向けられた眼差しの具体化である著書『日本の伝統』や『沖縄文化論』を、彼のもっとも優れた業績として評価したい。彼のいうとおり、私たちは雑多なものの寄せ集めとしての「日本文化」のなかで育ってきたのであり、時間に与えられたさまざまなイメージを浮き立たせようとして本書が取り組んだ者たちも、寺山修司に限らず、こうしたハイブリッドな土壌から生い育ったのはまちがいない。したがって以下では「日本文化」といえばお定まりの「わび」だの「さび」だのが語られる余地はないし、私自身それを大真面目に語ることによって密かに己れを美化するほど、恥知らずではないつもりである。

本質的にハイブリッドな、この土壌には、さまざまな断層が走っており、今日の私たちにとって乗り越えがたいものも数多い。なかでも日本の近代化の始まりは、その断層の一つで、漢詩文の素養のない私などには越えることができないものだ。そうした教養をもち合わせていた夏目漱石を重要な対話の相手として選んだことは、無力さの自覚の欠如とそしられても仕方ないが、それは彼が、近代化による文化的地盤のこの亀裂の始まりを我がものとして引き受けたからであり、さらにまた、ほかならぬ近代化と時間との関係に配慮してのことだ。この関係について述べることによって序章を閉じることにするが、そこから基本的に独立的である各章を貫く一筋が見えてくるはずである。

近代化への問い

時間は、本質的に捉えどころがなく、それについてはイメージを紡ぎ出すしかない。そうしたイメージを介して、背景に退く時間に触手を伸ばそうとするのが、本書の基本ラインだが、さまざまな時間イメージがありうるとしても、問う者の立ち位置からして、すべてが等価なわけではない。繰り返しになるが、等価なものとして包括的に眺める立場自体が、想定された虚構にすぎず、私たちはその虚構が目論む「客観性」などとはほど遠く、既にイメージ間の一定の序列のなかに生きている。そうしたなかで問われるべきものは、おのずと決まってくるだろう。すなわち、問われるべきは自らを支配しているイメージであり、これを相対化することができれば、「汝自身を知れ」を基本的なモットーとする哲学的問いとしての責務もいささかなりと果たされようかと思う。もしもそうだとするなら、私たちがごく当たり前に思っている時間イメージ、つまり私たちがそれを以って日々生活している時間が問題となるはずである。このイメージは、明らかに近代化のなかで変容しつつ整えられて今日に到っているのであり、ここに近代化が本書のサブテーマになる理由がある。

「有用性の蝕」という事態

近代化による時空イメージの変容の詳細については各章に譲るとして、ここで確認しておきたいのは、時間への問いにとって「近代化」という歴史的事象がもつ、或る重要な関わりについてである。この関わりを示す現象に私は、いままで書いた書物のなかで、「有用性の蝕《しょく》」という名称を与えてきた。「有用性の蝕」とは、近代化の帰結をさす。近代化は、その中核に科学技術の徹底化という動向をもつ。技術はそもそも適用される対象を有用なものとする働きである。手段化することだといいかえてもよい。手段である限り、かならずそれは目的を掲げるし、そのことが手段であることの前提をなす。目的なき手段は考えられないからだ。ここまでは、「ものを使う」という人間の基本的な営為の本質をなしており、したがって、ものとの、この関わりは、人類の歴史とともに古いはずである。

だが近代に始まり、現代に続く科学技術の特徴は、これを徹底化し全体化するところにある。あらゆるものが有用化されるのだ。それによってパラドクシカルなことが起こる。それは有用性が見かけだけのものとなり、本質的な無用性へと転ずることだ。ロジックは単純である。すなわち、あらゆるものが有用化され手段化されるとすると、目的となるものがなくなる。或るものAが有用であるためには、別なものBがその目的として必要とされるが、徹底化はこのBも有用化するわけだから、さらにその目的となるCを必然的に要求する。徹底化が徹底化である限り、手段・目的の連鎖はCで止まるはずもなく、どこまでいっても終わらない。徹底化は「終わり《エンド》」、すなわち目的《エンド》をこの連鎖から追放するのである。だとすると必然的に最終目的はないのだから、Aを含め、この連鎖に組み込まれたものはすべて、いかに有用に見えようとも、それは次の項との関係においてのみのことであって、本質的には目的を欠いたもの、したがって無用なものといわざるをえない。かくして有用性の徹底化は、有用性を空洞化させる。

さまざまな神話の産出

もっとも私たちは、たいていこの連鎖の行く末に気を配らない。あるいは任意のXを最終目的に仕立て上げ、それによって有用性の仮象を維持している。こうした目的のフィクションに落とし込みやすいのは、まずは自分という存在者だ。自分にとって役に立つ——これは実際、差し当たり私たちが行為する基準でもあろう。けれどもこの基準を、それだけで維持するのはむずかしい。自分にとって都合よくても、他人には害になることが当然

2　人間も有用な一コマにすぎない——《モダン・タイムス》

起こるからで、この仮構は、どうしてもエゴイズムの生臭さを放ってしまう。それだけではない。自分だけでなく、他人にも役に立つといったとしても、またその他人をよしんば「人類」というあやふやな概念に拡げてみたとしても、人間もまた、あらゆるものが有用化される世界の一コマにすぎない。チャーリー・チャップリン《モダン・タイムス》(図2)が戯画化したように、人間は歯車の組み合わせのなかに否応なく巻き込まれていくのであり、そこから外れることは、失業者や宿無し娘といった、まさに「役立たず」への転落を意味する。人間を中心に据えるヒューマニズムは、目的の不在を埋めることができないのだ。「世のため、人のため」とか「人類への奉仕」だとかいった言葉で表現されるヒューマニズムは、科学技術を生んだ歴史の運動に根をもっているとしても、ほかならぬこの技術の進展によって瓦解する。

もちろんヒューマニズム以外にも、任意な目的の夢を紡ぐフィクションが創出されるだろう。実際さまざまな神話が語られてきたし、なかには奇怪なものもあった。是枝裕和がその映画作品《ディスタンス》でモデルとしたオウム真理教は、かつて「空中浮遊」する教祖に聖なるもののイメージを求めたが、もしもそれが神々しいとするならば、蝿や蚊も小さな神々だというべきだし、いや彼らの方が遥かにエレガントに、このパフォーマンスを披露できるにちがいない。ただし紡がれる目的イメージの「いかがわしさ」が問題なのではない。まっとうに見える目的、たとえば医療技術の開発が是としている「長寿」の夢も、「空中浮遊」と同質の虚しい幻想である。というのも有用性の徹底化のなかでは、空を飛ぶことも、長く生きることも、それ自体で目的とはなりえず、別な目的への付託を強要されるからだ。なんのための「空中浮遊」であり、なんのための「長寿」なのか。前者は措くとしても、少なくとも後者は、高齢化が進行する社会のなかでだれもが遅かれ早かれ問われることになる問いだ。つまり絶えることなく発展し続ける医療技術によって一五〇歳まで生かされたとして、私たちは、いったいなにを目的として生きるというのだろう。この問いが指し示す方向に、私たちは茫漠たる無限の闇を見るほかあるまい。これもまた、「有用性の蝕」と私が呼ぶものの、具体的な姿の一つである。

蝕の闇としての時間

「有用性の蝕」——私たちも含めあらゆるものに意義を与えていたはずの手段・目的という連鎖が、それ自身の徹底化のゆえに、おのずから空洞化し、世界を照らし出していた光を失い、無限の闇が開かれる。いかなる神話を以ってしても覆い隠せない、この闇は、動かしがたい事実、いや事実そのものの原点である。しかしながら他方、この原点の深い闇にもかかわらず、私たちはそのなかに生き、ものもまた、そこに存在する。人やものとの出会いが生ずるのもこの場所だ。有用性とは無関係に、ただ存在することがここにある。むしろ有用性の見かけをはぎ取られるがゆえに、それが含む目的の不在を補塡するさまざまな神話も、瓦解してしまうがゆえに、生きていること、存在することは、日蝕のときに浮かび出る真昼の星々のように輝く。生きること、存在することを、こうして際立たせる場所とはなんだろう。有用性のフィクションも補塡的神話も、それを隠すとはいえ、そのなかで生じている、この闇こそ、本書のエロース的探求が目指している当のもの、すなわち時間だと、私はいいたい。そうであればこそ、この場所を覆い隠そうと試みるさまざまな神話のベールもまた、例外なく過去を呼び寄せて現在を飾り立て、未来に向かって私たちをエンカレッジするのではなかろうか。そういう意味で神話は、隠そうとしながら、下地となる時間を透けて示しているのかもしれない。

先に私の原点はハイデガーにあるといった。この哲学者の根本的な問いは、「存在の意味とはなにか」であり、彼の主著『存在と時間』とは、この問いの答えを「時間」に見出そうとする試みだった。ハイデガーにとって「意味」とは、そもそも「そこにおいて事柄が明らかになる場」である。生きること、存在することが、事柄として際立たされる「有用性の蝕」の闇が「時間」だというのは、先にもいったように、『存在と時間』の私なりの継承の表現でもあるのだ。この闇は、彼の主著が念頭に置いていたものとは趣きを異にしているが、そこが「私なりの」という所以でもある。もっともハイデガー解釈として、このことを提言するつもりなど、私にはさらさらない。むしろこの場所は、私自身思いの向くままに、また出会った人々との縁に後押しされて、上記の対話を重ねてきた結果辿り着いた、いやベールの向こうに透かし見た事柄なのである。

役立たずのすすめ

「有用性の蝕」が開く場所として時間を考えることは、この逃れがたい闇のなかでの生き方への問いに逢着する。人生に意味を、したがって有用性を与えてくれる、どんな神話も、所詮仮初のものにすぎないし、次々と生み出される神話の競争のなかで、いずれがほんものかを議論することなど、事態を眼差しから取り逃がした思考の戯れでしかない。可能なことは、暫定的な神話とともに生きることに甘んじながらも、それがはかないものでしかないことを自覚し、当の神話の奥底、いわば有用性の極北の闇に眼を凝らしつつ生きること、そういう意味では、あえて「無用の者」として生きることであろう。それが、特定の形象を「第一のもの」と声高に顕彰する態度と対極にあることは、いうまでもない。むろん人間一般を中心に据え、人類のために役に立とうというヒューマニズムとも、まったく

3　有用性の彼方へ歩む——《モダン・タイムス》

ちがう。それはむしろ、「役立たず」のヒューマニズムとでもいったらいいだろうか。「役立たず」であることは、有用性の連鎖に取り込まれないところを矜持とすること、いかなる神話に対しても距離を保つことであり、その距離のゆえに、それ自体において凛々しい。無限の闇のなかでのそうした生き方を求めながら私は、寺山の『家出のすすめ』をもじって「役立たずのすすめ」を意図して、以下の対話を行なっていきたいと思う。だれしも親や教師に「有用な人材」に育つよう躾けられてきた今日の社会ではあるが、国家創出の夢がなお息づき福沢諭吉が「学問のすゝめ」を説くことができた或る意味「幸福」な時代は既に遠く過ぎ去り、教師も親も「有用であれ」と口にしながら、実のところ、どこかで白けている。そうした「白け」のなかで「役立たずのすすめ」を語る心根は、福沢がいう「一身独立」の勇壮さとはちがうもの、たとえば、先に触れた《モダン・タイムス》の末尾、チャーリー・チャップリンとポーレット・ゴダードの二人によって演じられた失業者と宿無し娘が歩み去っていく後ろ姿の清々しさによって支えられている（図3）。

序章…《時間《とき》》のかたち

第一章…寺山修司《書を捨てよ町へ出よう》——映画における音楽の機能

第一章

寺山修司《書を捨てよ町へ出よう》

——映画における音楽の機能

一　寺山修司とはだれか

「自己とはなにか」という問いとしての自己

物語は、やはり寺山修司から始めよう。この節の見出しに掲げた「寺山修司とはだれか」という問いは、イントロダクションの告知というより、むしろそれ自体、寺山修司の芸術活動の中核に位置するものである。彼は実際、生涯「自己とはなにか」と問い続けた。代表的映画作品《田園に死す》(図1)が、自伝のかたちをとりながらも、自己規定の不たしかさ、もしくは同一性の不在を確認しようとするものだったことも、彼の基本的スタンスを表わしている2。

この映画の主人公は、自分自身の少年時代に遡り、自らの履歴を書き換えることによって過去の支配から逃れ、自由な存在として自立しようとするのだが、書き換え行為自体が対象たる過去に巻き込まれ、自分自身をそのなかに見失ってゆく。過去は書き換え可能な虚構でありながら、自己に絶えずまとわりつき、ついにはこれを飲み込んでしまう。その結果主人公は、自分の過去の核心と見立てた「母親」を殺すことができない己れを見つめ

1　「私」は20年前の「私」とともに過去の書き換えに挑んだのだが……――《田園に死す》©1974 テラヤマ・ワールド/ATG

ながら、「自分とはなにか」という問いを、苦々しく口にするのである。

寺山からすると、この問いは究極的な答えをもたない。いくら「私は○○である」という答えを口にしてみても、どれかに帰着することはありえず、いずれも自分が仮初にまとっている仮面にすぎない。ここにあるのは問いの無限反復であり、いってみればその運動が自己にほかならない。

もっともこの問いは、一九三五年に生まれ一九八三年に死んだ寺山の場合、歴史的には第二次世界大戦後の高度経済成長がもたらした生の地盤の喪失感に根をもっている。この時代人々は、急速な産業化のなかで、それまで所属していた田舎の共同体から都会へと駆り出されていった。学校を卒業した少年少女たちを乗せて東京上野へ向かった集団就職の汽車は、その象徴である。この汽車から降りた若者たちは、なるほど大都会で、何者にもなれる自由を獲得したが、そのことはとりもなおさず、何者でもないことを意味していた。それでもなお生きていくためには、何者かであらねばならず、人はその「何者か」のフィクションを改めて紡がねばならなかった。寺山の著書『家出のすす

注2
前掲拙著『芸術家たちの精神史』第五章を参照されたい。

め』は、このような歴史状況に掉さしたものであり、古い家族制度という神話からの脱出を若者に呼びかけるとともに、ヤクザや娼婦も含めて、人間の多様な可能性を、その虚構性もろとも提示し、そのような「迷信」まがいのフィクションが現代人には必要だと嘯《うそぶ》いてみせた。

人がまとう姿はどこまでも虚構なのだから、当然寺山自身も、特定の姿を自らの本質とすることを避け続けた。俳句や短歌からそのキャリアを出発させた彼は、詩人であるかと思えば小説も書き、文学から演劇へと向かい、劇団も主宰した。あるいはボクシングや競馬についての評論も、彼の活動のかなり多くの部分を占めた。いずれの顔も寺山であり、また寺山でなかった。いわく「職業＝寺山修司」。

映画監督という仮面

してみると活動の多様性は、単に寺山の才覚だけによるものではなく、産業化がもたらしたデラシネ状態への一つの応答だといわねばなるまい。したがって、それは、彼の生涯と重なる高度経済成長期を超えて、近代化一般へのリアクション、序章で触れた「有用性の蝕」への反応でもあるはずだ。そのことも、寺山を本書の登場人物に加える所以であるが、多彩な活動を展開した彼は、対話相手として、かなり扱いづらい。たとえば彼の競馬論は、そもそもその道に疎い私の能くするところではない。短歌や俳句も、文学論として論ずることは私には重荷だ。もちろん全体を総花的に述べるのも、おもしろくない。以上、かならずしも積極的とはいえない理由から、本章は、基本的に映画監督としての寺山との対話に絞ることにする。ただし、第二章の小津安二郎、第三章の是枝裕和と、映画は本書で扱う主たる対象の一つということになるわけだが、映画が近代化とともに生じた新しい芸術ジャンルであることもさることながら、結果論からいえば、彼らとの対話も寺山との関わりが縁で始まった試みだったことを申し添えおきたいと思う。

寺山と映画といえば、彼は一三歳から叔父が経営する青森の映画館に住んで、毎日のように映画を見て青春時代を過ごしたのが始まりで、ラジオドラマの脚本執筆で脚光を浴びたのち、まだ若かった松竹ヌーベルバーグの監督・篠田正浩に脚本を提供することで、映画制作の世界に入っていった。早稲田大学学生時代の親友・山田太一は、篠田作品《夕陽に赤い俺の顔》の撮影に、入りたての助監督として参加したが、そのとき、新進の脚本家として輝いていた寺山の姿をまぶしく眺めた記憶を披露している。寺山がのちに自らメガホンをとるようになって残した映画は、実験作品十本以上と《田園に死す》を含め六本の長編を数える。本章では、そのなかから一九七一年始めに撮られた、メジャー作品としては最初の監督作《書を捨てよ町へ出よう》を取り上げ、これを手掛かりにして、映画における音楽の機能を考えてみたいと思うのだが、なぜ映画における音楽に思考の焦点を絞るのか、説明する必要があろう。だが、それに先立ってまず、寺山芸術を貫く基本志向について、かいつまんで述べておくことにする。

二……寺山修司と芸術経験の変容

舞台と観客席の関係の脱構築

寺山の芸術を見ていくと、映画に限らずそこには、芸術経験に関する根本的な変様が認められる。それは、経験の主体と客体との間に構築されてきた歴史的な関係を解体しようとするものである。

近代的な芸術経験は、経験の主体を客体としての作品から離れたところに置き、そこからこれを鑑賞するという態度に己れの基本を置くが、それに対して寺山は、この距離を破壊し、主体を客体との同一空間の内にもたらそうと試みた。前者の経験スタイルは、その典型的な具体例をタブローとしての絵画の鑑賞に見出す。絵画を鑑賞する者は、対象から離れて立ち、両者の間をできるだけ純粋なものとして保った上で、対象としての絵画をそれ自体として見ようとする。美術館のホワイトキューブ化した空間に展示された絵画は、古い邸宅の壁に、描かれたモデルや所有者との関わりを想起させつつ飾られた絵画と比べれば、そうした純粋な距離を保っていると見なしうる。こうした体制は、舞台と観客席という仕掛けとなって劇場にも現われる。演劇をその主戦場の一つとした寺山が実際にも行なったのは、舞台から隔絶されたところに座って、舞台上で演じられる疑似現実を眺める観客のあり方に揺さぶりをかけ、俳優と観客との区別という基本体制を脱構築することであった。

そもそも寺山が立ち上げた劇団の名前「演劇実験室「天井桟敷」」（以下「天井桟敷」）自体、舞台中心の旧来の劇場理解に対抗するかたちでの命名であり、「〈観る〉と〈観られる〉という対立」の再考への意思を孕んでいた。寺山と親しくつき合い、映画《上海異人娼館》にも出演したことのある読売新聞記者・北川登園《たかのぶ》によると、寺山は死の一年前、こういっていたという——

日本の劇団というのは、俳優座とか、文学座とか、そういう作る人たちの名前のついた劇団がいっぱいあって、見る側の名前のついた劇団というのはないんで、「観客座」っていうのを作ろうと思ったんですね。でも観客座そのままじゃ、あんまり面白くないんで……。天井桟敷っていうのは観客席のことですね。歌舞伎座の一番安い席が天井桟敷、って言いますね。だから、天井桟敷、ていう名前をつけた時点で、観る側からの演劇、っていうのは既に考えられた訳です。

市街劇という試み

「〈観る〉と〈観られる〉という対立」を突破しようとする同じ意図の実践は、「市街劇」と呼ばれた試みにも現われている。そこでは、「俳優」たちが劇場という閉鎖空間から実際に外へ出て日常生活を営む市民たちに働きかける一方、「観客」たちは、チケット代わりに購入した地図（**図2**）を頼りに、同時多発的に各所で行なわれるパフォーマンスに参加していった。私たちは、たとえば一九七五年四月一九日から二〇日にかけて、東京都杉並区阿佐ヶ谷を中心に展開された市街劇《ノック》のビデオなどから、いまもなお、その残像を確認することができる。

寺山による市街劇の最初の試みは、警察が出動して「事件」となった《ノック》よりも早く、一九七〇年に催された《人力飛行機ソロモン》である。この市街劇は一九七一年ヨーロッパでもナンシーとアルンヘンで催され、後者が、オランダ国営放送制作のダイジェスト・ビデオとして残っているので、翌年撮られた映画《書を捨てよ町へ出よう》のなか

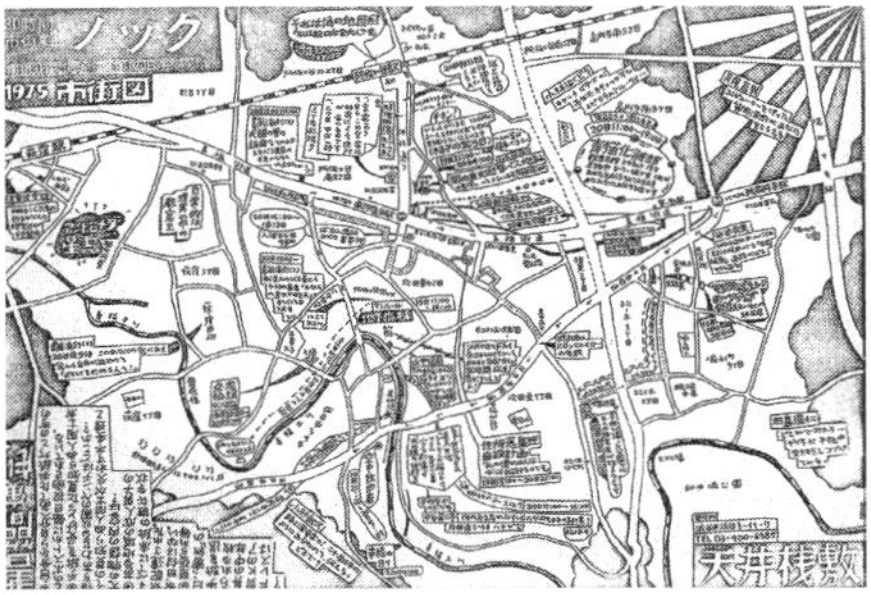

2 《ノック》上演地図 ©テラヤマ・ワールド

3 佐々木英明（左）、通行人を挑発する。©1971 テラヤマ・ワールド/ATG

に、それに由来する試みが断片的ながら残っているのを確認できる。主人公が銀座の歩行者天国で人々に語りかけ挑発するシーン（**図3**）はその一つだが、これを演じた佐々木英明（現三沢市寺山修司記念館館長）から聞いたところによると[3]、彼が話しかけているのは、すべて偶然出会《でくわ》した通行人で、俳優は彼以外一人もいなかったそうである。市街劇が演劇として成功したかどうかは怪しいし、寺山自身も《ノック》以降、劇場へ帰っていった。しかしながら観ることを巡る主客関係の脱構築への意思は、劇場のなかでも、さまざまな仕掛けを以って受け継がれていくことになる。

注3
佐々木英明氏には、二〇一四年六月に三沢市寺山修司記念館で会って以来、質問を重ね、そのたびごとに丁寧に答えていただいている。本文では敬称を省くが、お名前を挙げることによって感謝を表わしておきたい。また同記念館学芸員広瀬有紀氏にも資料収集などお世話になり続けている。併せて感謝したい。なおこのシーンについて佐々木氏は、『東奥日報』の連載記事「寺山修司「書を捨てよ町へ出よう」」でも、同様のことを述べている（同紙二〇一六年三月五日付）。

作品《観客席》

たとえば一九七八年の作品《観客席》は、その題名が示す通り、観客席対舞台という構造を解体しようとしたものであり、残っている脚本を辿っても意図は鮮明だ。

劇冒頭、舞台と観客席を隔てる幕が開くが、その奥にまた幕がかかっている。それが開いてもさらにまたもう一つの幕が——と、いった具合の仕掛けが総計四回あり、最後の幕が開いてようやく曝け出された舞台は空っぽで、しかもそこではなにも始まらず、再び幕が閉まる。それに続く最初のシーンは、「観客席に、おくれてきた一人の男が立ち止まり、すでに座っている客に向かって話しかける」というものだが、やってきた男は座っていた客に対し、いまあなたが座っている席は自分の席だと、理不尽に主張する。一連の押し問答の挙句男は、周りが奇異な目で見ていると抗議する席上の客に向かって、この劇場に集まった「お客さんは、観客席を観に来た」のだといった上で、こう告げる——

……

今夜の主役はあんたなのよ。

観客が観客のまま俳優になるわけだ。

……………

わたしは今夜、「観客を演じることになっている俳優」の一人です。
ええ、こちらにいる方たちは、「俳優をやっていただいている観客」の皆さんです。

この作品は、まさしく観客席と舞台とを分別して「観客を観客たらしめる」演劇の構造そのものを問題化し、宙づりにしようとするものであった。

寺山修司とワルター・ベンヤミン

路上であれ劇場内であれ、観客を劇の内部に挑発的に引き込み俳優との区別を揺るがそうとする「天井桟敷」の試みは、伝統的な演劇、寺山の場合でいえば、西洋演劇の翻案たる、いわゆる「新劇」に対する革命的挑戦として、前衛的な色彩を帯びている。だがそれは同時に、「見世物の復権」というよく知られたその標語に見られるだけでなく、いま確認した主体客体関係の解体自体において、復古的な傾向を抱いてもいる。というのも鑑賞者が作品から距離を取るのではなく、逆に作品が開く空間のなかに入り込み、それに包み込まれるという経験は、たとえば建築の経験として、あるいは庭園の経験として、より根源的には「住む」という人間の原本的なあり方として、古くからあったからである。そうした点に着目し、近代的な「視覚的（optisch）」経験に対して「触覚的（taktil）」な経験を際立たせたのはワルター・ベンヤミンだが、彼によれば、絵画もまた、タブローとして独立してくる中世の祭壇画以前は、壁画として建築に所属し、人間を包み込む空間の構成に参与していた。寺山自身《観客席》について、

「観客席」は一連の劇行動を知識によって追体験する場から、「不意打ちの連続する行動の場」に早替わりする。

と述べているが、ここでいう「知識による追体験」は、ベンヤミンの「視覚的」経験に、「不意打ちの連続する行動の場」は、「触覚的」経験に対応する。寺山は市街劇と同じ頃、劇場の内部空間に仕切りの壁を下ろすことによって、入ってきた観客を閉じ込める《阿片戦争》（一九七二年）など、いわゆる密室劇の試みも行なったが、或るシンポジウムで、次のように語っている――

観客は「観察者になることを拒否される。観客は所謂、観客ではなくて、しばしば聴客であり、聴衆であり、……あらゆる経験を目に集約するのではなく、そこに居合わせることによって劇を経験的に統一化する」

（強調筆者）

視覚からその優位が奪い取られ、触覚を含むあらゆる感覚が動き出す。寺山が向かおうとした方向は、「ほんもの性」が失われた複製技術の時代にあってベンヤミンが示唆していた道に沿ってもいたわけである。

絶対的な視座の不在

このことと関連して確認しておきたいのは、建築や庭園の空間の内部を歩くことが、経験全体を一望するような絶対的な視座をもたない、ということだ。享受される空間は、私たちが歩くにつれて変化していくのであり、その歩みの一つ一つがそれぞれ異なる感性的フィールドを開くのであって、他を凌駕し支配する特定の一歩が視点として固定される事態は、あったとしても基本的にあとから構成されたものにすぎない。市街劇の場合、**図2**からもわかるように、異なる地点で同時に、もしくは継起的にパフォーマンスが起こっていくのだから、すべてを統一的に眺める視座は拒まれているし、密室劇に到っては、視野そのものが強制的に遮られる。そこが、観客席から一部始終を一つの物語として眺める通常の劇場演劇の鑑賞と、決定的に異なる点であり、寺山は意図的に、統一的視座を拒絶しようとしたのである。寺山がそのような意図を初めて具体化したのは、一九六九年一二月に初演された《ガリガリ博士の犯罪》においてであり4、そこでは「どの観客も劇の部分だけしか見ることができなかった」という。

《百年の孤独》の舞台

拒絶の具体像を、比較的通常のケースに近い劇場演劇のもう一つ別な例を用いて示しておこう。ガルシア・マルケスの小説『百年の孤独』に触発されたこの演劇作品は、一九八一年七月一日から七日まで晴海埠頭・東京国際見本市協会B館で行なわれたものだが、その動画記録や写真はいまでも残っている。それらが示すところによると、会場中央に設置された装置は、中心にある円形の舞台に四方から花道のような通路がつなげられた構造となっており、しかも花道はそれぞれ一つの舞台をもっていて、観客席はその周りを囲むように設置されている（図4）。寺山には、それぞれの舞台で固有のシーンを同時進行的に演じさせるという意図があった。前出・北川によると、一九八一年七月三日にかかってきた電話で寺山は、次のように述べていたという――

四つの舞台を作り、四つのドラマを同時進行させたので、完全に劇を見るためには

……

四回見てくれなければ［ならない］。

（［ ］は筆者補足）

舞台が「四つ」というのは、中心の円形舞台を除いて数えていたと思われる。ビデオを見る限りラストシーンでは、これを含む五つの舞台それぞれで同時にパフォーマンスがなされてはいるものの、全体にわたって必ずしも「同時進行」ではなく、演技は総計五つの舞台の各所で継起的に行なわれている。つまり或る箇所で一つのシーンが演じられたかと思うと、「チョーン」と入れられた拍子木の音と暗転とを合図にスポットライトが別な舞台に当てられ、次のシーンが始まるといった具合に進行しているのである。したがって観客からすると目の前で行なわれていた演技が突然消え、自分から遠い地点で、場合によっては大道具によって遮られた所で次の演技が開始されるといった感じになるわけだ。寺山の評伝を書いている高取英によると、この作品では「一つの席にすわっていると、他が見にくいところがあった。観客の一人が、それを非難して、「見にくい」とつぶやくと、［寺

4　《百年の孤独》の舞台設営
©テラヤマ・ワールド

注4
『地下演劇』第八号掲載のシンポジウムにおける寺山本人の口述による。

山は」「見えるところまで動けばいいんだ」と吐きすてるようにいった」という。

いずれにせよ、この晴海の「劇場」に、すべてを包括的もしくは均一的に眺める席が、一つとしてなかったのはたしかである。包括的な視座のこのような拒絶は、全体を支配するプロットの脱構築の試みにつながっていくのだが、それが確認しておきたい第二の点でもある。

俳句・短歌という原点

古来プロットは、『詩学』のアリストテレスに見るように、演劇、さらに文学の中心と考えられてきたものであり、近代にもその考え方は基本的に受け継がれた。西洋で展開された近代文学が日本に入ってきたとき、当然この考え方も文学にとって「本質的なもの」として当時の知識人たちに受容されたが、二〇世紀への転換期、これに対する違和感を表明したのが夏目漱石であった。漱石は最終章の主役であり、そこで詳しく論ずるが、彼は優れた俳人として、伝統的な短詩系文学がもつ魅力の実感に基づき、西洋近代の長大な小説に対抗するかたちで、俳句や短歌の価値を擁護するとともに、自ら「プロットのない小説」の創作を『草枕』というタイトルのもとで試みている。もっとも、ここで俳句に言及するからといって、「日本文学」もしくは「日本文化」の伝統的固有性を強調したいわけではない。もともと英文学者だった漱石がプロットのない文学として範を仰いだものとしては、俳句のほか、ローレンス・スターン『トリストラム・シャンディ氏の生活と意見』も挙がってくるからである。どこが頭でどこが尻尾かもわからず、まるで「海鼠《なまこ》」のようだと漱石自身評した、この奇妙な小説から来る流れは、二〇世紀に入るとジェイムズ・ジョイスらによって受け継がれていくのであり、そういう意味でプロットの支配に対する嫌疑は、二〇世紀以後の芸術にとって、少なくとも一つのトレンドとなっていったといえよう。

「英明、意味で切るな、五七の音とリズムだけ追え」

俳句を引合いに出したのは、寺山修司のキャリアの原点が、まさに俳句であり、短歌だったからでもある。おそらくこの「原点」は、彼の創作を導き続けるのであり、たとえば映画《田園に死す》には、そこここに、しかもプロットとの関係が明示されない仕方で、あるいはそれを切断するかたちで、彼の自作の短歌が挿入されている。《田園に死す》において短歌を朗読しているのは、映画のエンドロールなどには示されていないが、《書を捨てよ町へ出よう》の主役・佐々木英明である。佐々木本人から聞いたところによると、寺山は短歌の朗読に際して、意味よりも音とリズムを重視しろと指示したという。したがって《田園に死す》挿入歌「新しき仏壇買いに行きしまま行方不明のおとうとと鳥」は、「仏壇」

と「買いに」との間ではなく、「新しき」と「仏壇」との間に切れ目を入れて読まれている。なるほどこれ自体、取り上げるほどのこともない普通の読み方のようにも思えるが、現在も販売されているCD《寺山修司「空には本」・「寺山修司・劇場美術館」のための朗読音楽集》からは、意味で切る読み方が聞こえてくる。朗読者は、寺山映画《草迷宮》の主人公・明の少年時代を演じた三上博史。彼は「銅版画の鳥に／腐食の時すすむ／母はとぶもの／みな閉じ込めん」と切っているが、上の句は、音で切れば「銅版画の／鳥に腐食の／時すすむ」となるはずである。「英明、意味で切るな、五七の音とリズムだけ追え」とは、寺山が佐々木に与えた指示だそうだ。

そもそも日本語で「歌」といえば、「短歌」を思い浮かべることはごく自然なことだし、実際その朗読も、まさに音の高低とリズムをつけて、「歌う」ことであった。私が寺山映画における「音楽」ということで、まず思い浮かべるのは、通常の意味での楽曲よりも、むしろ短歌である。《書を捨てよ町へ出よう》のいわゆる「音楽」も、《田園に死す》で短歌が果たしたのと同じ役割を担っていた——煎じ詰めれば、これが本章一編の趣意ということになる。

二……断ち切られるプロット

プロットの回帰

しかしながら鑑賞主体と客体との関係の脱構築にせよ、プロットの支配への抵抗にせよ、それを完全に遂行することはむずかしい。プロットは、断片化したり複線化したりしながらも残る。そのことは、俳句小説『草枕』がストーリーを孕んでしまったことにも、また寺山の市街劇が部分部分で筋書きをもっていることにも示されている。プロットは小説や演劇という作品形体に本質的に属しているといえるのかもしれないのであり、そういう意味ではアリストテレスがプロットを「悲劇の魂」としたのは無視しがたいわけで、映画という作品形体についてもまた同様のことがいえそうに思える。たとえばドキュメンタリー映画といえども、出来事の経過を記録しようとした時点で、その前後関係を示す必要は避けがたいだろう。あるいはプロットのない映画も、動く映像の連続として考えられないわけではないが、インスタレーションなどに使われるビデオ映像と、はたして区別できるかどうか、はなはだ怪しい。

超えられないスクリーンと観客席の区別

もう一つ主体と客体との間の距離の克服は、映画の場合原理的に不可能である。というのもスクリーンと観客席という物理的構造は、まだしも舞台・観客席の区別を撤廃できもする演劇の場合と根本的に異なり、映画が映画である限り、不可欠なものだからである。それでも寺山は、映写機とスクリーンとの間に観客が入り込んで、映画の上映を一つの出来事として攪乱する可能性を考えてみたこともある。あるいは一九七四年の実験映画《ローラ》では、スクリーンの女たちの誘惑に応じて観客の男が飛び込んでいくところを映像化してみせたりもした(**図5**)。あるいは彼は《書を捨てよ町へ出よう》や《田園に死す》に、そして彼の最後の映画作品《さらば箱舟》にも、「映画中の映画」という「入れ子」の仕掛けを施すことによって、カメラの視座を相対化し、カメラ(=監督)の目と同化してスクリーンを眺めていた観客に揺さぶりをかけようとした。

なるほど《田園に死す》の主演男優・菅貫太郎に「これはたかが映画でしかない」と呟かせることとは、スクリーン上の映像世界の虚構性を同じスクリーンにおいて暴露することであり、そうすることで、いわば反動的にこの発言主体の視座を観客に「自分たちと同じ現実に立つもの」として受け取らせるかもしれない。けれどもここで生ずる「現実化」は、ほんの一瞬の幻惑にすぎず、「たかが映画」というつぶやきそのものも、また一つのフィク

5　観客席からスクリーンに飛び込む男――《ローラ》©テラヤマ・ワールド

ションでしかないことに、人はただちに気づくはずだ。いってみればこの試みが、主体としての観客の眼差しを、観客とスクリーン上の映像という固定的な二項対立から解き放ち、自らの視点へのメタ的反省を随伴的に生じさせたとしても、観客のこの視座は、映画を撮影するカメラをさらに外から撮影するカメラの位置に移動するだけで、架橋されるはずだったスクリーン上の疑似現実から、むしろまた一歩遠ざかってしまうのであり、主体客体の融合を両者の関係解体の到達点として想定していたとすると、むしろ逆行とさえいいうるのである。《書を捨てよ町へ出よう》の場合でいえば、冒頭で佐々木英明がスクリーンから観客席に向って「隣の女の子の膝に手を伸ばしてみろよ」と挑発的な言辞を投げかけてみても、暗闇の客は彼の叫びを、なお観客席という安全なシェルターに留まって冷ややかに聞くだけだし、またそれが普通の態度というものだろう。

いずれにせよ寺山の基本志向は、映画という媒体と出会った当初から、困難を抱え込んでいたのはまちがいない。実際《書を捨てよ町へ出よう》でも、当然主体客体関係は分裂したままだし、全体を通してのプロットは残り続ける。もっとも、そうして残るプロットを辿っておくことは、この映画を手掛かりとする以上、無駄ではあるまい。

映画《書を捨てよ町へ出よう》とその筋立ての弱さ

佐々木が演じた主人公・北川英明は、一人の妹、父親、祖母と四人で線路わきの貧しいアパートに住む少年である。脚本によると、彼は月給二万八〇〇〇円の鉄工所プレス工となっているが、労働の場面はなにも出てこない。妹は、友達もなくペットのウサギとしか親密な関係をもてない少女だ。父親は戦争犯罪人の過去をもつらしく、仕事への意欲を失い、雑誌のクイズを解くことで暇つぶしをしているが、裏では祖母をどこかの老人ホームに入れようと画策してもいる。一方祖母は祖母で、大人しくしているどころか、むしろふてぶてしく、万引きを繰り返し、さらに隣人に頼んで密かに孫のウサギを殺させてしまう。少年は、そんな関係の家族に愛着などもてず町へ出てさまようわけで、そうした彷徨のなかでの彼の経験を追うのが、映画の基本的な筋を形づくっている。

だがこのプロットは、ドラマの論理という点からすると、高い評価が得られるものとはいいがたい。なぜなら事件と事件との間の関係性が薄く、「どうしてそうなるのか」というドラマ進行の理由は、ほとんど見えてこないからである。

たとえば少年の彷徨の手引きをするのは、大学のサッカー部の近江という名の青年であり、まだ性的経験のない主人公を娼婦のところに連れて行ったりする。しかし色っぽいガールフレンドもいて豊かな学生生活を楽しんでいる彼が、なぜ貧しく覇気もない主人公の面倒を見るのか、ドラマのなかからは明らかになってこない。

さらに唯一の友人であるウサギを失った妹は、近江を含むサッカー部の若者たちに集団で強姦され、それが契機となって近江のもう一人のガールフレンドとなり、彼の部屋に住みつく。たしかにそのような物語は文学のなかで十分ありうることではある。《ハムレット》や《マクベス》を引き合いに出すまでもなく、幽霊や魔女のような非合理的存在にさえ、文学的な意味での「真理」は認めうる。だがそのような「真理」に辿り着くためには、背理的に見える出来事に導いた登場人物の性格や考え方を、観る者にとって理解可能なかたちで示すことが求められるだろうし、配慮次第では不条理な出来事が、かえってインパクトを以って浮かび上がってくることさえ起こる。けれどもこの映画の場合、近江のもう一人のガールフレンドになるという出来事と、妹の性格や考え方とを緊密に結びつけようとする配慮は、まったく感じられない。

映画最後のシーンは、働く気を出さない父親のためにと、主人公が買ってやった屋台車が盗品とわかり、刑事たちが彼を捕らえに来るというものだが、父親への軽蔑心を抱いているだけでなく財力もない彼が採ったこの行為は、映画の途中に突然予告され、しかもそれに到る動機が不たしかなままなので、先の妹のケースと同様、結末としては力ないものに留まっている。

いずれにせよ、出来事の筋立て（ミュートス）、すなわちプロット、その原因となる「性格（エートス）」、そして「思想（ディアノイアー）」という、アリストテレス『詩学』が示した劇の要素に着目したとき、この作品は、「はあ、なるほど」と納得させる説得力に欠けるといわれても、いたしかたないと思われるのである。

「スジガキ主義でないドラマ」

もちろんそのような評価に本論の目的があるわけではないし、またこういった筋立ての「弱さ」には、さまざまな理由が考えられよう。たとえば、この映画は一九七〇年頃の若者たちによって共有されていた鬱屈した気分を、志向の散乱状況として表現しようとしたとするのも、一つの解釈としてありうる。同時代、世界的な現象となった「怒れる若者たち」は、日本でも七〇年安保条約改定を引き金とする学園紛争に頂点を迎えた。「天井桟敷」が活動するのは、この頂点とそれに続く敗北の時期に当たるのであり、なるほど統一を失いバラけていく時代の雰囲気が、この映画には沁み込んでいる。

あるいはまた、寺山にとってこの映画が最初の長編作品だったということも、ドラマトゥルギー上の「弱さ」の原因としてまったくないとはいいがたい。「寺山さんは、監督として未熟だった」と、佐々木英明は私に率直に述べたことがある。なるほど次作《田園に死す》や完成されながら日本では生前公開を見なかった《草迷宮》、あるいは商業映画的色彩の濃い《ボクサー》などと比較すると、この第一作は、なんともまとまりのつかないという印象を与えるのはたしかだ。

しかしながら、この映画の「まとまりのなさ」は、なによりも寺山自身の基本志向、とりわけ前節で見たプロットの支配への抵抗に、その第一の原因がある。寺山は既に、一九六五年、雑誌『シナリオ』で「特集・今日のドラマツルギー」に執筆を求められたとき、「一つの原因に何かの動機が加わって、一つの結果を生むというドラマツルギーの原則」が疑われ始めていると語った上で、映画にこの原則が求められることをいぶかって見せていた。さらに彼は、こういっている——

映画にも小説や劇とちがった、別な方程式があるのが当然なのに、まだ一般にはドラマのフィルム化と思われているのだろうか。映画は小説と手を切るとともに、ドラマとも一度は訣別して、新しい価値観を生み出さなければいけない。

そうした「新しい価値観」を彼が摑めたかどうか、あるいはこの意思を貫徹できたかどうかは措くとして、その可能性を開くことにとって、旧来のドラマの中核たるプロットの

6　夫との不和のなかにある女性を地中海のまばゆい陽光が包む——ジャン・リュック・ゴダール《軽蔑》

力を削減することは、少なくとも一つのステップとして考えうることである。彼は同じエッセイでジャン・リュック・ゴダールの《軽蔑》を挙げて、こういう——

> **この映画では、ストーリーよりも、人物配置とギリシアの海の青さとの関係がまさに映画ツルギーと言えるのだ。**

妻および彼女から軽蔑される夫と、海の青さという脈絡のない取り合わせの創造こそ映画の本質だ、というわけだ。この映画の舞台はイタリアのカプリ島なので、「ギリシアの海」というのは寺山の勘ちがいだが、なるほどこの映画で、寺山のアイドルでもあったブリジッド・バルドーが陽光降り注ぐ別荘の屋上を歩くシーン（図6）は、愛の不毛という基本的なストーリーとは無関係に魅力的だ。「新しい価値観」もしくは「映画ツルギー」に彼が与えた「スジガキ主義でないドラマ」という呼称は、そうしたストラテジーの存在を示唆している。

ちなみに、このストラテジーは、その後彼の映画が「まとまり」をもつようになっても、彼自身のなかには、残り続けたように思える。たとえば一九七八年に東陽一監督の下で撮られた《サード》は、『キネマ旬報』でこの年のナンバーワン作品に輝いた。寺山は軒上泊原作の小説『九月の町』を大幅に書き換えることによって「脚本」化し、東とプロデューサーの前田勝弘にこれを提供した。この「シナリオ」を原作と比較しながら読むと、出来上がるべき作品を監督たちのコントロールから解き放つような仕掛けが随所に配されていたことがわかる。たとえば俳優たちの即興に進行を委ねる部分などは、その一つだ。東たちは、この「プロット」を結局また大きく作り直して、「成功作」に仕上げたわけだが、残されたシナリオを辿ってみると、プロットを横切る断層のなかには、主人公が突然観客に向き直って語り掛けるといったシーンもあり、これから見るように《書を捨てよ町へ出よう》からのアンチ・スジガキ主義の連続線を測量することができる。

書き換えられていく台本

《書を捨てよ町へ出よう》は、こうしたアンチ・スジガキ主義の「実験場」とでもいうるものであり、しかも寺山は自ら書いたシナリオを繰り返し書き換え、ときとして破壊していく方向で「実験」を遂行した。佐々木英明いわく「撮影現場では、台本通りのセリフはなく、毎朝書き換えられていった」。彼からきいたところによると、エンドロールの出演者・スタッフの顔写真の連続に重なるはずだったそれぞれの紹介のセリフなどは、撮影前日にようやく寺山から佐々木に手渡されたが、佐々木自身これを覚えきれず、結局作品ではすべてカットされてしまったそうである。

そのような不断の書き換えが、この映画のシナリオの複数ヴァージョンを残すことになるのも当然で、私が目を通せたものだけでも、撮影に際して最初に配られたガリ版刷りの台本（寺山記念館所蔵：以下「第一次台本」と呼称）、現在フィルムアート社から出版されているシナリオ・テクストならびに一九七五年十二月に出た『脚本日本映画の名作3』（佐藤忠男編、風濤社）所収のテクストがある。フィルムアート社版と風濤社版は、漢字か平仮名かなど微細な差異を除けば、ほぼ同じだが、二つとも、第一次台本とは大きくちがっている。さらにこれらの文字テクストと、最終的な作品との間には、またかなり大きな相違が見出される。風濤社版が出版されたのは、作品封切り三年後で寺山がまだ生きていた頃だから、作品との差異にもかかわらず、いわばこの「第二次台本」が、どういう経緯で世に出たのか、知りたくもなるが、そこはわからない。

改変の跡を辿る

いずれにせよ、これら文字テクストと映画作品との間の差異は、同様にシナリオ・テクストが活字化されている《田園に死す》や《草迷宮》の場合とは、比べものにならないほど大きい。こうした差異を追ってみると、寺山による改変もしくは破壊の痕跡を少しく浮き上がらせることができる。

たとえば先に触れた銀座の歩行者天国での市街劇的シーンは第一次台本には、そもそも存在していない。あるいは逆に第一次台本に書かれていたのに、削られたものも少なくない。冒頭の佐々木のセリフが「俺の名前は」を以って終わり暗転したあと、「人力飛行機飛びたい」という叫び、さらには「読むな語るな、戸を開けて／書を捨てよ町へ出よう」といった、タイトルを強く意識した呼びかけが書かれていたが、フィルムアート社版テクストに到るまでに削除された。あるいはサッカー部の部室でのシーンに挿入されていた人気漫画『あしたのジョー』における力石徹の死を巡る一ページ強のセリフは、映画作品にもフィルムアート社版テクストにも見当たらない。

こうして削除された部分のなかには、プロットへの出来事の回収をスムーズにしてくれたであろうと思われる部分も少なからず含まれている。第一次台本においては、近江のアパートを主人公が訪問した際、ドアを挟んだやりとりのなかで、先にドラマトゥルギーの弱さに関連して触れた屋台車のことが言及され、近江が立て替えてそれを入手していたことが告げられる。直後に同棲が発覚した妹に帰宅を迫って断られたあと、主人公が当の屋台車を父親に手渡しているシーンも設定され、さらに続けて父親がこれを洗うシーンも書かれていたのだが、それらは、作品でもフィルムアート社版でもカットされている。作品では、結末で屋台車が原因となって主人公が逮捕されるところは、上記のようにきわめて唐突なものとなってしまったわけだが、もともとはもう少し滑らかに進行する筋が準備されていたことがわかる。

ついでに細かな点をつけ加えると、家族四人の写真に主人公がセリフを重ねるシーンが冒頭にあるが、第一次台本と比べると、作品ではすべて簡潔化され、説明力を縮減している。たとえば祖母については、「ばあさんは万引き常習犯のかめのこだわし」と表現されることとなったが、最初は「ばあちゃんに言わせると、誰も相手にしてくれないから万引きをするんだそうだ。何しろ万引きをするときは警察やデパートの人に囲まれて、ばあちゃんが主役になれるから」というセリフとなっていた。もともと散文的だった説明が、五七調の文句になったことは、音楽との関連で注意しておきたいところだ。他の例は省くが、寺山の書き換え作業が、挿入されるエピソードを統一的に整序するのとは逆の方向に動いていったことはたしかである。

いうまでもなく前以って書かれたプロットからの逸脱は、「天井桟敷」で日常的に行なわれていたことでもある。佐々木によると、映画の出演者のなかでも、近江を演じた平泉征や祖母役の田中筆子などは、いわく「本物の役者」で、与えられたセリフをきちんと再現した、もしくは与えられたセリフがなければ演技ができなかったが、それに対して、「天井桟敷」のメンバーを始めとするアングラ系の役者の場合、巧拙は別として、セリフから逸脱して自由に語ったし、寺山もそれを好んだという。そもそも映画に先行していたのは、一九六七年に出たエッセイ集『書を捨てよ、町へ出よう』などに触発されて「天井桟敷」に集まってきた若者たちが舞台で歌い自作の詩を朗読する、同名の連続的ミュージカル・プロジェクト5であり、佐々木英明もそうした若者の一人だった。

プロットを断ち切るもの

こうして幾重にも改変を重ねた挙句出来上がった映画作品に、アンチ・スジガキ主義は、プロットの主旋律を断ち切る仕掛けを意図的に多数残すこととなった。たとえば路上の雑踏に立つ一人の若い女性が、男根に擬せられたサンドバックを助手風の男にもたせ、街行く人々に、それを殴るよう呼びかけるシーン――

……

腹が立つのよ。何だか分けわかんないけどさぁ、毎日毎日腹が立って腹が立ってし

注5
この舞台初演の「ドキュメンタル・レビュー」が脚本のかたちで残っているが、わずかな接点を除けば、映画作品とは別物である。

7　「力いっぱい殴ってください」
——通行人に呼びかける中川節子
©1971 テラヤマ・ワールド/ATG

ょうがないのよ。そいでさあ、腹が立ったときさぁ、こう、そのままにしておくの、よくないと思うのよね。そいでさあ、みんなのためにねぇ、このサンドバックをねぇ、一つぶら下げておいたの。そしてねぇ、この盛り場にぶらさげて「どうぞ腹の立つ人は、これを力いっぱい殴ってください」っていう袋……。[6]

第一次台本でもフィルムアート社版でも、シナリオの当該箇所では画面から女が観客に呼びかけることになっているが、完成作品では、前出の新宿歩行者天国のシーンと同様、実際街中で歩いている市民に呼びかける市街劇的なパフォーマンスとなり、カメラは上方から俯瞰するかたちで、これを撮影している（図7）。そこには、本物の警察官が不審に思って近寄ってくるのも映っていて、シナリオからの逸脱の激しいシークゥエンスの一つとなっているが、一連のパフォーマンスを、主人公中心の上記の出来事の流れと因果的に結びつけることは、ほとんど不可能である。

このような断絶的エピソードは枚挙にいとまない。路上にしゃがみ込んでマリファナを吸う若者たち、当時の首相・佐藤栄作の大きな顔の仮面をつけて体操する人たち、パートナーを求める男色者たちの広告など……当時の世

8　週刊誌のような初版『書を捨てよ、町へ出よう』。©テラヤマ・ワールド

相の反映といえばいえよう。あるいは三五ミリ映画の途中に突然差し挟まれる一六ミリのモノクロ映像もある。沼地に現われる不気味な人間などを含むこれは、主人公の父親の幻想的過去への回帰ということで、プロットにつなげられないこともない。しかしながら、「世相描写」ともども、そうした接続がプロット全体にどのような意味をもつのかとなると、そう簡単には説明できないように思われる。

初版『書を捨てよ、町へ出よう』

この機会にもう一つ、つけ加えておこう。こうして見てきたエピソードとプロットの不整合もしくは不統一な関係は、「書を捨てよ、町へ出よう」というプロジェクト全体の基調だともいいうる。たとえば書籍としての『書を捨てよ、町へ出よう』（一九六七年）は、『続書を捨てよ町へ出よう』（一九七一年）などからとってきたものと混ぜ合わされ、現在河出文庫のなかで『新・書を捨てよ、町へ出よう』と二冊に改編されたかたちで出ているが、初版を見ると、内容だ

注6
このセリフは、映画作品そのものから起こしたもので、出版されたテクストと比較していただければ、差異の一端がわかろう。無数といっていいほどある、ずれの一例でもある。

けでなく形態が大きく異なっていたことに気づく（図8）。初版は、一冊の書物ながら、さまざまな章が緊密な結びつきを拒むが如く、意図的にコラージュ風に張りつけられており、寺山の詩的自叙伝に到っては、いわゆる「とじ込み」のかたちで織り込まれている。のみならず横尾忠則のイラストがそここに配されていて、『平凡パンチ』など当時の週刊誌のような風貌を呈しており、目次の終わりに目を凝らすと、「読者への御注意」として「本書のカバーは裏も使えます。表が飽きたら裏返しにしよう」とある上に、左上隅のカットを見ながらパラパラと頁をめくればアニメーションも楽しめる――と、そんな具合なのである。ちなみに『続書を捨てよ町へ出よう』も体裁は週刊誌風だ。そもそも週刊誌は、最初から最後まで順序立てて読み通す代物ではない。むしろ文字通りパラパラとめくって、気になった箇所から読んでいくのが普通だろう。映画作品の反プロット的志向は、こうした雑誌風コラージュと連動している。これを単なる娯楽的姿勢としてやり過ごすのか、世界経験のスタイルの一つの現われとして受け止めるのか――問いは、ここでは未決のままにしておく。

ここまで、映画《書を捨てよ町へ出よう》における寺山のアンチ・スジガキ主義、およびプロットの流れを阻害するエピソードの存在に注目してきたわけだが、それは、音楽と緊密に結びついたシーンも、同様に全体のプロットとほとんど無関係に、いやむしろこれ

9　高倉健「死んでもらいまひょ」
©1971 テラヤマ・ワールド/ATG

を積極的に切断するものとして入り込むと考えられるからである。上記路上サンドバックのシーンも最後は、呼びかけていた女優・中川節子が属す東京キッドブラザースの歌と踊りになだれ込んでいくわけだが、以下では加えて音楽と強く結びついた例を四つ挙げて考えてみようと思う。

四つのシーン

〈高倉健讃歌〉（図9）

既に強姦されてしまった妹を主人公が慰めつつ歩いてくるシーンは突然、テキヤの格好をした男たちが、田園のなかで高倉健への讃歌を歌うシーンに切り替わる。オマージュを捧げられたやくざ映画のスター俳優・高倉健は、《昭和残侠伝》シリーズ、あるいは《網走番外地》シリーズで人気を集めていたわけで、学園紛争当時の若者たちは、敵の組に自己犠牲的に殴り込むアウトロー・アイドルの「唐獅子牡丹」の背中に、機動隊に立ち向かう自分たちの姿を重ね合わせ、ナルシスティックなカタルシスを得ていたのである7。

健さん、愛してる。
おしっこくさい場末の
深夜映画館
棒つきキャンデーなめながら
あんたが人を斬るのを見るのが好き
死んでもらいまひょ
死んでもらいまひょ

こうした歌詞はもちろん、歌のさなか、モンタージュ的に挿入される、モノクロの静止画像群も含めて、このシーンは、全体のプロットとどのように結びつくのだろうか。直後に続くのは、自らの吃《ども》りについて語る若い男の顔の暗い輪郭であり、吃りが原因で抱いた惨めさをなんとかポジティヴなものに転換したいという意思がそこに表わされてはいる。そういう意味では、社会的弱者の思いを託すヒーローの登場への期待が先の讃歌につながっているという解釈も、不可能ではないのかもしれない。けれども「吃ることで自分の言葉をもう一度嚙みしめることができる」と書く寺山の場合、「吃り」というモチーフは、ヒューマニズムを触発するモチーフというほど単純ではないようにも思う。さらに長閑《のどか》なメロディのこの讃歌を含むシーンは、妹を強姦した犯人たちに復讐を企てる気配を示さない主人公、あるいは水田のなかに立てられた高倉健のイラスト立看板という、なんとも奇妙な取り合わせとともに、《昭和残侠伝》や《網走番外地》、あるいは《緋牡丹博徒》に見られる、ヒーロー待望のストレートな表現とは異なり、アイロニーさえ含むことによって、むしろ、そうした望みの滑稽ささえ感じさせかねないものとなっている。その結果主人公の妹の強姦という、通常なら物語を次のフェーズに移行させるエネルギーに満ちた事件は力を失い、前出のサンドバックと同様、通り過ぎられる町の光景の一つになってしまうのである。

そもそもこの讃歌の歌詞は、一九七〇年の市街劇《人力飛行機ソロモン》の一部として登場したものであることを付言しておく。

注7
当時、映画上演に際してスクリーンに向って「健さん!」という芝居まがいの掛け声がかかったこともあった。私自身一九八〇年代初め頃、大阪・新世界の映画館でそのような掛け声を耳にした記憶がある。そういう意味で当時映画は、なお芝居小屋的性格も残していたのであり、寺山が、主体客体関係の脱構築の可能性をここにかすかながら見出していたといえるかもしれない。なおラジオドラマ《いつも裏口で歌っていた》でプロデューサーとして寺山とコラボレイトした山谷馨こと倉本聰は、人気ドラマ《前略おふくろ様》(一九七五—七六年)のシナリオで、映画館のこうした様子を背景として採用していた(ただし完成したドラマでは、このシーンはカットされている)。

〈一九七〇年八月〉

このシーンを構成するのは、「天井桟敷」の流れを汲む「演劇実験室◎万有引力」の主宰者となるJ・A・シーザーによる音楽と映像であり、歌詞の内容は、一九七〇年八月という同じ月に自分が三人の女の子をそれぞれ別な女に生ませ、祝福を受けぬまま名前を与えたというものである。

一九七〇年八月
俺に一人の子供が生まれた
誰も許してはくれなかったけど
一九七〇年八月
その子にジェンラと名をつけた
誰も許してはくれなかったけど

これもまた、いまでいうプロモーション・ビデオのようなもので、前後と切れた独立のフィルムと見なすべきだろう。先行しているのは、近江とそのガールフレンド、主人公と妹の四人がレストランで食事するシーンであり、その最後に近江が女性まで共有するコミ

10「あたしが娼婦になったなら」
©1971 テラヤマ・ワールド/ATG

ューンの可能性を語っているので、そのイメージといえなくもないが、このビデオが意識させる人間共同体の始原の姿かたちと、金持ちのお坊ちゃん・近江の夢との間には距離がありすぎ、つなげるためには一工夫も二工夫も必要だろう。あとに続くシーンは街角でのダンス教師へのインタビューだが、これなどは〈一九七〇年八月〉と断絶しているだけでなく、プロット全体とのつながりをまったく感じさせない。

佐々木英明によると、もともとデザイナーを目指していたJ・A・シーザーは、「天井桟敷」に参加してから、寺山に勧められて一から音楽を始めた人物で、《書を捨てよ町へ出よう》では音楽担当の一人に留まったが、この映画のあと、寺山プロジェクトの音楽をもっぱら担うことになった。彼は一晩で数十曲を作る才能の持ち主で、そうして大量に産出されたメロディーから、寺山は自分の好みに合ったものを選んでいったという。

〈あたしが娼婦になったなら〉（図10）

あたしが娼婦になったなら
大きな石鹸買っておく

……好きな男を洗うために

セーラー服を着た一群の少女たちが牧場の鉄柵に座りながら歌うこの歌は、先に見た初版『書を捨てよ、町へ出よう』の翌年一九六八年の舞台「ハイティーン詩集・書を捨てよ、町へ出よう」に初めて現われたものである。このシーンが接続するのは、強姦された妹がウサギへの関心を捨てて化粧を始める場面で、性的意識という点で関係を連想させないわけではないが、あっけらかんと服を脱ぎ棄てながら歌う少女たちと、鏡のなかの自分を見つめ、新しいウサギをもってきた父親を背中で拒む妹との感情の落差は、説明なく放置されるままだ。そのあとには、主人公と父親とのちぐはぐな会話のシーンが続き、そこから逃れた主人公は、アパート添いの線路の上を歩き出す。歌う少女たちの背景は農村であり、主たるプロットとの風景上の相違には、高倉健讃歌の場合と同様、唖然とさせるものがある。

第一次台本では、このあと、父親が町へ出て玩具屋で、押すと笑いがこぼれだす「笑い袋」を買った挙句、寿司屋の生簀《いけす》の魚を眺めている二人連れの女の子たちに対して痴漢行為に及ぶといったシーンが設定されていたが、結局のところ、これは当該箇所から削除された。

〈「コカ・コーラの瓶のなかのとかげ」の詩の朗読と映画《誘惑》のテーマ曲〉

映画全体の終わり直前に現われるこのシーンは、映画館の横の暗い路地のなかに影のようにしか映らない男が、独白のかたちで詩を朗読するものである。シナリオを読むと、この男がサッカー部のキャプテンであり、学生運動の過程で殺人を犯して警察に追われているという設定になっていたことがわかるが、作品の方では、わずかにサッカー部員たちが仄めかすところがあるにせよ、そうした物語についていくことは、かなり困難であり、たとえ彼を取り巻く事情が理解されたとしても、この男に託された反体制的姿勢が主たるプロットにどのように関わっているのかは、まったくもって不明だといわざるをえない。第一次台本にあって削除された部分に『あしたのジョー』の「力石徹の死」があったことは前述の通りだが、そこでは、このキャプテンが力石の死について彼なりの意見を披露しており、この人物の性格と思想とが、わずかながら彫琢されていた。また上記高倉健讃歌のさなか、ポケットに手を突っ込んだまま雑踏のなかを歩く彼の姿が、第一次台本では設定されていた。だがそれらが削られてしまったあと、「コカ・コーラの瓶のなかのとかげ」の詩の朗読は、結びつくべき幹を失ってしまい、いわば宙づりになっているという印象は拭いがたい。

おそらくこの映画の寺山は、批判的であるにせよ、そうでないにせよ、なんらかの政治的方向性を抱いてはいなかった。それは当時の政治に対して冷ややかだった寺山の基本的な考え方からいえるだけではない。捕まえたとかげをコカ・コーラの瓶のなかに入れて置いたら、大きくなって出られなくなってしまったという中学生時代の記憶を辿った上で、男は口調を強めて呼びかける。

……　コカ・コーラの瓶のなかのとかげ、お前にはこの瓶を割って出てくる力はあるまい。

「とかげ」は直後に「日本」と呼び替えられる。なるほど閉塞感を担わされた「とかげ」は、安保体制下の日本に擬せらているように見えはするが、このイメージは、そうした政治的意味を担わされたというより、井伏鱒二『山椒魚』の寺山流翻案といった方がいいように思われる。それに続く「身を捨つるほどの祖国はありや」は、「米帝下の日本」など「祖国」として自己犠牲に値しないという発言と解するよりも、寺山のよく知られた短歌の一部が無理やり押し込まれたという解釈の方が、私には、はるかにぴったりくるのだが、そうなると男の政治姿勢そのものは、焦点を結ばないまま画面さながら暗闇のなかに消失してしまうほかあるまい。

バックグランドミュージックとしてかかっているのは、一九六七年に日本で公開されたギリシア映画《誘惑》の主題歌で、寺山自身の希望に基づき著作権料を払ってまで使用したという話を佐々木英明から聞いている。著作権料がいくらだったかまでは、佐々木も知らなかったが、《書を捨てよ町へ出よう》の配給会社アート・シアター・ギルドの製作費が一本当たり一〇〇〇万円だったというから、余裕があっての採用とは思いがたい。けれども、そうしてまで採用された音楽の出所である《誘惑》の、久しぶりに夫と再会した妻が不倫に陥っていくストーリーと、《書を捨てよ町へ出よう》の粗筋との間の相似性は、少なくとも私の想像を超えている。

音楽——プロットへの抵抗

以上寺山が《書を捨てよ町へ出よう》に多数差し挟んだ音楽、もしくは音楽と結びついたシーンは、アンチ・スジガキ主義の実践、すなわち先行的なプロットの支配への抵抗の意図に即して組織化されたものと解釈できるのであり、《田園に死す》のそこここに挿入された短歌と、同じ位置に立つと考えられるのである。

だが、プロットの支配に対する抵抗は、そもそもなにを意味しているのか。あるいは寺山の芸術を貫き、《書を捨てよ町へ出よう》にも表われているこの志向は、どこに経験的由来をもつのだろうか。強い支配力をもつプロットは、全体を見渡すパースペクティヴを前提とする。この視座から見て統一的に展開されるストーリーを鑑賞する者は、この視座に憑りつかれ、あるいは我有化することを強いられ、この視座の本来の所有者、具体的には監督の眼差しに即して、演じられる疑似現実を眺める。それに対して、プロットへの抵抗は、こうした視座から解放された空間を開く可能性を与える。それは演ずる側だけでなく、見る側からしても、自由な、したがって不安定な場所であり、銭湯に闖入した俳優たちが体操を始める《ノック》のパフォーマンスのように、日常の安定した空間が破れる出来事であろう。音楽を手掛かりにしたプロットの支配に対する抵抗は、まずはこうした空間の開示に向けてなされた処置だったと、私は考える。

「書を捨てよ、町へ出よう」という言葉自体は、もともとアンドレ・ジイド『地の糧』からの引用である。もし「書」を、先行的に与えられたプロットと読むならば、「町」はその破壊によって開かれた不定の空間を指すことになるだろう。映画のなかで映し出された壁の落書きの一つ「町は開かれた書物である」は、引用関係とは別に、映画を貫く寺山の基本姿勢を示唆しているように思える。だが、その場合「町」とは、いったいなんだろう。

五……音楽が開く別な場所

音楽は添え物か

プロットを破り不定の空間を開くという働きに集中して考えてみたのは、本章冒頭で述べた通り、映画における音楽の機能を確かめるためである。プロットを「悲劇の魂」だとしたアリストテレスにとって、音楽は視覚的装飾とともに彼が挙げた六つの構成要素の内に数えられ「悲劇に魅力を添える」といわれるとはいえ、ともに媒体的で副次的な要素に留まった。要するに、それら二つはプロットの力を強める補助的存在にすぎない。私としては、こうした音楽の位置づけを念頭に措いて、寺山映画におけるプロットの支配への抵抗とそこにおける音楽の機能を測定してみたかったのである。もちろん悲劇を始めとする演劇が、歴史的にも技術的にも映画と異なるのはいうまでもない。だが、そうした差異を括弧に入れて比較考量することによって、音楽が果たす重要な役割が、アリストテレスの考えとは異なり、悲劇もしくは演劇においても妥当するものとして、見えてくるかもしれないと思うのである。

そもそも音楽は、この種の芸術において、単なる媒体にすぎないのか。つまりは主軸となるプロットの進行を補助するものにすぎないのだろうか。たしかに映画における音楽は、普通プロットに随伴して奏でられるものであり、楽しい場面には明るい楽曲が、悲しい場面には暗い楽曲が流れることは、さしあたりまず観察されるところだろう。こうしてプロットの特定の志向を補強する働きだけでなく、映画全体を貫くライトモチーフとなって繰り返される楽曲もあり、その曲を聴けば映画全体の世界が脳裏に浮かび上がってくるような、そういった曲を、「映画音楽」といえば、私たちは普通思い浮かべる。キャロル・リードの《第三の男》、チャーリー・チャップリンの《ライムライト》のテーマ曲がその典型だ。同じ例を以って同様の分類を行なったのは、『映画の理論』を書いたジークフリート・クラカウアーだが、彼がこれにつけ加えているのは、「対位法（Counterpoint）」というカテゴリーで、それは、たとえば幸せな寝顔に重なる悪夢のような音楽のことを指す。これはこれで、次に起こる恐ろしい出来事への予感を掻き立てるものなので、クラカウアー自身「行為の進み方を決定する言葉のやりとり」と同じような機能を果たすとしているから、プロットに沿い、これを補助する音楽のヴァリエーションといってよかろう。

老ピアニストの記憶——ジークフリート・クラカウアー

むろん寺山映画にも、これらのカテゴリーに分類される音楽も用いられているが、先に取り上げた四つの楽曲は、基本的なプロットの進行を妨げたり無関係な方位へといざなったりするものであり、全体を貫くテーマ曲とも異なれば、また対位法のように次の場面を予想させるものでもない。プロットを乱す、そうした楽曲は、副次的なものとしてプロットに所属するどころか、それ自体独立した働きを演じている。

演劇と映画とを峻別し、前者を支配する「精神的リアリティー」に対して、映画が表現すべきものを「物質的リアリティー」だとしたクラカウアーと、上述のように映画独自の「論理」を求めながら、結局のところ演劇を映画にもち込み、幻想的世界をそこに結ばせようとした寺山とでは、基本的なスタンスを異にする。だが、そんなクラカウアーも、サイレント・ムービー時代の映画館で、スクリーンに目をくれることもなく、つまりはスクリーンに映し出される物語とは無関係に、思いつくままに曲を弾き続けていた老ピアニストの記憶に基づき、プロットから独立した音楽の位置を確かめていた。彼はいう——

> 私が見た或る映画では、怒り狂った伯爵が不貞の妻を家から追い出すときに愉快な音が響いていたり、最後に訪れた二人の和解を映し出す青みがかったシーンに葬送行

進曲が重なったりしたものだ。

学生時代に経験した、こうした「逆転現象」を懐古しながら、クラカウアーはいう――サイレント・ムービーへの伴奏は、失われた現実の音の補塡などではない。のみならずアル中の老ピアニストの弾く、プロットと無関係な音楽が、「もっとも適切な伴奏音楽」となることさえある。さらに次のようにいうとき彼は、「写真的生命(photographic life)」という言葉によって、音楽が因果性に代表される意味によって支配されたプロットの世界を破って開く別な次元を指示していたように思われる。

音楽が加わることによって観る者は無声画像の中枢に引き込まれ、この画像がもつ写真的生命を経験することになる。

「写真的生命」とは、クラカウアーの場合ひとまず、上記の「物質的リアリティー」を指すのだろう。だが、「物質的リアリティー」とは、そもそも事柄としてなんなのか。松竹ヌーベルバーグの騎手の一人・吉田喜重は、次章で扱う小津安二郎が行きついた「写真とほとんど変わらぬ」「静止した映像」に言寄せて、「一方通行的に早い速度で流れる時間」によって鑑賞者を支配する映画に抗して、「剰余の眼」もしくは「無用の眼」を守ろうとするところに、小津映画の基本志向を見た。映画を導いて「一方通行的」に流れるものがプロットというかたちで具象化された「時間」であるのに対して、後者の眼差しが動いているのは、プロットが生まれる以前、製作者が与えたプロットという「精神的リアリティー」以前の場所であろう。そう考えてみると、「写真的生命」とは、意味を超えた次元を指しているると思えてくるのである。

音楽が開く別な場所

音楽はプロットにいわば穴をあけ、それとは別な場所を開く。その結果プロットは、全体として支配力を減退させるのであり、それによって映画はまるごと虚構として浮き上がる。クラカウアーと異なり寺山が映画を「現実の再現」と考えなかったことは、先に不十分な所作として触れた「映画中の映画」という仕掛けによっても明らかである。もっともそれは、彼が現実と異なるファンタジーを夢想するといったロマン主義的な立場に立っていたからではけっしてない。むしろ彼にとって「現実」とは、絶えず生み出される虚構を通してしか与えられないものであり、いってみれば虚構の連鎖以外のなにものでもなかった。そういう意味では、彼の立場は虚構と現実の二項対立のところにはないのであって、虚構としての現実を虚構のままに指し示す、もう一つ別なリアリズムというべきかもしれない。虚構を虚構としてといった場合の「として」は、虚構を浮かび上がらせる、したがって虚構とは別な場所の開けを指し示しているのであり、それは通常の意味とは異なるリアリティーともいいうるだろう。

　改めていおう——寺山映画における音楽は、プロットという出来事を結ぶ連関の背後の空間、プロットという虚構が生成消滅する場所、いってみれば前プロット的な場所を開く。プロットが、人間による出来事と出来事との意味的接合であるとすると、当の場所とは、そうした人間並みのフィクショナルな方位をフィクショナルなものとして浮かび上がらせる「リアル」な場所であろう。音楽は意味以前であるゆえ無名のこの場所に沿って生じ、場所はそうして生じた音楽によって、かたちを結ぶ[8]。なるほど音楽もまた、人間の手による作りものである限り、これまた一つの虚構であるのはまちがいない。だが、本来再現的でない音楽という芸術は、図像的であり再現に近づく映像、あるいはそのつながりを意味的に統率するもう一つ上の虚構であるプロットよりも、フィクションの底に潜むこの場所に近い。音楽が声もしくは鳴き声として動物的であると同時に、人間を超えたもの、場合によって神的でもあることは、動物たちだけでなく、黄泉の国の王ハデス・プルートンをも魅了したという竪琴の名手オルフェウスの神話が示唆していたことなのかもしれない。

いずれにせよ音楽は、アリストテレスが与えたプロットの添えものという相貌の裏に、根源的な場所への通路を隠しもっているのではないだろうか。この通路を辿ることによって、凡庸なプロットが神聖さを帯びることも起こるのではあるまいか。

《書を捨てよ町へ出よう》に戻って、そこから一つだけ例を挙げておく。主人公が娼婦になかば強引に性行為に引き込まれていくシーンに重なるのは、先に挙げたJ・A・シーザーに拠る楽曲《東京巡礼歌》である。自他ともに「ご詠歌」のようだとも「呪術的」だとも認めていた彼の音楽に、読経の声と泣き声とが加わって構成される音が開く空間のなかで、このシーンは、プロットだけからすると帯びかねないエロティックなものを縮減され、宿命的な生の重みの色合いを帯びて、スクリーンに投影される。音楽がプロットを意味とは異なる次元へ解き放つということで、私がイメージするのは、たとえば、こうしたケースである。

注8
ラース・フォン・トリアー《ダンサー・イン・ザ・ダーク》(二〇〇〇年カンヌ映画祭パルム・ドール受賞作)は、視力を失っていていく主人公が殺人を強いられ絞首刑になって終わる映画だが、この不思議なミュージカル作品で音楽は、不条理で無定形な現実に辛うじて輪郭を与え、主人公を生にようやくつなぎとめるものとして、重要なモチーフをなしている。近づく処刑を前にして独房の換気扇を通して入ってくる微かな歌声に必死に聞き入る主演女優ビョークの姿は、生の根源的なかたちを示すものとして、処刑後の沈黙の深さとともに、私のなかに残っている。

メタファーとしての音楽

シーザーの音楽がその後の寺山の作品で果たした役割は、意味を超えた「リアル」な場所への移行であり、まさにギリシア語の語源的意味でのメタファー、すなわち或る場所から別な場所への転移だったと私は思うのだが、たとえば能の地唄を思えば、そうした音楽の機能は、寺山だけでなく、劇的芸術一般に属しており、ギリシア悲劇のコロスもそうした機能を担っていたのではないかと思えてくる。いや、そんな「高尚」な文化を呼び起こさなくとも、素で読めば白けてしまう凡庸な歌詞を、音楽が別ものに変えてしまうマジックは、私たちがたとえばカラオケで経験することでもあろう。映画の場合《ライムライト》のテーマ曲などが、必然的に起伏するストーリーを貫くライトモチーフとして、作品全体を代表するという不思議も、別な場所へのメタファーという音楽の機能から解き明かされるかもしれない。

音楽が指し示す場所としての時間

音が図像や意味よりも根源的な虚構であることを、おそらく寺山は、俳句や短歌の創作の履歴を通して、直観的に知っていた。それゆえ《田園に死す》において、プロットを断ち切るように短歌の朗読を挿入し、しかも朗読者・佐々木英明に、意味に縛られず音とリズムにしたがえと命じたのだろうが、ここまで来ると、音楽がプロットを切断して開く場所、プロットをいわば下へと超えて導いていく根源的で「リアル」な場所とはなんなのか、という問いが、おのずと生じて来よう。「書」を捨てて出ていく「町」とは、どんな開けなのか——先に挙げたこの問いも、同じ事柄を問うている。

この問いは、ここでは挙げるだけに留めるが、虚構の連鎖が「現実」へと生成していく場所を、寺山が「時間」として考えていたことをつけ加えておく。寺山が《田園に死す》で時計に重要な役割を演じさせたのは、おそらくそこに理由がある9。先に引き合いに出したのでいっておくが、吉田喜重が小津に関わりつついった「一方通行的」に観客を支配する「時間進行」という意味での「時間」ではもちろんない。あるいは、空間と切り分けられ対立するようになった「時間」でもない。次章の最初でもいうように、いわゆる「時間」も「空間」も、同じ一つの場所の二つのアスペクトだ。音は、そうした意味での「時間」をなぞって生起し、「時間」は音によってかたちを結ぶ。クラカウアーもそうした見解と通ずるような言葉を映画に関わって残している——「音楽は声なきイメージを、内密の時間と一体化するのであって、そこにおいて私たちは意味のある文脈を把握するようになる」。

注9
拙著『芸術家たちの精神史』、一九四頁以下を参照されたい。

第二章

小津安二郎の時空表象

一 時空とその変容

経験の下図としての時空

時間と空間は、私たち人間の経験の下図をなす。それゆえ序章でも触れた通り、カント『純粋理性批判』は、この二つを感性の形式としたし、そのことは同時に、時間空間が経験の対象になりえないことも含意していた。それらは形式である限り、対象を浮き立たせつつ、下図として背後に沈み込んでいく。

けれども、この下図が下図として経験に属していることもたしかであり、そうでなければ、経験は経験として成立しえない。ただしこの下図の与えられ方は、対象のそれとは異なる。波の音は、聴覚の対象として持続して経験される。だが持続そのものは、波の音と同じようには聞こえない。遥かな水平線は私たちの瞳に映ずる。だが「遥か」と形容された遠さそのものは、水平線と同じかたちでは見えない。にもかかわらず持続も遠さも、ともに私たちの経験に属しており、さもなくば波の音も水平線も経験のなかに入ってこない。もっとも私たちはたいてい、この所与性の差異を忘却するか無視するかし、そのことによって持続や遠さを、対象と同じかたちで与えられているものとして把握しようとする。対象のように把握できないものは不気味であり、そうしたものとともにあること、統御しがたいものとともに生きることは、居住まいの悪いことだ。経験の対象にならない時空を表象、すなわちイメージとして捉えようとすることの源には、そうした居住まいの悪さがある。対象を経験すること、それを表象することは、「表象」を意味するドイツ語のフォアシュテレンが示しているように、私たちの前に立てること《フォアシュテレン》だが、この「私たち」は、そうして自分の前に立てられたものを常に統御する。仮にかたちをもたない気味の悪いものが現われたとしても、この主体は、それにかたちを与えることによって、これと折り合いをつけようとする。そうした所作は、おそらく私たちの日常の基本構成に関わっており、表象化は時空だけでなく、他者、もしくは自分自身に対してさえ及ぶ。

時空イメージの変容

かくして私たちは、対象化できない時間空間を経験の内に取り込もうとした挙句、あたかも対象であるかのように、これを思い描く。対象化された時間空間の表象は、原本的な所与性を偽られている限り、時間空間そのものではありえず、虚構、つまりは「作り物」にすぎない。一七世紀以来、近代物理学の展開とともに、いわゆる「純粋」な時間と空間が私たちの経験を支配していることはたしかだが、いかに強い支配力をもとうとも、これもまた一つの虚構に留まる。その証拠に「純粋時間」「純粋空間」は、それに基づく物理学が示しているように計測可能性を本質としているが、序章でも述べたとおり、この可能性の根本的な条件である時間空間の外部の視座は、私たちには与えられておらず、あくまで仮想のものでしかない。私たち自身、どこまでいっても時間と空間の外部に出ることは許されていない。

私たちは、経験不可能な下図をなんらかのかたちでイメージし整えながら、対象の経験を遂行しているわけだが、ここに経験が底層から変容する可能性も生まれてくる。いま述べた物理学的時間空間は唯一不変なものとはいいがたいわけで、歴史的には別な時空経験があったし、物理的時空表象が遍く通用している世界に生きる今日の私たちにしても、たとえば文学的経験が示すように、それとは別な、ときとして奇怪なイメージに身を委ねることもある。村上春樹『ねじまき鳥クロニクル』のキー・スポットになっている井戸の底の空間などは、過去を呼び起こすだけでなく、空想的な異空間への抜け道さえ備えている。物理学的時空も、フィクションである点では、この井戸の時空と等価だ。のみならず物理学的に構成された時空イメージが、それをベースとして展開されてきた科学技術によって、変化してきたこと、いってみれば時空イメージの自己展開を、私たちは経験の事実として受け止めざるをえない。ヨーロッパまで航路一月半を要した二〇世紀の初頭、第五章の対話相手である夏目漱石の『道草』冒頭が「遠いところから帰ってきた」と表現したロンドンと東京との距離感は、同じ都市間を一〇時間余りの空路でつなぐ今日、想像力によって再構成するほかない。加えて一九九八年以来急速に普及したインターネットは、こと文字や画像、音声の次元に限っては、この距離をほとんどゼロに縮減した。こうした時間空間の短縮化は、なるほど一種の均質化を進行させているが、その一方で、相反するベクトルであるはずのローカリゼーションも促しているわけで、「グローカル」という奇妙な言葉の出現は、こうした今日の事態を示唆しているといえよう。

私たちの人間理解、社会理解は、経験に即して組み上げられる。その下図をなす時間空間のイメージがこうして変容にさらされているとするならば、知のありようを振り返る営みにとって、このイメージの変容の考察は、根本的な課題として現われてくることになるのであり、本書の各章もそれぞれ、そうした考察の具体的な試みにほかならない。この章では、そうした変容を小津安二郎という映画監督において見てみようと思うのだが、まずはその動機について、少し述べておくことにする。

映画という経験

小津安二郎は、サイレント映画の製作に監督として携わって以来三〇年あまり、戦争を挟んで続いた映画の黄金時代を生きた作家である。そういう意味では前章で扱った寺山修司とちがい、映画の発展を身を以って経験している。いうまでもなく映画は、科学技術の進展が生み出した芸術であり、「活動写真」というその別名が示す通り、空間的現象を再現する写真に、時間的運動を加味したものとして、文字通り時間空間双方に関わる新しい体験を人間にもたらした。それは出現以来、現実のリアリスティックな再現の期待に応えただけに留まらず、現実経験の技術的再編纂の可能性、さらにいまやVRや3Dなどによって超現実的な時空を開く可能性をも生み出している。そういう意味で、私たちの経験、とりわけ視覚経験が、二〇世紀、映画とともに大きく変化したことは、たやすく想像できる。なるほど一九世紀の末日本に入ってきた映画は、一九五〇年代後半に普及し始めるテレビによって、エンターテインメントの主役の位置を追われ、さらにインターネットの広がりによって、制作システム、上映スタイル、配給などおよそすべての面にわたって、そのあり方を大きく変化させている。したがって、映画による時間空間表象の変容は、テーマ的に古いにちがいない。しかしながらテレビにせよインターネット配信の動画にせよ、映像芸術として、映画を先達としているのもまたたしかで、二〇世紀におけるこの変化を見ておくことは、十分意味があるだろうと思う。小津安二郎の映画作品は、おそらくこの変化を表わす典型的な例ではなく、むしろ時代遅れの感があるやもしれない。けれども、これに注目することは、流れを見るための一つの楔を打ち込むことにもなろうし、その特異な位置を確かめられれば、章末で見るように、それはそれで流れが含む別な可能性を探究する手掛かりにもなろうかと思うのである。

二……小津映画の画面構成とその特徴

「小津調」というスタイル

小津安二郎のスタイルは、「小津調」の名の下で人口に膾炙している。けれどもこれを規定することは、そう容易くない。小津の監督業は三〇年余り、残っていない作品も少なくない。また現存する初期のものと戦後のものとでは、主題にも撮影手法にも、ちがいが見られる。たとえば戦前中心的なモチーフだった、大学を出たのに職を得られない若者は、戦後の作品になると登場してこない。フェイド・イン、フェイド・アウトやディゾルブを、小津は晩年意図的に避けたが、若い頃は、それなりに使っている。カメラの固定は、たしかに小津映画の特徴だが、移動カメラの使用は、代表作《東京物語》(一九五三年)にも二度ほど確認できる。いまもっとも活躍している日本の映画監督の一人・是枝裕和は次章で扱うが、彼は小津と同世代の監督・成瀬巳喜男の撮影スタイルを、小津のそれと区別しながら、「斜め」という言葉で表現した。けれども「斜めからの撮影」は、小津の場合も晩年の作品にまで認めることができる。

あとから観る者は、ともすると、スタイルを、この場合いわゆる「小津調」を、固定的なものとして見てしまいがちだ。小津が生前アメリカ映画を模倣する日本映画の当時の風潮を念頭に置きながら、「映画には文法がない」と批判を込めていったことは、よく知られているが、方法論の固定化の回避を訴えた「文法の欠如」は、小津自身にも当てはまるはずである。小津に限らず創作は、試行錯誤を伴って動いていくものである限り、実際は変化と逸脱を含むものであり、「小津調」というものも、一種の傾向性として見ておくべきだろう。そのことを断った上で、彼のスタイルの特徴を三つほど挙げておくことにする。

「ローポジ」

まずは、「小津調」の代名詞とでもいうべき「ローポジ」は外せない。これは、カメラのレンズが置かれた低い位置、すなわち「ロー・ポジション」の略で、レンズは床からだい

1　ローポジは若い頃から使っていた――《出来心》
2　障子や襖などからなる格子状の構成――《麦秋》

たい四〇―五〇センチメーターにおかれたといわれている。**図1**の通り、一九三三年の《出来心》にもこのカメラポジションが見られるので、かなり早くから採用していることはまちがいないし、同じ年の『都新聞』でのインタビューで小津自身答えているところによると、一九二八年の《肉體美》からそうだった、ということなので、「ローポジ」の開始は、彼の監督歴の開始とほぼ重なっている。この特徴について、いまさら私がつけ加えることはないが、畳の上の日本的な生活スタイルと結びつけるのは、小津本人がいっているとしても、あやしいと思う。これに限らず、小津のスタイルを「日本的なもの」とつなげる言説は、いまでも生産されていて、二〇一七年のノーベル文学賞受賞者カズオ・イシグロが、小津映画を「もののあわれ」と結びつけて語ったことは、記憶に新しい。だが小津が、特に戦前、アメリカ映画の強い影響のもとで映画製作を遂行していたことは、まちがいない。「日本的なもの」と直結しないという点は、第二の特徴にもいえる。

3　ビルディングのショット——《麦秋》

4　夜の飲み屋街——《秋刀魚の味》

5　小津らしくない映画——《非常線の女》

格子状の構図

それは画面の格子状の構成である。**図2**が示すような日本家屋の内部を写したショットは小津映画にとって典型的なものであり、これを採ってきた《麦秋》のみならず、いわゆる「小津調」の映画の到るところに見られるといっても過言ではない。ただし、これも日本家屋の内部構造とのみ結びつけるのは行き過ぎで、同じ構成はモダニズムの建造物（**図3**）、あるいは飲み屋街の夜景（**図4**）としても現われる。小津は若い頃から、こうした構図での画面構成を好んでいて、たとえばかなりアメリカ映画の色あいが濃く、現存作品のなかでもっとも「小津らしくない」と映画批評家・佐藤忠雄

6　老父母・尾道の家の居間——《東京物語》

7　２階の書斎の外も遮られている——《棟方姉妹》

8　成瀬己喜男《めし》の２階は見晴らしがいい

が称した《非常線の女》（一九三三年）のこのショット（**図5**）などは、ほんの一例である。

閉鎖された空間

三点目として挙げたいのは、空間の閉鎖性、もしくは非開放性である。小津の室内空間は、外部と遮断されているケースがきわめて多い。《東京物語》における老夫婦の尾道の家の居間（**図6**）などは典型的で、障子が開けられて外が覗いていても隣家の壁がこれを塞いでいる。この部屋が一階に位置しているのに対して、**図7**が示す《棟方姉妹》の部屋は二階にあるのだが、開けられた硝子戸の向こうは、

9　「あんなとこで遊んどる」──《東京物語》
10　「鎌倉の空は綺麗」──《麦秋》

やはり隣家の壁によって塞がれている。これは、先に名前を出した成瀬己喜男監督の《めし》から採られた**図8**のショットと対照をなす。

《東京物語》には、東京に出てきた老母が孫を外に連れ出し遊ぶ光景を、家のなかに残った老父が「あんなとこで遊んどる」とセリフで表現するシーンがある（**図9**）。このショットが写し出す二階の室内空間は、少なくとも三面が開放されているが、写されている二面は、外部の建造物によって塞がれ、もう一面が老父の台詞だけで示唆されるという構成になっている。なるほど、老父のつぶやきに続いて、土手の上の孫と祖母のショットが現われるが、アングルが室内の老父の眼差しからのもののようには見えず、結果切り離された別な空間のように映し出される。《麦秋》のなかでは、二階の縁側風の廊下から、主人公の女友達が外を見て、東京とちがい鎌倉の空は綺麗だと呟くのだが（**図10**）、彼女らの姿のみ横から写されて、視線の向こうの空は結局のところ映らない。

11　向こうの建物もセット――《秋日和》
12　閉鎖された《お早う》の舞台
13　同上（反対方向）

空間の閉鎖性を示すものとして、《秋日和》の図11のショットは興味深い。というのも、ここでは旅館の別な建物が部屋の外の遠景を遮っているのだが、この建物は、小津映画の美術を担当した浜田辰雄によると、セットとして作られたもので、閉鎖性がきわめて人為的に画面にもち込まれたことを示しているからだ。

　空間の閉鎖性は、基本的には室内のものだが、外部でもそれを意図した形跡がある。《お早う》の舞台となった小住宅群がそれで、図12の奥を限っているのは堤防だが、図13が示すように反対側は、通路に直交して建てられた住宅で眺望が遮られている。いずれもよく似たこの住宅群も、やはりセットで作られたの

14
15
16
陰から出て陰へ入る――《東京物語》

だろうと思われる。

運動の断片化と反復

小津の画面構成の特徴を、以上三点挙げてみたが、こうして形づくられた構図の上に映し出される運動は、どのようなものか、見てみたいと思う。運動という現象こそ、空間を時間との連関で示すものだからだ。《東京物語》の老父母東京到着のあと、長男の嫁と義理の妹が食事の支度をしているところを、**図14**から**図16**で連続的に示しておく。そこには、二人の女性が、サイドの柱やガラス戸、襖が作る陰か

17 釣りのシーン──《父ありき》
18 反復される釣りのシーン──《父ありき》

ら出てきては、また消えるという動作を繰り返すのが、映し出されている。前出の佐藤忠雄は、このような運動撮影の動機を、固定カメラによって撮られた左右の運動の長さを限定し「わずらわしさ」を避けようとしたという技術的な発想に置いているが、いずれにせよ、こうした運動は、「小津調」の映画にきわめて頻繁に現われる。室内の運動だけではない。たとえば《小早川家の秋》で昔の恋人を訪ねる主人公は、京都の狭い小路の陰から出てきては、また陰に入り、あとからつけてくる店の者を迷わせる。こうして運動は、出現と消失によって全体を示されず、一連の動作であっても断片化される。

小津が映し出す運動は、反復によっても特徴づけられるが、そもそも反復は、運動の始点と終点を無意味化する。それは、始点から終点に向かっていく一方向的な流れをより戻し、ついには運動を停滞へと導く。小津の運動イメージとしての反復を代表するものとしては、《父ありき》における父と子の釣りのシーンが挙げられよう（**図17**）。二人は並んで、川の流れに流される糸を、引き上げては上流に落とすという運動を繰り返す。これくらい接近した距離で、このように竿を操作すれば、実際には、たちどころに糸が絡み合ってしまう。そういう意味でこの動作は不自然だから、シーンは意図的に演出されたものといわねばならない。小津は、子供がまだ小さい頃の釣りシーンに加えて、その子が成人したあとの父との旅行でも、同じ釣りのシーンを「反復」させている（図18）。

断片化と反復の運動の下図となっている時間は、運動の始点と終点を示さず、また滞留するという点で限界づけられている。それは画面構成における空間の閉鎖性ともつながると考えられるが、時空のこうした限定性を、小津映画の基本的な特徴として際立たせるために、同時代の日本映画を代表する、もう一人の監督・溝口健二の映像に、目を向けてみようと思う。

三……溝口健二の時空

溝口健二の画面構成

一八九八年に生まれ一九五六年に死んだ溝口は、小津とほぼ同世代、しかも同じ東京生

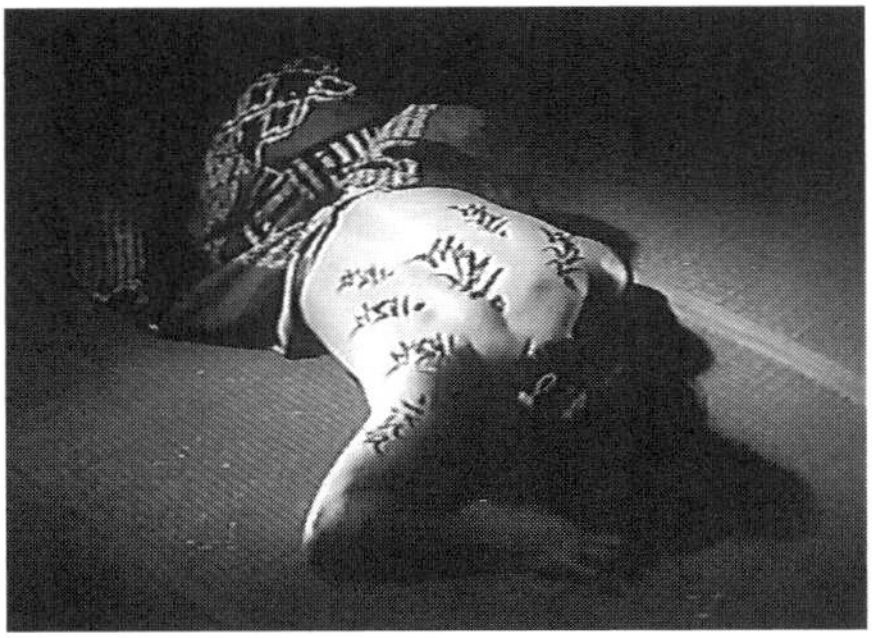

19
20
21
若狭、源十郎に迫る――《雨月物語》

まれであり、二人の映画の両方に出演した俳優も、田中絹代や佐野周二、山村聡など少なくない。だが、溝口のために多くの脚本を執筆した依田義賢が二人の対照性を強調しているように、基本的に京都を中心に活動したためもあろう、関西を舞台にしたものが多いこと、小津がほとんど撮らなかった時代劇を好んだことなど、小津との差異も少なくない。なかでも、小津に関してここまで述べてきたことに合わせて注目してみたいのが、時間空間の表象を含む、その画面構成と運動イメージである。

まずは、《東京物語》とまったく同じ一九五三年に封切られた《雨月物語》の一つのシークエンスから、連続するショットを挙げてみよう（図

22　カメラは若狭たちの歩みを全体として写す——《雨月物語》

23　武士たちは竹林の向こうを歩く女性に目を奪われる——《西鶴一代女》

19–21)。これは主人公・源十郎が、彼の恋人・若狭にプレゼントを買って帰ってきたところだが、それに先立って彼は、若狭がこの世の者でないことに気づいている。

これらの図は既に、溝口の画面構成が、小津のものと大きく異なることを示している。ただちに気づくように、溝口の場合レンズは、高い位置に置かれることが多く、室内でもそうだ。溝口は溝口で、日本的イメージを意識した作家だったから、小津のロー・アングルと日本的なものとの直結を躊躇させる材料となろう。

格子状の構成に関しては、時代劇志向の強い溝口の場合、日本家屋を舞台とすることが多いので、なるほど少なからず似たものが認められる。けれども、アングルが高いため、それは小津のような安定した幾何学的枠組みといった印象を与えないし、なによりも、その高さゆえに、小津の画面の格子構造がもっていた閉鎖性もしくは隠しの機能をもたない。《雨月物語》からの**図22**は、外部にカメラを据えて撮られたもので、障子などによる格子構造はあるが俯瞰的であるため、レンズは若狭とその召使の歩みを全体として連続的に映し出す。他方小津は、このように外部から屋内を撮るという画面をほとんど残していない。《戸田家の兄妹》には若干見られるが、溝口のように、長回しで俯瞰的な絵とはなっていない。

室内空間と外部との関係に関しては、溝口の画面は、小津のそれと対照的ですらある。室内に二人の武士が居る《西鶴一代女》からのショット（図23）は、なるほど開けられた窓の外部が外に生えた竹によって隠されているのだが、その向こうを通る人影が、二人の男たちだけでなく観客からも見える。プロットは、そのような外部への開放性を前提にしていて、通りかかった主人公を、老武士が主君の側室候補として見初めるというかたちで展開していく。いずれにせよ溝口の場合、外部空間は室内空間との強い連続性を示している。

移動するレンズと「ワンシーン・ワンショット」

こうした連続性と無関係でないのが、移動カメラの使用など、レンズの動きである。《祇園の姉妹》からの連続的ショット（図24–26）は、その一例だ。そこではカメラが、狭い路地を歩く男の動きを追い続ける。

小津も若い頃は、移動カメラを使用していたし、たとえば溝口も参加した或る座談会で

24
25
26
カメラは路地を抜けて男を追う
——《祇園の姉妹》

小津は、《戸田家の兄妹》のラストシーンで移動カメラを使うつもりだったのに、木炭自動車の故障で移動車が到着せず、実現しなかった、と嘆いている。戦後の《麦秋》にもいくつか短いものが確認できるし、この映画の最後には移動カメラだけでなく、クレーンがおそらく生涯ただ一度だけ使用されたとは、佐藤忠雄の言だ。けれども小津は、基本的にショットの切り替えに固執し、移動カメラなどを使わないようになっていく。それに対して溝口の方は、これをほとんど常套的に用いる。小津の「ローポジ」のように溝口の代名詞となっている「ワンシーン・ワンショット」は、技術的には俳優の動きを追っていくレンズによって作り上げられている。

27
28
29
源十郎帰郷——《雨月物語》

溝口の映像空間の広さと物語への志向

運動するレンズが映し出す溝口の映像空間は、見られる対象が現われると同時に、カメラが動いていく空域でもあり、それが動き続けることによって、この空間をいくらでも広げることができる。《雨月物語》でも、その冒頭は、大自然のショットから始まって主人公の住居を絞り込んでいくかたちで展開されるが、ここには、宇宙的ともいいうる広大さが表現されている。さらに結末に到ると映像空間は、いわば宇宙をも超えて広がって、クラ

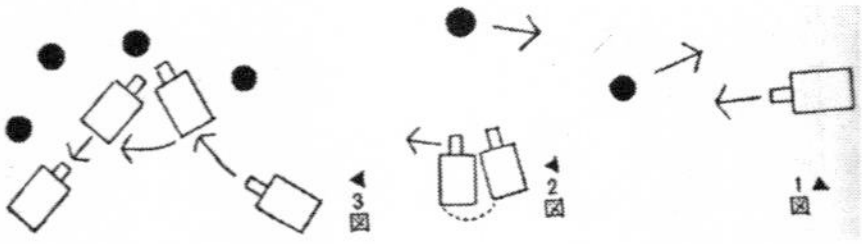

30　依田義賢『溝口健二の人と芸術』（社会思想社、1996年）、127頁から転載

イマックスを形づくる。そこでは若狭の亡霊から逃れた主人公が、ようやく故郷の家に帰ってくるのだが、家の周りを回る源十郎を追ったカメラは、現実世界からあの世に、境をもたず滑り込んでいき、既に死んでいる妻・宮木をそこに映し出す。源十郎は宮木との再会を喜ぶが、ここには現実の自然をも超えた時空のイメージが結ばれているわけである（図27-29）。小津が「郵便箱の中から外をのぞいているような感じでゾッとしない」と嫌っていたシネマ・スコープの出現に強い関心を示していたといわれる溝口の空間は、もちろん技術的限界はあるものの、理念的には無限の広さをもっているといえよう。

　ならば溝口の映画的視点は、彼が映し出す空間と、どのような関係にあるのだろうか。カメラは、事実的には移動というかたちで、対象が現われる空間のなかに入り込み動いていく。被写体の間を縫って動くように撮影するカメラの動きは、依田義賢がその著書で図入りで説明しているとおりだ（図30）。けれどもその動きは、この空間を超えたものによって導かれている。大自然の広大な広がりから降臨するように、源十郎の家へと焦点を絞らせ、いまは黄泉の国にいる妻・宮木へと通路を開くのは、ほかならぬ物語[10]である。溝口は、物語への志向が強く、それが無造作に画面のなかに現われてくるところも、この映画にはある。たとえば宮木がまだ生きていた頃、夫・源十郎の轆轤《ろくろ》引きの手伝いをしながら、以前はこんな風に金に目がくらんだ人ではなかったとナレーション風に呟くところがそれだ。《山椒大夫》の作成にあたっては、中世の奴隷史を研究しろ、と依田に命じたそうだが、このエピソードは物語の歴史学的精密化へのこだわりを感じさせる。

溝口の視点は、実際には演技空間のなかを動いているにしても、以上のように物語に重心を置く点で、理念的には空間を超えた次元に据えられているのであって、大自然やあの世との連結というかたちに見られる空間イメージの無限性は、そうした物語的統御の相関物ではないかと考えられる。そもそも物語は、始まりと終わりを備えており、行為が始まる時点で終結点を既に孕んでいる。そのような物語の下図となる時間イメージは、まずは一定の大きさを以って持続していく流れであり、しかも断片化せず統一性を受け入れうるものとして表象されているはずである。統一性とは、物語を全体として支配するもの、したがって物語の流れを、すなわち一定の長さの時間を超えたものであり、たとえば表現されんとする理念的なものがそれだ。《雨月物語》で溝口は、戦争の悲惨さや女性など弱者の苦しみを表現しようとしているのは明らかであり、具体的には、そうした思想がこれにあたるだろう。それが普遍的に妥当すべきものとして考えられているとすると、物語の底に

注10
いうまでもなく、ここでの「物語」は、序章で「体系」と異なる知のあり方を示すものとして使った「物語」とは異なり、ドラマ全体を貫き支配するプロットを意味する。

ある時間は、空間同様、無限性もしくは永遠性をもつものとして表象されていることになるのではなかろうか。

四……………断片化した空間と滞留する時間

「うつろいの定点観測」

溝口健二の空間と時間のイメージをこうして考えてみると、小津のそれの基本性格が、改めて対極として浮かび上がってくる。簡単にいってしまえば、溝口の時空が無限であるのに対して、小津のそれは有限だ。空間は限定されて見えない部分を常に携えている。下方に固定された小津のカメラは、空間を一定の広さに切断するが、カメラが移動しないため、その外部は見えないままに留まる。さらにその切断面は静止した格子状の内部構造によって分割限定され、この限定によって切断面の外部だけでなく、内部にも見えない部分を生み出す。見えないその暗部を、カメラは動いて覗き込もうとはしない。小津の空間は、外的にも内的にも限定され、見えない部分を見えないまま残す。溝口の眼差しが超越的なポジションを措定し、すべてを眺めうるものとして支配しようとしているのに対して、小津のそれは、人間が動く空間のなかに留まり、俳優が暗部から出てきて暗部に消える断片化した光景の切り替わりを、一つの定点からじっと眺めているのである。

小津の次の世代の監督であり、前章でも触れたように寺山修司、あるいは「天井桟敷」のメンバーとコラボレイトした篠田正浩は、小津の「ローポジ」を「うつろいの定点観測」と評したというが、「うつろい」とは、発展や進歩ではない。その運動は先にも見たとおり、出現と消失の反復として投影される。反復としての運動は、始まりや終わりを、したがって起源と目的を失っていくのであり、その結果、物語は統一力を縮減していく。

よくいわれるように小津作品は、物語的新規性に乏しい。たとえば原作者がちがう《晩春》と《秋日和》においてさえも、よく似たストーリーが「反復」されている。すなわち《晩春》では娘を結婚させるために再婚の劇を演じたのが父親であったが、《秋日和》では、前作で計略にかかった娘を演じた原節子が、今度は再婚のふりをする母親になってみせる。現在のように映画をビデオで確認できず、いわば映画が上映館における一回的な体験であった時代の評論家は、小津作品をしばしば取りちがえて論じたともいう。そういう意味で、小津映画の重点は、物語的興味を惹きつけることには置かれてはいなかったと、いえなくもない。こうした脱物語的映画の下図としての時間イメージは、発展や進歩を支える直線的進行の流れではなく、むしろ停滞する現在として開かれているのではなかろうか。

31　過去は《軍艦マーチ》とともに開く――《秋刀魚の味》

現在とともにある過去と未来

そのような時間イメージのなかで過去は、現在に展開してくる歴史的段階ではなく、この開けに唐突に訪れる。遺作となった《秋刀魚の味》で、主人公が軍艦艦長時代の部下と偶然再会し、バーで《軍艦マーチ》を聞きながら、ともにウィスキーを飲むのは（図31）、こうした過去の現われ方の一つの典型的な表現だ。そこには、なんらかの結末に到るのとは異なる時空が開かれているのであり。笠智衆、加東大輔、岸田今日子らの演技によって、停滞するこの時空の内に軽い哀惜にも似た感情が満ちてくる。当然のことながら、未来もここでは特定の目的として指し示されることはない。むしろそれは、多く過去とも結びつきながら、現在のなかに浮かび上がる。同じ《秋刀魚の味》でいえば、初老の主人公がかつての恩師の零落ぶりに、不安とともに己れの将来を見るといった例はその一つであり、解決しようのないやるせなさを私たちに残す。フェイド・インやフェイド・アウト、あるいはディゾルブといった技法は、時間的推移を現わすものとして使われてきた。移動カメラも含めて、小津がこれらを使わなくなっていったのは、滞留する時間イメージが、彼の制作の下図となっていたからのように思われる。

限定され断片化した空間と滞留する時間

私は、小津安二郎の時空イメージを、限定され断片化した空間と滞留する時間というふうに特徴づけてみたいと思うが、こうしたイメージをどのように位置づけるのかということは、問いとして残る。それは、なるほど近代化・資本主義化の時間イメージ、つまり個人的生命の長さを超えて投資を続けさせる無限の連続とは相容れないもので、その出所は、近代以前のものなのかもしれない。小津自身が早くから近代化による家族の崩壊をテーマとしていたことを考えれば、彼のなかに前近代的なものへのノスタルジーを認めることも、さほどむずかしくはあるまい。そうした傾向は、滅びゆくものへの愛着として受け止められ美化される一方、後ろ向きでブルジョア的だと批判されたこともあった。けれども高度経済成長期と重なる小津の晩年とちがい、彼の死後、特に一九七〇年代後半以降の精神史を考えてみると、ヘーゲル的であるにせよ、マルクス的であるにせよ、完成へ向けて歩んでいく人類の歴史など、もはや過ぎ去った夢としか思えないのであり、むしろ自らの視野の限界を意識しながら、日常の些事に齷齪している生き方の方がリアルなものと映る。してみると小津の時空表象は、単なるノスタルジーの産物として解釈されるに留まらない可能性も出てこよう。

おそらく既に一九世紀の終わりには、壮大な人類の歴史を夢想させる時空表象とは別なイメージが、各所で生まれ始めていたのであり、本書終章の主役・夏目漱石にも、よく似たものを探ることができる。小津の時空イメージは、そうしたもう一つ別な流れに属しており、その流れは、次章で扱う是枝裕和にも達しているように思われる。映画は、近代的なテクノロジーの申し子であり、基本的には、世界を統一したものとして一つの物語に収めようとするが、小津はこうした映画の本筋とはちがう路線を歩んだのではないか。篠田同様、次世代に属し、小津を批判と敬意の双方を以って眺めていた吉田喜重は、著書『小津安二郎の反映画』で、小津の原点に「世界の無秩序さ」の直観を見ていたが、私は映画の近代性への抵抗を意味する、こうした措定に基本的に同意するとともに、その直観の根本にあったものが、有限で断片化し、滞留する時空のイメージだったと考えるのである。

第三章

是枝裕和《歩いても歩いても》——時間の淀み

一　現在に潜む過去と「小さな物語」

亡父遺品

　父親が死んでから、もう五年が経つというのに、遺品の整理は一向に進んでいない。私自身のズボラさが第一の原因だし、彼が生活していた古い家屋の、いまとなっては無意味な広さのせいもある。遺品といっても、ほぼすべてがガラクタで、整理というより、処分もしくは廃棄といった方がお似合いだ。なるほど少しずつ捨ててはいるのだが、ふと作業に手が止まることがあって、それがまたいやで、つい先延ばしにしてしまう。たとえば広告紙を切って作ったメモ用紙に書かれた孫の名前の由来の筆跡が目に入り、それを簡単には捨てることができず、そんなこだわりをもつ自分がいやになるのも、片付かない原因の一つだ。もっとも、ものへの執着は、姉たちに比べると、それほどないと自分では思う。実の長姉など、自分が切り溜めた新聞の切り抜きすら捨てられず、夫や息子の不興を買っているし、同癖の次姉からは、老父母の所有物を捨てた私に対する非難の眼差しを感じたことが、一度ならずある。それでも亡父の痕跡に気持ちが少しだけでも波立つのは否定しがたく、先のメモなど、その名を負った次男がもっていってくれて、ほっとしたものである。

父の死後まもない頃のことだったと思う。写真撮影は多趣味な彼が最後まで維持した習慣であり、彼はカメラをいくつも遺した。これだけの数を買うなら、欲しがっていたライカの一つくらい買えただろうに、と思ったが、そうした思い切りのなさに、自分に続く父の習癖を感じていらつきながら、それらを当時まだ実家にいた次男と点検してみたところ、二つだけ、なかにフィルムが残っていた。現像してみると、一つは完全にダメになっていたが、もう一つからは二〇枚以上の画像が浮かび上がってきた。すべて私自身すぐにアイデンティファイできる、父の徒歩圏の風景で、いずれも満開の桜のショットだったが、そこに人影がなかったのは、少し寂しかった。彼は九〇歳近くなってもなお、カメラをぶら下げて近隣を徘徊していたから、いつ頃の撮影かは、だいたい想像がつく。自力で歩けていた父のやや濁った瞳に映った光景が、六年近くの歳月を超えて蘇ったことに私は大きく戸惑い、一緒に見ていた次男も目を潤ませた。そんなわけで、なんの変哲もない、しかも下手糞な春のスナップショットの束を、私はいまも捨てられないでいる。

過去は現在に小さな虫のように潜んでいて、突然姿を現わす。そういう意味で時間は、過去から現在に向かって流れているのではない。本章では、同じく親の死去の経験をもとにした是枝裕和の映画作品であり、トレーニング器具ロデオボーイを始め、不要になったが捨てられないものたちが少なからず登場してくる《歩いても歩いても》を手掛かりにして、こうした時間のかたちを、考えてみたいと思う。

二〇一八年カンヌ映画祭グランプリ獲得から見えたこと

是枝裕和の名前を広く世間に知らしめたのは、やはり二〇一八年カンヌ映画祭でパルム・ドールを受賞した《万引き家族》だろう。賞というものは、まちがいなく大衆化と連結した社会現象の一つだが、それまで関心をもたなかった多数の眼差しの集中のせいで、思いも寄らないこと、滑稽なことすら起こる。是枝の受賞も例外ではなく、賞賛に加えて非難をも巻き起こしたのであり、インターネットには、《万引き家族》が、違法行為によって生計を立てている家族の描写によって、「日本の恥を世界に晒した」という意見すら書き込まれた。こうした見解などは、芸術に本来属している批判能力を顧みることなく、これを現実の粉飾としか見ない点で、低劣なものというほかないが、このような直情的反応が、今日の日本社会の風潮の一端を示していることも事実だ。だが、少なくとも是枝の仕事が、そのような現実に対して基本的な問いかけを投げかけるものであることに、私は疑いを抱かないし、そのような知性がなお日本に存在しているおかげで、希望を失わないでいられると思っている。

「大きな物語」と「小さな物語」

他方、当時の文部科学省大臣は、是枝の受賞を「日本の栄誉」として顕彰しようとしたが、これなど或る意味滑稽さの部類に属している。そもそも当の大臣が是枝の作品を見たことがあるのかどうか、少なくとも是枝の基本志向を理解できているのかどうか、はなはだ怪しいからである。そうした疑念は、是枝がこの顕彰を辞退した理由の表明を聞くと、ますます濃いものとなる。彼は次のように述べている——

僕は人々が「国家」とか「国益」とかいう「大きな物語」に回収されていく状況の中で映画監督ができるのは、その「大きな物語」(右であれ左であれ)に対峙し、その物語を相対化する多様な「小さな物語」を発信し続けることであり、それが結果的にその国の文化を豊かにするのだと考えて来たし、そのスタンスはこれからも変わらないだろうことはここに改めて宣言しておこうと思う。

(「invisible」という言葉を巡って」KORE-EDA.com、二〇一八年六月五日投稿)

いうまでもなくこの「スタンス」はそれ自体、「日本の栄誉」などとして囲い込むこととは相容れない。さらに是枝の辞退に対してあったという「文部科学省の助成を受けながらけしからん」という難癖にまで到ると、助成の出どころが、文科省ではなく文化庁だったというオチは措くとしても、茶番劇を通り越している。そのことは、芸術に対する、あるいはまた学術研究に対しても起こりうる、金権支配の肯定につながる野蛮さの存在の証というほかない。

私は、こうした野蛮さが現在の社会の底に泥のように溜まっていることに対して、暗澹たる気持ちを禁じえないのだが、ここで考えてみたいのは、是枝がこうして権力と距離を保ち、人々を支配しようとして生み出される「大きな物語」に対抗して発信しようとしている「小さな物語」の本質とはなにか、という問題である。引用のなかでもいっているように、それは、ナショナリズムの向こうを張る、コミュニズムのような別なイデオロギーではないはずだ。複数で語るべき多様なそれらは、イデオロギーとして、いい換えれば思想や信条として表現されるものではなかろう。それらはむしろ、カメラに残されていた桜の写真が呼び起こす、日常的な現在に含まれている記憶の断片のようなものではなかろうか。本章は、彼の作品《歩いても歩いても》に描かれた「小さな物語」の一つを取り上げ、それが帯びているであろう、イデオロギーとは異なる思想の別な表われに触れ、その奥底にある時間のかたちを垣間見ようとする試みである。

二……たった一日の物語

《ブルーライト・ヨコハマ》の時代

映画《歩いても歩いても》は、二〇〇八年に封切られた自伝的色彩の強い作品である。是枝の半生の忠実な再現ではないものの、彼自身によれば、作中の母のイメージは、自身の母のそれと重なっているし、最後に主人公が呟く「人生はちょっとだけ間に合わない」というセリフは、母への実際の思いとして創作の原点にあったという。題名は、いしだあゆみ《ブルーライト・ヨコハマ》の歌詞から採られたが、この歌は、東京都とはいえ周縁部で育った是枝にとって、当時の都市空間のイメージを、淡いあこがれとともに彷彿させるものとして、やはり原点をなしていたというが、是枝とほぼ同世代の私には、その空間の香りの記憶がある。この歌謡曲が発売された一九六八年、日本はGDPで世界第二位となるとともに、大学紛争の頂点を経験した。二つの出来事は、戦後精神史に歴史的なエポックを刻むが、それはごくごく大雑把にいえば、戦後の高度経済成長の終わりとその後だらだらと続く低落の時代の始まりを印づけているといえよう。是枝が生まれたのは一九六二年、したがって後者は、彼が、そして私も大人になっていった時代である。

小説『歩いても歩いても』

もう一つ、つけ加えておこうと思うのは、映画と同じ名前の小説の存在である。これは是枝自身が執筆し、映画と同様二〇〇八年に公刊されたが、読んでみると、映画が製作されたあとに書かれたと思われる。というのも是枝の別な著書に、シナリオになかったセリフが現場の俳優・原田芳雄のアドリブで入れられたとあるとともに、同じセリフが小説に載っているからだ。もっとも小説全体がそうかどうかは、是枝本人に聞かないとわからない。

映画と小説は、基本ラインは同じでも、やはりかなり多くのちがいを見せる。まず小説は主人公・良多による一人称で語られたものである。映画では最後に良多のナレーションが出てくるが、映画は基本的な構造上、一人称というわけにはいかない。さらに小説の方が多くの情報を含んでおり、映像化されなかったものもたくさんある。それが第二のちがいだ。たとえば父と母の死に到る過程は、映画のなかで示されないが、小説ではそれなりに詳しく描かれている。ディテールに及べば、父や兄との野球観戦、食べられなかったチョコレートパフェ、かつて東京・板橋にあった家の井戸、兄嫁ゆきえのこと、畳や障子の張替えなどといった良多の過去の記憶は、小説にあるものの、映画には一切現われない。映画撮影と小説執筆の順序に関する右の推測が当たっているならば、小説は、映画に対する是枝のセルフ・コメンタリーとして読むことが可能だろうし、本章は小説にそうした役割を期待してみようと思う。

二十四時間のドラマ

「小さな物語」といったが、《歩いても歩いても》は、たった二十四時間の生活を描いたドラマである。すなわち主人公の良多が、子持ちで結婚した嫁ゆかりを連れて、死んだ兄・純平の法事のために、久里浜にある老父母の住む実家に帰って来て、やはり戻ってきた姉ちなみの家族と一緒に昼食をとり、彼らが帰ったあとも残って親たちと一晩過ごし、翌日には東京に戻る——ただそれだけの物語だ。最後に父母の死後、娘を一人もうけた良多の家族が墓参りするシークゥエンスとともに、映画はエンドロールへと移行していくが、いずれにせよ、まさしく「小さな物語」である。ここには悲劇的結末もハピー・エンドもない。ただ淡々とした日常があるだけだ。鑑賞者は、この映画の物語的な起伏や展開のなさに驚くかもしれない。そのことは、たとえば日本映画の代表的監督の一人・黒澤明と比較しての話に留まらない。是枝自身の作品のなかでも、これほど展開の少ないものは、ほかに見当たらない。同じ阿部寛や樹木希林が出演している《海よりもまだ深く》は、自伝的であるところといい、歌謡曲の歌詞から題名を採ったところといい、よく似た雰囲気をもつ作品だが、撮影対象として設定された時間は一日ではないし、私立探偵をやっている主人公の生活は、それなりに物語にアクセントを与えている。

他の点でも、《歩いても歩いても》は、是枝作品のなかで異色なものといえよう。もともと是枝には、水俣病問題に絡んで自殺した厚生省官僚のことを扱うなど、社会問題への強い関心がある。一九九五年に起こった地下鉄サリン事件は日本全体を震撼させたが、それを起こした宗教教団オウム真理教をモデルとした《ディスタンス》は、彼のなかのその種の関心を代表している。また一九九八年の「西巣鴨子ども置き去り事件」は、それぞれちがう男との間に生後まもなく死んだ第三子も含め五人の子供を作った母親が、彼らの出生届も出さず、さらにマンションに置き去りにした事件だが、《誰も知らない》は、これを題材にした映画だった。福山雅治に主演させるなどして評判も高かった《そして父になる》も、沖縄の病院で実際に起こった赤ちゃんの取りちがえ事件に基づいている。それに対して《歩いても歩いても》には、新聞に載るような社会問題の影は一切なく、話題になるのは、せいぜい街並みが知らぬ間に変わったくらいのことに留まる。

ただし《歩いても歩いても》が「家族」をテーマとしていることは、他の是枝作品とも共通の特徴だといってよい。登場するのは、老父母、姉夫婦と二人の子供、そして主人公と嫁およびその連れ子。全体で一つの家族ともいえるが、三つに分けることも可能だ。いずれにせよここに登場するのは、どこにでもいる普通の家族である。老夫婦と姉夫婦は、それぞれの世代、つまり高度経済成長期とその後の停滞期を代表的に示す家族だし、主人公の妻は離婚歴があり、母親がそれに不満を抱いているとはいえ、これとても現代日本で稀なケースとはいえない。むしろそうした普通の家族であることが、この映画の場合の特徴というべきだろう。これら三つの普通の家族は、子供だけが残されてしまった《誰も知らない》、血縁関係のない人間たちが「家族」のかたちをとり、「万引き」という犯罪で生計を立てている《万引き家族》のそれとは、大きく異なっている。《三度目の殺人》で被害者となる父親は、実の娘に日常的に性的暴行を加え、それを母親は見て見ぬふりをしていたらしいのだが、そのような「異常さ」の影は、《歩いても歩いても》には、なに一つ見られない。

日常の不思議さ

映画の歴史の始まりは、たとえば南極探検のドキュメント・フィルムが示しているように、そもそも通常見ることができない文物を映し出すことによって、大衆の興味を惹きつけたところにあったし、そうした志向は基本的にその後も続く。自然の大パノラマや宇宙空間に浮かぶ天体の煌めき、激しい戦闘や痛ましい殺人、あるいは美しい男女の甘美な出会いと悲痛な別れ——よくある映画の題材は、いずれも非日常的な出来事であり、だからこそ人々は見る欲望に駆られる。そうだとすると普通の家族の、しかもたった一日の会合を映画にすることが、どうして見る側に喜びや意義深さを与えるのだろうか。《歩いても歩いても》は、そもそも映画なのだろうか、と疑うことさえ可能かもしれない。けれども、死者が天国の入り口で自分の一番幸せな時間を映画化するという、まったく架空の世界を設定した《ワンダフルライフ》のような作品も含む是枝の映画のなかで、不思議なことにこの作品に一番魅力を感じていることを、私は隠そうとは思わない。

だが、なんの変哲もない日常が怪しげな光を放つのは、けっしてありえないことではないように思う。街路をゆっくりと歩く老人、そのそばを走り抜けていく子供たちや犬、彼らが過ぎ去ったあと、建物の中庭から、揺れながらふっと覗く青い樹木——たわいもない普通のものたちであっても、ときとして私たちの心に影を落とすことが起こる。私としては、日常に潜む暗部に目を凝らしてみたいのであって、そのことがまた、是枝のいう「小さな物語」を考えてみることにつながると思うのである。

三……「普通」という言葉

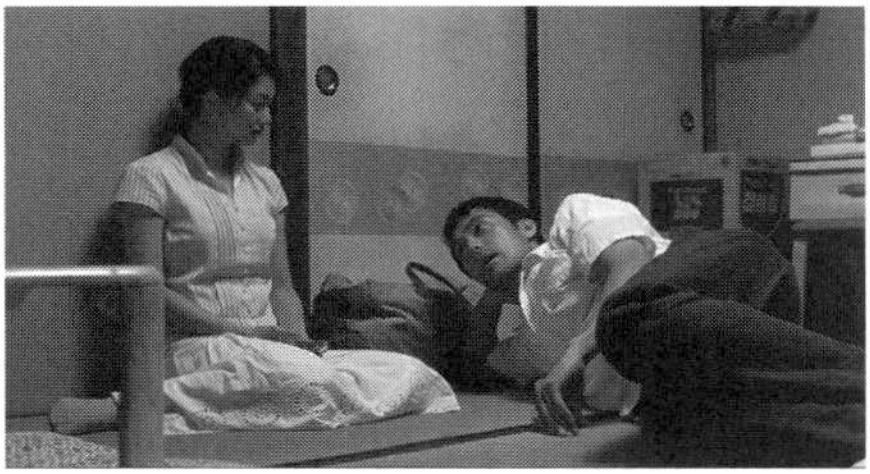

繰り返される「普通」

《歩いても歩いても》が、普通の家族の日常的な生活を描いているにもかかわらず、なお魅力的だとするならば、その理由は、ほかならぬ「普通」であることにあるのではないか――そう考えてみると、この映画のなかで、「普通」というセリフが頻繁に現われることに気づく。最初は、ゆかりの連れ子あつしに良多が、「学校、どう?」と問いかけ、あつしが「普通」と答えるシーンであり、それを受けて良多は、怪訝な顔をする。良多にとって、この答えは、けっして普通ではないのだ。小説には、こうした答えを、あつしがいつも発し、ゆかりに叱られている、と書かれている。

この映画には、もっと普通ではない「普通」が出てくる。

一つは、題名の由来となった《ブルーライト・ヨコハマ》のレコードが演奏されたあと、良多とゆかりが部屋で二人だけになったシーンである(図1)。そもそものレコードは、あとから明かされるところによれば、母親が父親の浮気への当てこすりに購入したものなのだが、このレコードを母親が一人でかけて聞いているという想像に、良多は既に薄気味悪さを感じている。会話はこう続く——


(良多)「さっき、大丈夫聞けるわよ、っていったただろ、お母さん。あれさ、絶対一人でかけてんだ、レコード。それ考えると、ぞっとするね」

(ゆかり)「そんなことないわよ。それくらい普通でしょ」

(良多)「そうか」

(ゆかり)「隠れて聴く曲ぐらい、誰にだってありますよ」

(良多)「ふーん、そんなもんかね」

(ゆかり)「そうですよ」

(良多)「じゃあ、君にもあんだ、そういうの」

ゆかり、ふっと笑う。

(良多)「なあに、教えてよ」

(ゆかり)「内緒」


最後のゆかりのセリフが示しているように、「普通」は明々白々の事実ではなく、「秘密」

と内密につながる。日常は見えない部分を含んでいるのである。

「普通」の奥底の闇

もう一つの「普通」は、もっと根深い暗闇への通路を開く（図2）。それは法事にやってきた青年・良雄を巡る良多と母親との会話である。良雄は十五年前、兄・純平が自分の命と引き換えに助けた子であり、毎年欠かさず命日に来ているのだが、彼にとって、この行事への参加は辛そうである。純平を失った家族、特に母親の悲しみが、彼にストレスとしてのしかかるからだ。それを察した良多は母親に対して、来年から呼ぶのをやめてあげれば、というのだが、会話はこう続く——

2　「良雄君には来年も再来年も来てもらうの」

（良多）「良雄君、そろそろ、いいんじゃないの。呼ぶのやめようよ」

（母親）「なんで？」

（良多）「でも可哀そうじゃない。つらそうだしさ、俺たちと会うの」

（母親）「だから呼んでんじゃない。十年やそこらで忘れてもらっちゃっ困るのよ。あの子のせいで純平は死んだんだから」

（良多）「別に良雄君が……」

（母親）「一緒よ、親にしてみたら一緒。憎む相手がいないだけ、よけい、こっちは辛いんだから。あの子にだって、年に一度ぐらい辛い思いしてもらっても、バチは当たんないでしょ。だから来年も再来年も来てもらうの」
（良多）「そんなこと考えながら毎年呼んでたんだ。ほんと、ひどいな」
（母親）「ひどくなんかないわよ。普通よ」

母親がつぶやくこの「普通」は、人間に否定しがたく属している一種のエゴイズムを垣間見させる。自分の思い通りにならない不幸の原因を具象化し、やるかたない不満をそこにぶつけていくこと、すなわちスケープ・ゴートの創出は、いじめの頻発に見られるように、けっして珍しいことではないし、それどころか、この心理構造から生まれたものは、たとえばインターネットに、ため息が出るほどの量で広がっている。だが目に見える出来事が起こらない限り、この心理は日常の振る舞いの影に隠れている。

「普通」であること、日常的であることは、ことさら反省されないことを意味する。したがって、それは基本的に言語化されない。だから「普通」という言葉が発生したときは、なにも気にせず物事が滞りなく習慣的に進行していくという、日常がもつ特性が少し欠損し、その破れ目を通して普段は目にしない別なものが覗く瞬間だといえるのではなかろうか。そういった瞬間があればこそ、たった一日のなにも起こらない生活を写した《歩いても歩いても》は、他の是枝作品にないような独自な魅力を発生させるのではないかと、私は思う。しかも、同じ暗闇は私たち自身の日常にも潜んでいて、普段気づかないままに過ごしているけれど、ふとしたときに感じることがあるような、なにものかであり、おそらくそうした理由から、是枝のこの映画に、私たちもそうなのだ、人間とはこんなものなのだという共感を抱くのではないだろうか。

四……日常に走る亀裂

父親の暴言と良多のコンプレックス

「普通」という言葉が指し示す暗闇に思いを向けてみると、私たちはこの映画のそこここにヒビのように細かな亀裂が入っていることに気づく。このヒビは、家族の成員の間に広がっていて、それぞれの行動や会話の間にずれを生じさせている。生活の光景に、そうしてヒビが入っていく様子を、二つのシーンのなかに辿ってみよう。

来年も再来年も来てもらうといわれた良雄が帰ったあと、父親は良雄のことをひどくこ

3　感情はもつれあい、過去が口を開く

き下ろす（図3）。この発言に良多がくってかかるが、それに続いて家族のそれぞれが反応を示すかたちで、すべてがちぐはぐに進行し、その不整合が極まるように、ちなみの夫が、まるでコメディアンのように登場して終わる。


（父親）「あんなくだらん奴のために、なんでよりによってうちの。ほかに代わりはいっくらでも居たのに」

（良多）「くだるとかくだらないとか、そんな言い方しないで下さいよ、子供の前で」

（父親）「なにがマスコミだ、えらそうに」

（良多）「別にえらそうになんてしてなかったでしょ」

（父親）「いまのぼくって、お前、ただのフリーターじゃないか」

（良多）「いいじゃないですか、まだ若いんだから」

（父親）「無駄に図体ばかりでっかくなりやがって。あんな奴は、生きてたって、なんの役にもたちゃあしないよ」

（ちなみ）「だから謝ってたじゃない、すみません、生きててすみませんって。だれだっけ？　太宰治だっけ？」

（母親）「林家三平じゃない？　すみません、すみませんって」

ゆかり、あつし、この漫才のような掛け合いに思わず、噴き出す。

（良多）「関係ないだろ、いま太宰治も三平も。比べるな、っていってんだろう、人の人生を。彼だって、せいいっぱい頑張ってるわけだし」

ゆかりに対して、あつし小声で「靴下、片っぽだけ真っ黒だった」。これをきっかけに良多の発言の背後で、ちなみも加わり、笑いの種が醸成されていく。

（良多）「そりゃあ思うようにいかないことだってあるかもしれないよ。でも父さんみたいに、上から、くだるとかくだらないとか」

周囲に広がるくすくす笑いに我慢しきれず、

（良多）「笑うな！」。思わず机の上の水をこぼしてしまう。

（ちなみ）「どなることないでしょ」

（父親）「なに向きになってんだ、いい年して。お前には関係ないだろう」

（良多）「医者がそんなに偉いんですか。広告だって立派な仕事じゃないですか。兄さんだって生きてたら、今頃どうなってたか、わかったもんじゃないですからね。人間なんてさ……」

沈黙が暫し続いたあと、ちなみの夫が隣室の襖をあけて顔を出し、…………………

（ちなみの夫）「やあー、くだらないくだらないってぼくのことかと思って、なかなかでてこれなかったんだけど、良雄君かぁ、安心したぁ」

会話の発端は、ヒューマニズム的見地に立てば非難されてしかるべき父親の発言だが、良多は基本的にその観点から攻撃しつつも、ストレートにそのラインを歩むことができない。少なくとも直接は無関係な「医者がそんなにえらいのか」という発言に露出してくる感情が、理性的な批判の遂行を妨げており、そこに良多自身抱いているコンプレックスが現われてくる。つまり良多は子供の頃、父と同じように医者になりたいという希望を抱きながら、高い学習能力を要求するその道に進めず、美術方面に赴いた。その後彼は、一旦絵の修復に携わったが、結局それを続けられず、失業中の現在に到っている。彼のこうした過去が感情と不可分なかたちで現われてきて、家族のメンバーはそれぞれ、この過去に対する態度のちがいのせいで、会話に複雑に介入し、ずれやきしみを生み出す。このシーンではないが、昼ごはんの終わりに、失業状態を隠そうとして絵の修復師をやっていると嘘をついた良多を父親とともに座敷に残していくとき、姉ちなみが「それじゃあ、お医者さん同士、話しして」というのは、二人の過去に対する感情を逆なでし、イラつかせる言葉だ。

4　会話はきしんで、ヒビを浮き立たせる

呼び起こされる父母の軋轢

もう一つ夕食のシーンを追ってみよう（図4）。ここでは嫁のゆかりが、なんとか父母の機嫌をとりもとうと積極的に会話に介入するのだが、それがかえって彼らの感情を微妙に刺激し、老いた父母の裏に潜んでいる軋轢を表面化させる。


（ゆかり）「お昼がお寿司で、夜がうなぎなんて、すごいねぇ」と、あつしに向かう。

（母親）「天ぷらあんなに作るんじゃなかったね。もったいないことした」

（ゆかり）「少しいただいて帰ろうかしら、天ぷら」

（母親）「天ぷら、おいしくないわよ、しなっちゃって、もう。（出前の鰻に話を振り替えて）松にして正解。きもすい、つかないのよ、竹より下だと。インスタントのお吸い物」


あつしが肝吸いの肝を気味悪そうに取り上げて、ゆかりに食べられるかどうか尋ねると、父親は一度自分の箸を下品に「チュッ」と音立てて吸ったあと、あつしのお椀のなかに突っ込んで、「おじいちゃんが食べよう」と肝を食べてしまう。それを見ていた母親は、自分の食べ残した鰻の一切れを、あつしのご飯の上に、これをあげようといって載せる。さらに残ったご飯を良多の鰻飯に継ぎ足したから、良多は抗議するが、母親は取り合わない。それを見ていた父親が、箸で母親を指しながら、会話は父母のなじりあいに入っていく。

（父親）「こいつはそういうとこ、ほんとにデリカシーないんだから、昔から」
（母親）「デリカシーって、あなたに、そんなこと……（含み笑）」
（父親）「コンサートに連れてったってねぇ、寝ちゃうんだよ、いびきをかいて。いっつも……」

ゆかりは、なんとかとりなそうとして、父のレコードコレクションに話をふり、父親もそれに応じようとするが、母は、レコードがただの飾りとなっていると、口を挟む。悪化していく雰囲気をなんとかしようとして、ゆかりは「お医者様っていうと、やっぱりクラシックのイメージよね」と良多に相槌を求めて、いま一度会話の平和化を図ろうとするが、

（母親）「お医者様っていったって、ただの町医者ですからね」

（ゆかり）「でも身内にいてくださると、いざという時、心強いですしね」

（母親）「そんなことありませんよ。忙しいばかりで。息子が危篤だって、そばにいられなかったんだから」

（父親）「しかたないだろ、あんときは、食中毒で急患が続いて……。お前はね、男にとって仕事がどんなに大切か、わからないんだ」

（母親）「働いたことないですからね、一度も。……（父を箸で指しながら、ゆかりに向かって）いまじゃ、この人も働いてないですけどね」


このように、気分を和ませようとした、ゆかりの意図から離れて、会話は父親と母親のいさかいを亢進させていき、ついには夫婦のこれまでの人生に対する考え方のちがいの露出にまで到る。このあと既に触れた《ブルーライト・ヨコハマ》再生という母親による反撃が続く。

こうしてみると、良雄が去ったあとの良多と父とのいさかいも、夕食中の父母の暗闘も、家族が抱いてきた歴史につながるわけで、この映画に広がっている亀裂から顔をのぞかせる闇が、過去という時間と深く関わっていることが見えてくるだろう。

現在に含まれた過去

《歩いても歩いても》は、一日のドラマである。思い出や未来の希望を具体的に映像化したショットはここにない。そういう意味では、映画中の現在に現われるものが淡々と映し出されるだけだ。ただしそのレンズの前の現在のなかに、いま見たような家族間の会話や振る舞いを通して、過去の影が絶えず入ってくる。野球に対する薄れつつある良多の関心を呼び覚まそうとする父の発言や、天ぷらのためにとうもろこしの実を外す仕事は、現在の映像でありながら、過去の記憶への入り口だ。良多の記憶ばかりではない。ゆかりの死んだ夫のことは、母親のセリフから姿を現わしてくる。あつしはあつしで、問われても、たいてい無表情のまま「普通」と答えるだけなのに、ピアノの調律師になる将来の希望を祖父の前で述べるというかたちで、同じく調律師だった亡き父親の記憶を呼び起こしてくる。《歩いても歩いても》では、こうして過去が、ドラマ的な起伏に乏しい日常の時間に複雑な陰影を与えている。

モンキチョウ——兄の死の記憶

現在のそうした陰影として現われる、さまざまな亀裂を一つに束ねているのは、なんといっても長男、つまり良多の兄・純平の不在である。ゆかりとあつしの過去を別にすれば、

5 モンキチョウに重なる死んだ息子

家族の記憶の闇は、ヒビ割れがつながるように、純平の死に結びついていく。先に見た良雄を巡る感情のぎくしゃくなど、その典型だ。あつしの父の死も、生き別れとちがい死に別れた人物には勝てないと語る母親によって、家族外部の出来事だったとはいえ、家族の根本的な亀裂である、純平の死の記憶と同質の色合いを帯びているといえるかもしれない。

この最大の亀裂、もしくはもっとも暗い闇を映像化したのは、母親がモンキチョウを、死んだ純平の化身と見做すところで、お墓参りのあとで見かけたモンキチョウの布石があった上で、夕食後、室内に入ってきた蝶を母親が追いかけるというシーンを形づくることになる（**図5**）。ゆかりやあつしが唖然とするなか、良多も父親も、それがただの蝶であることを主張するのだが、母はまったく聞く耳をもたず、ゆっくりと舞う蝶に純平の名を以って呼びかけながら、捕らえようとする。ようやく止まった蝶を良多がそっとつまんで、縁側のガラス戸を開けて、外に逃がす。それを呆然と見送ったあと、先代の七回忌のことをぶつぶつ呟く母親の姿を映しつつ、シークェンスは終わっていく。

基本的に日常的な光景のみで構成されたこの映画のなかで、唯一例外的に異様な雰囲気を醸す、この一幕での母親の振る舞いは、明らかに狂気の相を帯びているわけだが、その狂気の闇が家族のメンバーにまったくの妄想と受け止められているかというと、必ずしもそうではない。母親のことを散々毒づいていた父親ですら、蝶を捕まえようとした良多に、丁寧に扱うよう指示し、ただの蝶と母親を宥めていた良多もこの指示に従う。蝶として現われた過去は、メンバーの間でそれなりに共有されているのだ。小説には、次のように書かれている――

ほんの一瞬ではあったけれど、ここに居合わせた僕たち五人は、みな母と同じ感情に包まれたのだと思う。

時間の淀みと眼差し

普通の生活のなかにヒビのように広がっている亀裂は、兄・純平の不在という闇に統一されて、この映画の世界全体を支配している。純平の不在も含め個々の亀裂から覗く闇は、過去の記憶であり、亀裂の縁でもつれ合っているのは、その記憶に対するそれぞれのメンバーの感情であって、このもつれ合いが映画の物語の進行を滞らせる。そうした滞りが、この映画の特徴をなすことは、小説冒頭に掲げられた次の言葉が示しているところでもある――「あの時こうしていれば」――「その感情は消え去ることなく、時間とともに淀み、むしろ流れを遮ってしまう」。これが凝縮されると「人生はいつもちょっとだけ間に合わない」というこの映画のスローガンとして結晶化していく。

通常私たちは、映画を始めとする劇的芸術に対して、始まりがあり、展開があって、結末に到るような流れを期待するし、それを前提として鑑賞するのが常である。寺山修司の章でも触れたアリストテレスの『詩学』の指摘にまで遡りうる、そのような時間イメージと異なり、ここに開かれているのは、過去の侵入によって重層化され淀んだような時間イメージであるが、そこにこそ、「小さな物語」の本質があると私は考える。

本章は「大きな物語」への是枝の抵抗の紹介から始まった。「大きな物語」は、大団円であれ破滅であれ、進行していく時間を前提している。それに対して「小さな物語」は、淀み滞る時間のなかに現象する生を、「大きな物語」が要求する「思想」に即した解釈を排して写し取ろうとするものではなかろうか。

もともとドキュメント番組の制作から出発した是枝は、高度経済成長が与えた進歩という夢にせよ、あるいは学生運動を導いたコミュニズムにせよ、それらが提供する「大きな物語」に対する失望感から出発した作家として、「生活のディテールを撮る」ところに、己れの創作の基本姿勢を定めている。そうしてみると、《歩いても歩いても》は、見かけ以上に《誰も知らない》のような「社会派」的作品に近いということができるかもしれない。あるいは逆に、彼の「社会派」的作品は、特定のメッセージを伝えようとするものではな

6　ベランダで雑草を育てる——《誰も知らない》

く、《歩いても歩いても》のような日常の描写に実は近いと、いいかえてもよい。《誰も知らない》で母親によってマンションに置き去りにされた子供たちが、ベランダで雑草を育てるシーンは、この映画のなかでも実に印象的だ（**図6**）。雑草を育てることは、利益を生むわけではないし、革命に資することもないけれど、そのような目的に吸収されていくことのない行為として、彼らの生の一部を形づくる。この部分の重要さを、これと離れて計測する基準はないのだ。その行為は、いわばそれ自身において、大切なものとして輝く。

淀む現在を写す眼差しは、どこまでも現在に留まって、過去や未来に飛んで行かない。それに対して「大きな物語」に主軸を置くと、眼差しは、全体を眺める超越的なポジションに登っていって、そこから過去・現在・未来を俯瞰する。それは現実の人間には不可能な眼、いってみれば神の眼差しだ。このちがいは、映像のかたちとしても現われうる。後者の眼差しを具体化したカメラは、現在から一旦離れて過去を写し、これを現在にもち帰ることも可能だ。実際映画はその具体化のための技術を発展させてきた。ディゾルブという手法はその一つで、現在映っている人物の映像の裏から彼の過去の映像を浮き立たせてきて、現在と置き換え、これに改めて意味を与えることができる。たとえば、殺人現場になお留まっているジャン・ギャバン演ずる主人公のガラス越しの顔の奥から、殺害の遠因

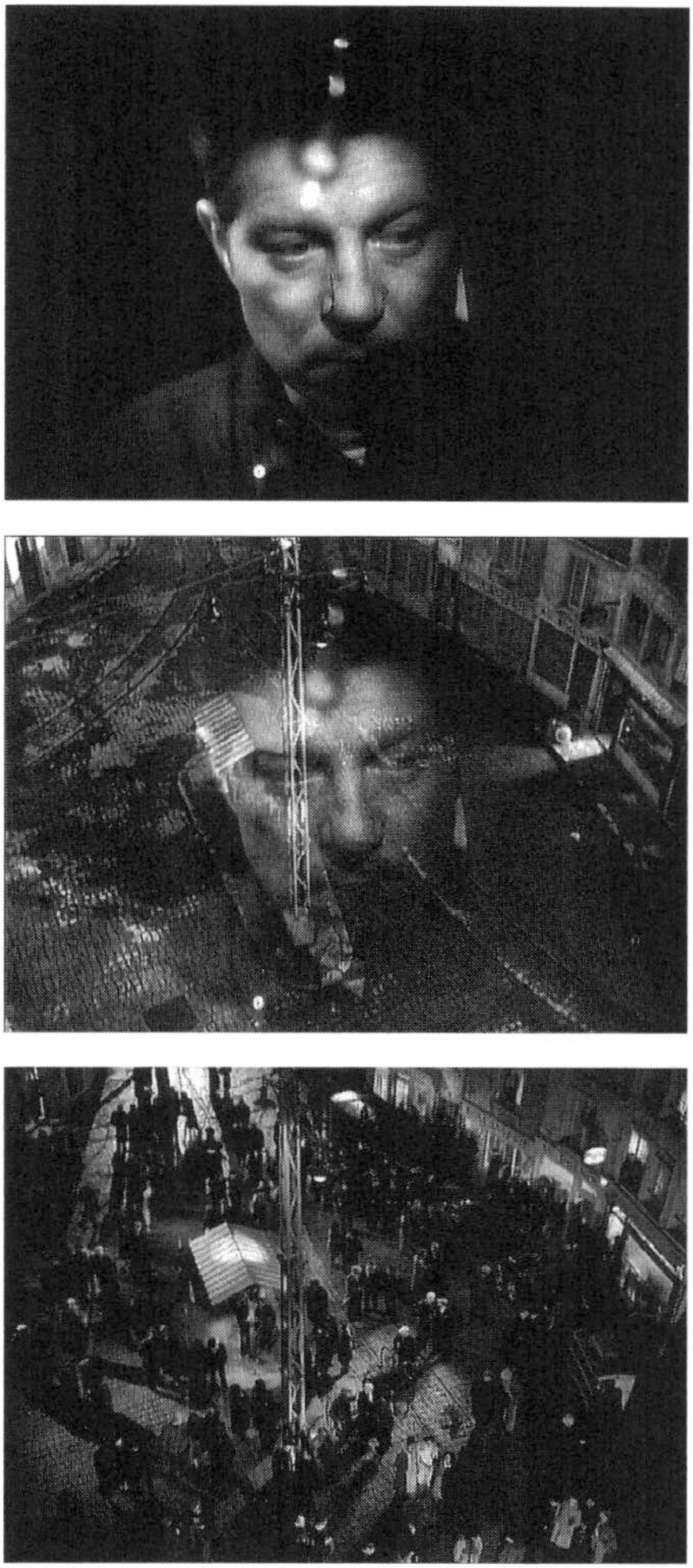

7
8
9
殺人者の顔の奥から、彼の過去が浮かび上がる──《日は昇る》

を探るように、彼の過去の姿が浮かび上がってくるマルセル・カルネ《日は昇る》は、この技術なしには、成り立たない(図7-9)。一九三九年のこの映画に既にあり、その後現在に到るまで使い続けられ、或る意味常套化してもいる、この技術を、是枝は少なくとも《歩いても歩いても》では、一度も適用していない。その点で是枝は、《浮雲》などでこの技術の力を繰り返し利用した成瀬己喜男よりは、かたくなに思えるほどディゾルブを拒んだ小津安二郎に近い。

モンキチョウを巡る小説との差異

現在に侵入してくる過去が多数あるにもかかわらず、それを映像化せず、現在として撮ろうとする是枝の態度は、興味深い。先ほどモンキチョウを追う母親のシーンに言及した。家族のメンバーが母親の憑りつかれた姿にも一種のリアリティーを感じていたのは、小説にも書いてある通りである。このシーンに先立つ良多の家族と母親によるお墓参りに続く箇所で、初めてモンキチョウが映画に現われたときに対応して、小説の方は、良多の少年時代の次のような記憶を書き記している。

少年の頃良多は、近所のキャベツ畑で青虫を一〇〇匹近くとってきて、水槽に入れて毎日新しいキャベツの葉を与えて蛹になるまで育てた。或る朝彼は、すべてが羽化して蝶になっているのに気づき、水槽の蓋を開けたが、どうしてか蝶はじっと水槽の壁にとまったまま動かなかった。しばらく待ってもなにも起こらないため、父か母を呼びに行こうとしたその瞬間、風が吹いて樹が音を立てた。そのとき——

目の前が一瞬真っ白く覆われ、僕は思わず目を閉じた。水槽の中の紋白蝶はその風を待っていたかのように一斉に飛び立ったのだ。

10　老婆は雪のなか楢山様へ行く——《楢山節考》

11　雪の橋上の別れ——《緋牡丹博徒・お竜参上》

12　黄色い花びらが女を包む——《さらば箱舟》©1984 劇団ひまわり/テラヤマ・ワールド/ATG

> 良多は水槽に残された蛹の抜け殻を見て、吐き気に襲われる。
>
> 僕が感じたのは、紛れもなく死だったのだ。蝶の誕生にではなく蛹の死に心は強く震えたのだ。

良多は蝶の飛翔に死の気配を感じたわけだが、この件りは、きわめて映像的であるように私には思われる。白い蝶の羽が画面いっぱいに散り、その向こうに少年の唖然とした顔が映る。想像するだけでも妖しい気分になるのではあるまいか。なにかが画面に舞う映像としては、日本映画に限ってみても、木下恵介《楢山節考》の最後で、しんしんと降る雪のなかに座って合掌する老婆の薄れゆく姿(図**10**)、あるいは加藤泰《緋牡丹博徒・お竜参上》(図**11**)で女博徒と俠客の橋上の別れを包む雪、このシーンに言及したこともある寺山修司の場合でいえば、最後の映画《さらば箱舟》で主人公を包むように降り注いでいた黄色い花びら（**図12**）など、印象深いシーンは枚挙にいとまない。けれども是枝は、ここではモンシロチョウの乱舞を映像化しなかった。そのことはなにを意味しているのだろうか。

映像化を巡って

モンシロチョウの羽化のエピソードは過去のものだ。是枝があくまで現在に留まろうとしたことが、まず一つの理由だろう。それ以上に考慮すべきと思うのは、映像化が両刃の剣であることだ。もしも映像化したならば、おそらく母の狂気の姿への家族のシンパシーは明瞭に説明され、彼女の死につながる物語に組み込まれて、鑑賞者の納得を導きやすくなっただろう。近づく母の死の予感も、より強く印象づけられたのではなかろうか。けれどもそうした「わかりやすさ」は危ういところでもあり、それによって母の振る舞いが平板化されて、人間の行動の一般的な可能性の一つとなり、ついには事柄としての唯一性を失ってしまうことが起こりうる。それが映像化を避けた本質的な理由ではないかと私は推測する。是枝がそのことを実際意識したかどうかは、わからない。そうでなくてもかまわない。そもそも芸術家の創作というものは、すべて意識のコントロール下でなされているとは限らないからである。

同じ観点からすると《ブルーライト・ヨコハマ》の扱いに関して、私は多少の不満を覚えてもいる。この歌のレコード再生が終わったあと、風呂に入った父親を写しながら、硝子戸の向こうで母がレコード購入の件について説明するが、それによって父の浮気という背景が暴露され、この曲に重ねられた母親なりの復讐の念が明かされる。劇的な説明可能性と平板化との関係は、非常に微妙なバランスの問題だし、一概に成功・不成功は論じられないとはいうものの、このシーンは、父母の間の溝を陳腐な浮気物語に変えてしまっているように私には感じられる。ちなみに小説では、このシーンは語られていない。先に述べたように、小説があとから書かれたとすると、意図的にカットされたのかもしれない。おそらく、それは、父母だけの会話なので一人称の小説には入れられないという判断からだったのだろう。ただし、蝶のシーンの映像化も含めて私が考えてみたいのは、作品としての成功不成功、あるいは作家の意図の有無を超えて、語られたもの、映されたものの事柄としての唯一性、いい換えれば、リアリティーの問題である。映像化による説明は、事柄の一回性を、おそらくプロットのロジックに回収してしまう。

記念写真という未来

過去はそれとして映像化されずに現在に入ってくる。では未来のかたちはどうだろうか。

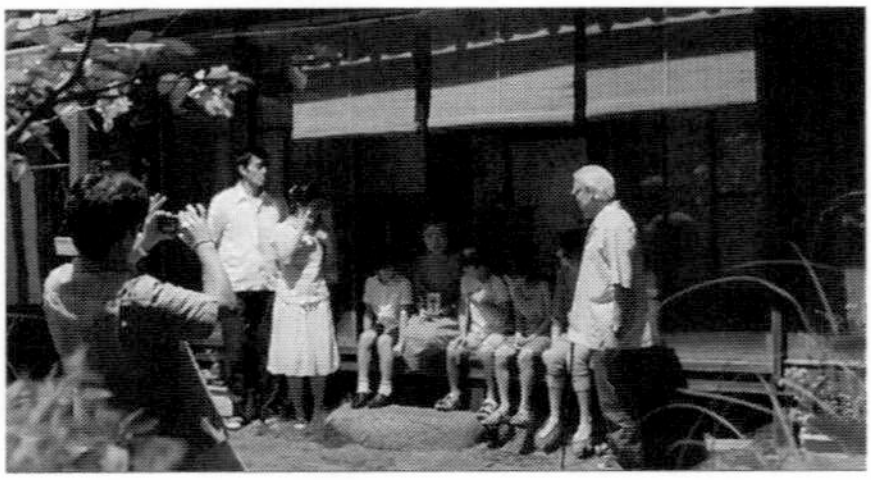

13　父母の死の接近の予感としての記念写真

未来のあり方について本論は、ここまでのところ、亡き父親の跡を継ぐという夢を表わす、ピアノの鍵盤に置かれた、あつしの指のことをわずかに示唆したに留まる。この映画における未来という時間のかたちを確認して、本章を閉じようと思う。

エンドロールの数分のシークゥエンスを除くと、未来も映像としては、この映画では写されていないが、過去と同様、現在のなかに透けて見えるかたちで、未来も指示されている。たとえば映画の中盤で撮られる記念写真のシーンがそれだ（**図13**）。ここでも父親が途中で我慢しきれなくなっていなくなってしまうなど、メンバー間のずれた歴史が見えるし、兄の死という過去も母親が抱いた遺影として登場しているが、同時に未来もここには潜んでいる。というのも記念写真を撮るということ自体、そもそも喪失への構えだからだ。すなわち、父母の姿が、まもなくやってくる喪失の未来としてここにある。

日本映画のなかで記念写真というと、前章の小津安二郎のことを思い出さないわけにはいかないし、是枝もこのシーンを撮るとき小津を意識していた可能性は否定できない。具体的には《戸田家の兄妹》（**図14**）の冒頭や《麦秋》（**図15**）の最後の記念写真のことだ。前者は、戸田家の当主の突然の死を、後者は主人公の結婚によって生ずる家族の解体を暗示している。是枝自身は、海外などで頻繁に尋ねられる小

14　《戸田家の兄妹》
15　《麦秋》
16　《非情城市》

津の影響の有無の問い合わせにうんざりしたせいもあろう、小津よりも成瀬己喜男へのシンパシーを強調して見せるが、彼が尊敬する侯孝賢《非情城市》でも記念写真は、二度にわたって重要な役割を演じている（図16）。それはともに崩壊の暗示なのだが、侯孝賢の《珈琲時光》が小津へのオマージュとして撮られたことはよく知られている。

因果論も目的論も届かない場所

影響関係の詮索は、興味深いにしても些事に留まる。ともあれ是枝のいう「小さな物語」を支えているのは、過去と未来への開口を宿しつつ淀む現在という時間のイメージであることを、私は本章で確認しておきたかったのである。それは小津においても見たものだし、プロットに抵抗した寺山のところで音楽を通して垣間見た場所でもある。寺山が一九六五年にテレビ番組《あなたは…》でコラボレイトした萩元晴彦は、制作会社テレビマンユニオンの創立者の一人であり、是枝は、この会社からキャリアを出発させている。同質の時間イメージは、高度経済成長の神話の時間表象と対極に位置するが、同じ時代に秘かに胚胎されていたのではなかろうか。いや近代化を思えば、このイメージの生成は、おそらくもっと以前に辿ることができる。すなわち本書最終章で漱石『道草』の主人公・健三の住みかとして浮き立たせようとするのも、基本的に同じ時間イメージである。

いずれにせよ、「大きな物語」から離れたこのようなイメージは、過去からの因果的連関も、また未来に向かう目的論的連関も、届かない場所として開かれている。そうして形象化された時間は、そもそも理由一般への問いを拒んで、そこに淀んでいる。それでもこのイメージのなかで、出来事は否定しがたいリアリティーをもって現われる。このリアリティーは、因果的説明や目的論的説明が与える「わかりやすさ」ではない。そうした明快さは、所詮人間の操作の範囲に入ってきたという快感にすぎない。逆にいえば淀む時間のなかでのリアリティーは不可解であり、そこにあるとしかいえないものとして、人間を超えた力の現われと、いえはしないだろうか。それは、モンシロチョウを映像化しなかったことと奥底でつながるのではないかと、私は思ったりするのである。

第四章

可能性としての「用即美」・柳宗悦

——ものがある場所

一……………「有用性の蝕」と「用即美」という神話

「有用性の蝕」のなかの人間

本書の思考の原点は、「有用性の蝕」という言葉で名指された、科学技術の高度化の奥底で起こっている出来事にある。それは、有用性の徹底化による有用性自身の空洞化であり、有用性の連関が見かけ上は機能していながらも、行為を動機づける目的がどこまでいっても終わりのない無限の闇に吸い込まれて消失している事態を指す。終わらない近代化が残したこの闇のなかにしか、私たちが生きる場所はない。目的の究極的な不在を前にして、私たちは途方に暮れる――「いったい自分は、なんのために生きているのか」。人は、この思いを振り切るために、なんらかの神話の捏造や保持に駆り立てられていくわけだが、そうして駆り立てられること自体、目的不在の恐怖の強さを示すとともに、人間が世界のコントローラーのポジションから滑り落ちていることを証している。寺山修司が演劇作品《奴婢訓》で現出させたのは、役割を与える主人がいない屋敷のなかで召使たちが交互に主人役を演ずるさまであったが、すべての人間が世界の中心から脱落し奴婢に象徴されたコントロールされるものになっているという、この舞台は、現代世界の基本的な構造の表現を、はっきりと意識したものだった。

「用即美」という神話

もっとも別な人間像は、寺山が活動した時代になって初めて現われたわけではない。この人間像を編むことが「有用性の蝕」への対応だとするならば、科学技術化の進行がもたらす問題性が意識されるとともに、その作業は始まっていた可能性がある。ここで取り上げるのは、日本民芸運動の指導者・柳宗悦が掲げた理念「用即美」である[11]。「有用であることが美しい」という、この神話は、一見有用性の肯定のようにも見えるが、事態はそう単純ではない。カントは、美的判断の主要な特徴の一つを、利害と無関係であること、したがって有用性と無縁であることに求めた。美的なものは、なにか別なもののための手段ではないのだから、それ自体が目的だともいいうる。その上で有用性を美と等置するならば、有用性は目的であって手段ではなくなるゆえ、それ自体有用性の本質を放棄していることになる。だとすると「用即美」という理念は、有用性の自己崩壊の表現とも、見なし

注11
柳に対する私の考えについては、拙著『柳宗悦——手としての人間』（平凡社、二〇〇三年）を参照されたい。

うるのである。「用即美」の神話は、最後に見るように、実際「有用性の蝕」と密接に絡み合っている。

もっとも、柳の民芸思想の中核概念を扱うからといって、彼の工芸論を解説するわけでもないし、彼の美的趣味を紹介したり、まして称揚したりするつもりも、まったくない。ここまでの私の論調からも推測していただけると思うが、私としては、あくまでそれを、経験の構造、もしくは人間が世界のなかにあるあり方についての考察の手がかりとするのみである。その上でこの概念がもっている可能性を引き出してみたいのであり、それが、章のタイトルを「可能性としての「用即美」」とした理由だ。そうした可能性は、柳宗悦という思想家が、まちがいなく意識していなかったことではある。けれども、そもそも解釈とは、当の人物が理解したものを超えて考えるという意味で挑戦なのであって、そうでなければ、柳の場合に限らず、読解は単なる追随に陥るだろう。そうした挑戦の準備として、手始めに柳の思想を、同時代の精神史的背景の前に置いてみよう。それによって、彼の思想形成が「有用性の蝕」をもたらす科学技術の展開と不可分な結びつきにあったことが見えてくるはずである。

一……柳・民芸思想の歴史的布置

『白樺』派からの出発

柳の思想を振り返ってみると、一九一〇年頃から始まるその歩みは、普遍的なものとつながる個人のイメージから出発し、一九二〇年前後には芽吹いてくる工芸への関心とともに、正反対の方向へとシフトしていったことが見えてくる。彼の思想の出発点は、一九一〇年に創刊された雑誌『白樺』を中心として活動したグループ、通称『白樺』派にあるが、その理念は、リーダー武者小路実篤がいったように「自己を活かす」だった。彼らのいう「自己」とは、国家や社会を超えた存在、この時代、とりわけ「明治国家」として具体化されてもいた家共同体から独立した存在であり、それゆえメンバーの一人志賀直哉は、この共同体を仕切る父親との間の確執を執拗に取り上げた。

こうして家共同体から独立した自己は、家父長的な色彩が濃厚な政府による政治に対しても、超越的な場を確保しようとするのであり、学習院という天皇制中枢に近いところで育ちながら、活動の圏域を芸術に見たことは、武者小路たち『白樺』派の面々にとって、自然な流れだった。すなわち彼らのアイドルは、学習院院長であり国家のために忠誠を尽くした日露戦争のヒーロー乃木希典ではなく、ゴッホやセザンヌなど芸術家であり、しかも彼らの創作を、「個性の表現」というただ一点においてのみ理解し、またそのことに敬意を捧げたのであった。彼らにいわせれば、ゴッホら後期印象派の芸術家たちは、自然事物をも己れの魂の表われとして描く、まさに「自己を活か」した芸術家、いわく「天才」だったのである。これが近代的自己イメージの一つのヴァリエーションであり、神の作品だった自然を科学技術によって自由に操るようになる人間像と類縁関係にあることは、いうまでもない。

民芸への転向

しかしながら、『白樺』派の一員として、こうしたイメージを共有していた柳は、一九一〇年代半ばから、民衆的工芸、いわゆる「民芸」への関心を顕わにするようになり、およそ十年かけて、自覚的に民芸運動を組織するようになっていく。個性の座である近代的な独立的主体に対して、民芸の担い手は、個性もしくは独自性を否定し、伝統と自然とによる拘束に甘んじる存在である。彼ら職人による単調な手仕事の反復が生み出す器の美は、卓越した個性の持ち主としての天才の作品の美をも凌駕すると、柳はいう。近代的精神から見れば、既に乗り超えられた時代遅れの存在とも見なされかねない非個性的人間像を柳は、逆に真なる美の創造者と規定した上で、彼らによって構成される社会を、たとえばヨーロッパ・ゴシック期のギルドに範を仰ぎつつ、「健全」なものと主張するにさえ到る。

ナショナリズム・コミュニズム・民芸運動

もっとも、このような変化は、けっして柳個人の履歴のみに現われたことではない。同時代的な広がりを示す出来事を挙げてみよう。

雑誌『白樺』を廃刊に追い込んだのは、一九二三年の関東大震災だ。柳自身も、生まれ育った東京が灰燼に帰したため京都に移り、そこで民芸運動を展開し始めるが、アナーキスト大杉栄が同じ関東大震災後のドサクサのなかで、憲兵隊によって捕縛され殺害されたことは、よく知られている。とかくアナーキストは、社会主義者や共産主義者と同一視されがちだが、これらとは根本的にちがっている。アナーキストは、基本的に個人主義者として、いかなる政府であれ、これによる支配を拒むわけで、大杉もその政治的エネルギーを、個性の徹底的な展開を意味する「生の拡充」というタームによって表現していた。

その大杉が殺されたこと、そして殺害した側の志向が、遅くとも三〇年代には民族主義として覇権を握るようになることは、世界を考えるベースが個人ではなく、集団へと移っていったことを示唆している。「民族」とは、個人としての卓越性をはぎ取られ、血統であれ土地であれ、なんらかの理念的仮象に向かって同一化されたものである。「民族」は、ドイツ語でいえばフォルク（Volk）だが、それは英語のフォーク（folk）と同語源であり、民衆大衆でもある。ナチス時代に生まれたフォルクスワーゲン（Volkswagen）は、民族の車であると同時に大衆車なのだ。

言葉の上での一致は、民族主義と民芸運動とが、基盤とする人間イメージにおいて同質であることを示唆している。こういうことをいうと、柳のエピゴーネンたちは、彼の反戦的態度を強調したりするかもしれないが、彼が近衛内閣の「新体制」に対して賛意を示したことは措くとしても、ことはベースとする人間観の問題である。いわゆるイデオロギーの次元の事柄でないのは、もう一つ別な集団主義と柳思想との同質性を指摘することによっても、明らかとなろう。すなわち、日本において第一次世界大戦後から力をもち始めた社会主義・共産主義との同質性である。というのも、この思想傾向において基礎となるのは「階級」であり、その利害を代表する党であるからだ。当時主張されたプロレタリア・レアリズムのいう「レアリズム」とは、「客観的」な現実把握ではなく、現実を「階級的観点」から見ることだと規定されている。加えて、ここでは個人の尊厳を唱えることなど、そのままブルジョア資本主義の現われ、つまりブルジョアという一つの階級・集団の主張と

1　柳宗悦が愛した李朝白磁

して弾劾される。結局のところ、うち続く弾圧によって敗れてはいくものの、このような思想は一九三〇年前後までは、インテリ層も含む日本人を強く惹きつけた。弾圧の過程で、マルクス・レーニン崇拝から「天皇陛下万歳」へと「転向」していった者は、亀井勝一郎や林房雄など、少なくなかったが、左から右への旋回は、「階級」という集団から「民族」という集団への横滑りであり、同一の人間イメージの上での出来事だと私は考えている。

モダニズム建築との同質性

一方、一九二三年の関東大震災は、東京への壊滅的打撃によって、新しい建築の需要を生み出した。この需要に応えたのがモダニズム建築であり、具体的には、たとえば同潤会アパートであったことは、改めていうまでもなかろう。けれども私としては、この建築志向と民芸運動との同質性を指摘しておきたいと思う。というのも、建築的モダニズムの基本理念が機能美であるならば、それは民芸思想のもっとも根幹をなす「用即美」と、理念の上で、ぴったりと重なるからだ。柳は李朝白磁の無装飾の白さ（**図1**）に民芸の理想の一つを見たが、同じ白さは、装飾性の排除の行く先として、ル・コルビュジェ設計《サヴォア邸》の壁面（図2）にも通ずる。ちなみにこの建物が設計され始めた一九二八年、柳民芸論の主著『工芸の道』が出版され、さらに翌年、日本における建築的モダニズムの始まりを告げる岸田日出刀の著書『過去の構成』が世に出る。

2 《サヴォア邸》（建築家・米田明撮影）

三……個人の没落と機能主義

個人の没落

個人の没落ならびに機能美と用即美の同一性は、精神史的出来事としてなにを意味しているのだろうか。この時代は同時に、科学技術の発展が人間にとってもつ意味を、単純には肯定できなくなった時代でもある。ノーベル賞は一九〇一年に始まるが、その機縁となったのは、周知のように科学者アルフレッド・ノーベルによって発明されたダイナマイトが人類にとっての災厄にもなりうるという意識だった。実際一九一四年から始まる第一次世界大戦が、それまでの想像を超えた科学技術兵器の登場によって、ヨーロッパのアンシャン・レジュームの名残と都市空間とに壊滅的な打撃を与えたことは、歴史学的な常識に属す。人間が生み出したものであり、人間の手段であったはずの科学技術が、主人である人間のコントロールを超えた力に達し始めたわけで、この時代は科学技術の開発と統御の担い手であった理性的人格としての近代的人間イメージが揺らいできた時代なのである。理性的人格は、家族や社会、あるいは国家の束縛を超え、普遍的法則にのみ従う存在、したがって独立的人格であるが、そうであったはずの人間が、しかもその力で生み出したものによって支配されるという事態は、当然のことながら、不可侵の個人という人間イメージの虚構性を暴くことになるのであり、この崩壊感もしくは喪失感からくる代替イメージの模索が、コミュニズムやナショナリズムを生み出したと考えられよう。

民芸運動と世紀転換期の美術運動

一方機能美が科学技術の進展に伴う現象であるのは、いうまでもない。モダニズム建築でいえば、多くのガラスの取り込みや流れるような空間の連続性は、コンクリート技術の発展なしにはありえない。民芸もまた、「用即美」という点において、やはり科学技術を巡る歴史的コンステレーションに位置づけられる。

なるほど民芸運動は近代批判、科学技術文明批判の一つではある。柳宗悦にとってのモデルは、アーツ・アンド・クラフツ・ムーヴメントだったが、それは、続いて現われるアール・ヌーヴォー、もしくはユーゲント・シュティールとともに、近代化産業化の弊害を、ゴシック時代賛美のような過去回帰によって拭おうとした。民芸運動もまた伝統復古の志向を、それら世紀転換期の美術工芸運動と共有している。けれどもこうした一連の復古主義的傾向は、近代化のベースである科学技術の発展に対して、単に批判的に相対していただけではない。

3 Blick auf Kallmünz vom Burghügel aus, 1903
（**図4** ともに *Gabriele Münter – Die Jahre mit Kandinsky Photographien 1902–1914*, München 2007からの転載）

カルミュンツのカンディンスキーとミュンター

たとえばユーゲント・シュティールのデザイン志向が抽象絵画の先駆者ワシリー・カンディンスキーら「青い騎士」の一つの出発点であったことは、夙に指摘されていることである。カンディンスキーは「青い騎士」の前身となった美術同盟「ファランクス」を立ち上げた頃、オーバープファルツの片田舎カルミュンツで一九〇三年の夏を過ごしたとき、ガブリエレ・ミュンターが丘の上から撮影したと思われるこの小さな村の風景（**図3**）をもとに、自らドローイングを描いている（**図4**）。それは、彼女がドイツでのカンディンス

4　Wassily Kandinsky, *Blick auf Kallmünz vom Burghügel aus*, Skizzenbuchzeichnung, 1903, Städtische Galerie im Lenbachhaus, München

キーの伴侶となったことの記録でもある。もともと世紀転換期にアメリカで写真を覚えたミュンターは、同じくコダックのカメラを所有していたカンディンスキーとともに、カルミュンツでのみならず、その後もたくさんの写真を残した。こうした写真とつながるかたちで描かれた絵画作品は少なくない。しかし、それらの多くは、実在の風景などと断片的にしか一致せず、加工されデフォルメされている。のちにオーバーバイエルンのムルナウに移って、抽象絵画に進んでいくことと思い合わせてみると、既に早くから、彼らは写真で撮ったイメージを絵画において再構成しつつデザインとの境を越境することに着手していたと考えられる。こうしてユーゲント・シュティールのデザイン的発想と抽象絵画の成立とをつないだものとしてカメラがあったことに注目してみると、反近代的なものと近代もしくはポスト近代、そして科学技術という連関を、事態全体の下図として思い浮かべることができる。

　カメラは、ポータブルの元祖コダック・ヴェスト・シリーズ以前のこの時代12、基本的に三脚の上に据えられたもので、固定的な定点をもつと見なされるけれ

注12　ガブリエレ・ミュンターがアメリカで初めて使ったカメラは、コダック・ブルズアイ・ナンバー2だった。カンディンスキーもコダックのカメラをもっていたという。

ども、それによって写された画像が作品上で再構成に用いられることによって、眼差しと対象は、単純な一対一の関係に立つものではなくなる。いってみれば再構成は、さまざまな角度からのレイヤーを重ねることになるのだから、そうして出来上がった絵画作品には、複数の視点がもち込まれることになるのであり、場合によっては、複数の主体、たとえばカンディンスキーとミュンターの眼差しが同時にそこに織り込まれることも起こりうる。要するに、一つの絶対的定点から開かれたパースペクティヴが、複数の視点からなるものに改編もしくは解体されていくのであって、ここに主体と対象との関係の変容の始まりが示唆されているといえよう。

対象の空間に巻き込まれる眼差し

このような変容は、本書が扱ってきた主たる芸術メディアであり、この時代既に産声を挙げていた映画のなかで、より顕著なものとなる。なるほど映画が手に入れた再構成の手法は、たとえばモンタージュにおいて、撮影主体の自由度を飛躍的に高める。ならば、第二章は溝口健二のところで見たように、空間を自在に動きまわり、ショットの切り替えやディゾルブなどによって時間すらも超越していくカメラの眼差しが、それを操る人間主観の独立性、支配性を高めるかというと、事態はそう単純ではない。むしろこの技術によって、人間の眼差しは、対象から独立した安定性を失い、対象が存在している現場に入り込み、その運動を追わざるをえなくなる、つまり対象への追随度が増していくことも起こりうるからである。対象から切断された自らの位置を固定的に定め遠近法的にこれを眺める、絵画の眼差しとちがい、動的に動きうるカメラのレンズに宿った視線は、対象が存在する空間に入り込み、これと戯れ、巻き込まれていく。絵画的空間が近代あるいは近代前期的な空間構成、もしくは主体・客体関係のイメージだとすると、映画の空間構成は明らかに異なっており、そこには別な主体・客体関係が生じてくるはずである。寺山修司《書を捨てよ町へ出よう》は、転がるサッカーボールをカメラに追いかけさせてみたり、カメラマンに走りながら撮影させたりした映像を残しているが、これなども関係の変容の確認実験の一つと見なしうるだろう。少なくともそれらに残された眼差しは、対象を追いながらも、プロットにアンカーを落として自らと対象とをコントロールする溝口のそれとは異なり、いわば対象に引きずられていく[13]。

少なくとも、こうして対象空間に眼差しが巻き込まれていくという傾向は、映された汽

注13
第二章で私は溝口の物語への志向をワンショットとつなげて考えたが、だからといってワンショットが機械的に物語やプロットの優位とつながるわけではない。ワンショットという条件が、むしろプロットからの逸脱を引き起こすこともあるからだ。実例としては、二〇一七年に話題となった《カメラを止めるな》(上田慎一郎監督)を挙げることができる。

車の接近によって観客を逃げ惑わせたという初期映画に始まる動画に本質的に属しており、動画技術の展開が3DやVRへと向かっていくことによって、さらに鮮明化してくるように思われる。今日の映像文化の体験においては、製作者の眼差しのあり方は別途考えてみる必要があるとしても、独立で自由な主体が保たれているというより、むしろ人は、そこに開かれた空間に身を委ね翻弄されるのであり、またそのことに、或る種の快感を覚えているといえるのではなかろうか。

四 「用即美」を解体する

使用という体験

「用即美」の理念に立ち戻ろう。それは文字通り、「有用であることが美しい」ということだが、有用性が有用性として現われているのは、当のものが使われている状態にあるときである。使用を離れて美はありえないと、いい換えてもいい。使用しているとき、当のもの、すなわち道具は、私たちと一体になっている。道具は距離をとって眺められるものではなく、手に取って、あるいは身に着けて使われるものである。そのときこちら側の姿勢は、人間から見て向こう側に立っているもの、すなわち対象を観察するようなありかたとは異なり、道具が存在する場に既に入り込んでいる。その意味で、この理念が示しているのは、いま述べた3DもしくはVRにおいて顕在化してくる経験の構造、もしくは人間とものとの関わり方に類似してくる。この場は、どのようなかたちをなしているのだろうか。

連関としての道具

道具は、使用されている限り、常に他の道具との連関の内にある。それは単独ではありえない。茶碗は箸とともにあるし、二つは食卓の上に置かれる。食卓は、食堂もしくは居間のなかに据えられ、部屋は建物の一部をなす。器は、もしそれが単独で展示されたら、欠損状態にあることを自ら示すだろう。茶碗だけが置かれていたら、それは箸の不在を告げ、これを求めさせるにちがいない。いい方を換えれば、他の道具と切り離されて私たちの前に置かれたとき、道具は道具でなくなるのであり、「道具である」とは、この連関とともにあることにほかならない。そうだとすると道具は、私たちが通常見なしているように単体の対象としてあるのではなく、連関として、したがって広がりとしてあるということになろう。

無限定性・可変性

連関としての道具は、対象のように輪郭づけられた物体に収まらず、他の道具と関係しつつ拡がっているわけだが、この広がりに限界を定めることはできない。茶碗を茶碗たらしめている連関が食堂で終わるとか、あるいは食堂が属す建物で終わるとかいったことに、必然的な根拠はない。なるほどそれは、無限に続くとはいえない。私たちは、それを使用している限り、その広がりのなかに入り込んでいるのだから、「無限に続く」と規定できる視座に立っていないのだ。ただし自分たちが使用しながら存在している拡がりの果てはわからず、規定できないという意味では無限定である。

連関を広がりと表現するのは、道具のつながりが、けっして単線的ではないからでもある。茶碗は箸につながるだけでなく、同じ食卓の上に置かれた他の食器とも同時につながりうる。連関は、複線的に広がっていると考えるべきだろう。またそうして広がるつながりは、変容の可能性を孕んでいる。茶碗は恒常的に箸と結びつくのではなく、スプーンやフォークとも結びつきうるのであり、さらにその関係は、いつでも変化しうる。

歴史性

このつながりは、道具がなにかのための道具である限り、手段・目的の関係を主軸にしており、使用者たる私たちによって使用目的に向けて整えられるかたちで生成する。その意味では、つながりは使用者が意図した目的を孕んでいる。けれどもこの関係は、個別使用者の意図だけに還元できるものではない。意識された意図という意味でなら、それはこのつながりのごく一部でしかあるまい。なるほどたいてい私たちは、当初なにかのためにと意識して使用を開始するが、すぐさま、またことに道具と一体になっているときは、意図など意識しはしない。そこで実際働いている使用の道筋は、使用に直接携わっている特定の個人が築き上げたものではなく、彼が成長の過程で教えられ身に着けてきたもの、したがって文化的歴史的に作られてきたものである。その歴史もまた無限定に広がっている。

広がりとしての道具の歴史性は、いま確認したような使用者個人のパースペクティヴから見られただけのものに尽きはしない。たとえば家屋、あるいはときとして家具がそうであるように、道具は個人の生命の長さを超えて使われていく。そこでは、人が家屋をわがものとして所有するのではなく、むしろ家屋の歴史に個人が所属する。家屋のような「大きな」道具だけの話ではない。なるほど今日、ものへの関係は、個人に機軸を置いて考えられるのが常であり、個人の要求次第で、ものは不用品として処分されていくことも頻繁に起こっている。いわゆる「使い捨て」は家屋にとってすら無関係ではないかもしれない。けれども「所有」と呼ばれるこの関係だけが、道具との関りではない。少なくともかつて、日常の小さな器ですら、世代を超えて使い渡されていく世界があった。生まれては死んでいく人々の方が道具に所属するのであり、個人を超えてつながるこの空間を通り過ぎていく。道具はそういう意味でも歴史的な広がりなのだ。そのような広がりをなお体感的に生きている京都生まれ京都育ちの私の友人は、人が通り過ぎていく空間としての道具のことを「所有物」と呼ばず、「預かりもの」と呼ぶ。「預かりもの」としての道具は、過去と未来への、個人からすると限定できない開けを携えている14。

連関を縁取るものとの接触

かくして道具という連関は、空間的時間的に無限定に広がっているが、別な方位において、限界づけられてもいる。使用は基本的に有用なものとの出会いだが、私たちはこのとき、有用性の限界、有用の連関の外部に同時に触れている。たとえばそれは、建物を包む庭園の向こうにある自然である。それが「風景」と呼ばれたとき、さらには「借景」というかたちで制度化されたとき、有用性の連関の内部に引きずり込まれていくが、こうした自然もまた、有用性の連関を縁どって、さらにその外部を示唆している。有用性に触れながら、その縁にあって、いわば有用化から逃れ去らんとしているものは、「外部の自然」だけではない。「内部の自然」、「道具のなかの自然」とでもいうべきものがある。それはいわゆる「素材」のことだ。器を形づくる木材や土は、堅牢なものという意味で、有用性の連関のなかに組み込まれてはいる。けれども茶碗を成型している土は、使用の現場で、単に崩れないもの、あるいは水分を通さないものとして、あるだけではなく、それ以外のものとしても、そこに現われている。陶器の手触り、漆器の温みとして私たちの使用を構成するものもまた、有用性の連関を内的に縁取るものとして、この連関に限界を与えている。

多感性的に入り込む

連関を外的ならびに内的に縁取っている限界は、手段・目的の意味づけとは、別なかたちで与えられている。有用性の連関が意志と理解に基づいて構築されるのに対して、有用性の限界との接触は、いまも「陶器の手触り」という例を以って示したように、感性的な出来事であり、特に一体化とは、そのような事態を表わしている。この場合人間の感性的な能力のなかで視覚は、外的な限界としての風景への関わりの場合のように、排除できないとはいうものの、優位性をもたない。視覚は、基本的にものを他なる対象として向こう

注14
澤田美恵子「清水隆司氏　木箱の文化」、中野仁人・澤田美恵子・ブライアン＝チェン『京の工芸ものがたり2』（理論社、二〇一九年）、一七五頁参照

に立てるのであり、そういう意味では、これに基づく経験は、むしろものとの一体化を拒みさえする。それに対して一体化をもたらすのは、この言葉自体が示すように、なによりもまず触覚だろう。道具は手にピタリとついてこそ、わがものとなる。映画監督として「見ること」に強くこだわった吉田喜重は、見ることが必要とする他性を際立たせる一方、ものと一体化する感覚として、よりプリミティヴな触覚を挙げているが、写真や映画から進めてきた議論の流れでいえば、第一章でも触れたウァルター・ベンヤミンも思い起こすべきだ。というのも複製技術の発展によってタブローとしての絵画に代表される近代の芸術がアウラを失った時代にあって、彼は「視覚的」経験に対して、「触覚的」経験を別なものとして、際立たせたからである。彼によれば、それは歴史的には以前からあったもの、建築空間の内部を歩きながら享受するような体感的経験のことである。ベンヤミンは、ラテン語由来の「触覚的」(taktil)という言葉を用いて、古くて新しい経験を指したが、ここでの「触覚」は、「視覚」以外の多様な感覚を指し、以って「視覚」の単一的な支配を退けようとしたものと見なすべきだ。建築空間の内部を歩く経験には、当然聴覚や嗅覚も入ってくる。道具と一体になった使用経験として、「食べる」という経験を考えれば、当然味覚も加わる。要は、道具との一体化の経験は、多感性的なものなのだ。

連関としての道具は閉じる

こうして無限定であると同時に限界づけられた、また散乱的で可変的な道具の歴史的な連関のなかに、私たちは多感性的に入り込んでいるわけだが、道具との一体感はずっと続くものではない。この経験全体は終焉するのであり、そういう意味でも有限なものである。持続の長さは不定であり、極端な場合瞬間的なこともあろう。いずれにせよ、そこには終わりがやってくる。だが終わりがあるものの、この経験は、生起している間充足している。「充足」とはなにか。この経験は、道具との関わりである限り、手段目的の連鎖を軸としたつながりなのだが、その連鎖は経験的過程のなかで閉じられていて、その外部のなにものかに付託されない。つまりその経験の充足は、外部に設定された目的を満足させることによって、生じるのではない。「外的な目的」というのは、たとえばかつてプロレタリア芸術論が想定したような「労働者階級の利益」や「革命」といった政治目的のことだ。ナショナリズム的な目的も、経済的な利得も、あるいはヒューマニズム的なものであっても、外部のものである点は同じであり、そうした目的に奉仕するがゆえに、使用の経験が美しく輝くのではない。むしろそうした目的をもつ物語、前章で触れたような「大きな物語」から切断されたところで、この経験は充実する。その過程においてのみ充実するがゆえに、それは必然的に終わる、もしくは既に終わりの内にある。

時間のかたちとしての道具経験

こうして私たちは使用の美の経験のなかで、無限定かつ限界づけられていると同時に可変的であり、歴史的に作り上げられてきたものとして非個人的でもある拡がり、非持続的で閉じられた連関である道具のつながりのなかに多感性的に入り込んで生きる。ここまで述べてきた道具の連関は、私たちがものと出会う場であるが、それは私たちが、さらに奥底にある時空という奥深い開けに伸ばした根のようなものであり、同時に把握できないこの時空をまさぐる生業の残したかたち、まさに一つの時間のかたちである。手段に備えられた目的は、それ自体未来に向かう方向に与えられたかたちだし、歴史的であることは過去の、多感性的に入り込んでいることは、現在のかたちだ。なによりもこの経験が持続しないものであることは、連関が時間という捉えられない開けに付与された仮初の姿であることを示唆している。

フィクションとしての「用即美」

以上柳宗悦の「用即美」の理念を解体しながら、人間が対象としてのものと対峙してこれを支配するようなあり方とは異なる、ものとの関わり方を考えてみたわけだが、この理念から引き出してみた生のかたちもまた、「有用性の蝕」の時代に現われた一つの神話でしかないことは、断っておかねばならない。なるほど私は、これを、私たちが時間という根本的な開けの内に作りうる、ポジティヴな生の作法の一つとして受け取りたいと思ってはいる。けれども、より根本的な場所である時間、もっとも奥底の開けである時間が摑み切れないものである以上、ここで語られた生のかたちが、「時間そのもの」に適合しているなどと、いうことはできないからだ。そういう意味では、「用即美」もまた、有用性の徹底化がもたらした目的の本質的な不在への一つの対応であり、コミュニズムやナショナリズムと、フィクションである点では同質だといわねばならない。それに依拠するとしても、これを選び取っているという以外に、根拠はないと私はいうだろう。ありていにいえば、「本来的」な神話など、どこにもないのであって、いわんや民芸の理想を体現した職人を基礎とすれば「健全な社会」ができるなどといった考えは、危険な妄想以外のなにものでもなかろう。

けれども、こうして神話のフィクショナリティーを意識しておくことは、さほど意味のないことではない。というのも、ともすると人は、選択の事実と本来性とを混同しがちだからだ。そう考えた上で私は、「用即美」の神話が、コミュニズムやナショナリズムなどとちがう点を指し示して本章を閉じたいと思う。その示唆は、もちろん本来性の根拠ではないが、選択の一つの理由、あるいはせめてもエクスキューズとはなるはずである。

目的不在の神話

少なくとも指摘すべき差異は、コミュニズムにしろナショナリズムにしろ、「有用性の蝕」における究極的な目的の不在に対して、なんらかの最終目的を捏造しているのに対して、いままで見てきた経験の特性は、あくまで使用の現場に留まって、究極目的の仮象を立てないというところにある。究極目的の設定は、有用性の連関の個々の構成分をその許に組織化し、有意味化するのであり、その結果具体的な使用現場は、階級にせよ民族にせよ、あるいは民衆にせよ、それらの利害という最終的な目的に向かって方位づけられる。現場の働きは、常に未済のままであり、掲げられた目的に到ってようやく完済される。だがこうした完済など、終末論のいう「時の終わり」と同じで、けっして到来することはない。目的がどこまでも実現しないものならば、そのような目的の設定は欺瞞でしかあるまい。それに対して、「用即美」がいわんとすることは、使われているというその現場に留まることであり、それを意味づける外的なものをもたないゆえ、無意味であり無用ですらある。「使用の美」は、むしろ逆説的に役立たずといえる。けれども「役立たず」であるからこそ、それはそこにおいて、目的に達し完結しているのである。

キャピタリズムという神話

コミュニズムもナショナリズムも、捏造した目的によって「有用性の蝕」を振り払おうとする試み、いってみれば蝕の闇から抜け出るような所作であるが、有用性の徹底化の志向が消えない限り、そもそもそこからの脱出は不可能である。この二つの神話は、あるいは少なくとも目的を外部に掲げる神話はどれも、脱出の夢を紡ぐという点でも、欺瞞的であるといわねばならない。私たちにはユートピアなどない。そういう意味では、コミュニズム、ナショナリズムとちがい、むしろ剝き出しのキャピタリズムの方が事態に率直に即している。というのも、富の増大を目的とすることは、目的の不在をそのまま受け入れることだからである。富は、なんにでも役立つもの、もっとも有用なものとして、いわば純粋な手段である。したがって、これを目的とすることは、純粋な手段主義であり、根本的にそれ以上の目的はないのであって、それ自体、目的の追放を意味している。具体的には、得られた富を次の投資に振り向けていくこと自体が目的であり、どこまでいっても終わりのない、したがって目的のない道を歩む。時折有名な実業家が巨額の寄付をすることで、徹底した有用性の連関を外部に開くようにも見えるが、もしもそれが密かな節税のためであるとするならば、結局のところ富の安定した増大をめざしていることになるだろう。あるいは昨今の社会のキーワードであるサスティナビリティに示されているように、地球資源の有限性の意識がかつてのような野放図な富の拡大に制限をもたらしていることはたしかだが、それとても、もしも富の拡大の合理的統御をしているのだとしたならば、上記のような純粋な手段主義と変わるところはない。基本的に外部に開かれないキャピタリズムは、まさに有用性の徹底の表現であり、時代の根本的な底流をなしている。そういう意味では、コミュニズムやナショナリズムなどは、それを粉飾する単なる意匠にすぎず、一皮むけば結局のところ、二つとも留まることを知らぬ富の追求に向かっているのは、私たちが歴史的現実のなかで目の当たりにしてきたところである。

限界の感覚

「用即美」の理念も、目的の不在のなかに生き、有用性そのものを目的にしている点では、純粋なキャピタリズムと類似している。しかしながら、少なくとも本質的にちがっているところがある。有用性としての富の追求の肯定は、追求していく力を肯定している。そのことは人間によるコントロールの力の承認を意味する。それに対して「用即美」の姿勢は、先に見たように限界の意識をもつ。外なる自然、内なる自然と触れ合っているという自覚がそこにあるし、使用者個人を超えたものが自分のなかに働いていることを知っている。このような限界の意識は、有用なものに限りがあって将来枯渇するという、サスティナビリティのそれとは異なる。そのような意識は、新たに有用なものが発見されれば癒される乾きだ。それに対して先に見た使用の現場の充実に働いているのは、いま現在、有用性の外に触れているという意識、人間の力が届かないものに、いままさに接しているという感覚である。それは方向を変えて進む可能性を残した限界意識とは異なり、人間の力の本質的な限界との接触感だろう。「用即美」の思想は、この一点において、「有用性の蝕」のなかの一つの神話でありながら、それを主導する流れから分かれていくのではないかと私は考える。

繰り返すが、私たちは目的の不在のなかに生きるほかない。しかしながら、私たちの力が有限だとするならば、目的の不在とともにある手段を目的に変質させ、己れの力を信頼することもまた、一種の欺瞞であろう。有用性の空洞化によって開かれる無限の闇は、それでもなお私たちがあり、そして、ものもまたそこにある場所である。役に立つということの空疎さにもかかわらず、いやその空疎さを自覚することによって、有用性というベールをはぎ取られて、私たちも、ものも、ただここに存在するものとして浮かび上がる。そうした存在の事実を噛み締めつつ生きる姿が、「用即美」のさらにもう一つ向こう側に見えてくることはないだろうか。そうした姿を本書は最後に、夏目漱石の苦闘のなかに探してみたいと思う。

第五章

夏目漱石『道草』が書かれた場所

一 『草枕』・「非人情」の世界

美的なものと倫理的なもの

私たちは、ものとともに人と出会う。ものがある場所は、人が居る場所でもある。そうだとすると「用即美」という神話は、倫理的なものでもなければならない。柳宗悦が、これをもとに「健全な社会」を思い描いたのも、ものとの出会いと人との出会いの内的連関に拠るのだろう。しかしながら、そうした連関があったとしても、道具との美的関わりの土壌に、おのずと理想的なコミュニティーが育つとは思えないのであり、少なくとも私は、ヨーロッパ・ゴシック時代のギルドに理想的社会を思い描いた柳の想像力についていくことはできない。もっとも、そうだとしたら、柳宗悦から離れ別な角度から、もののある場所を人のいる場所として、より立ち入って考えてみることが要求されようし、私が本書の最後に取り組んでみたいと思うのは、そうした課題である。

「用即美」は、基本的に美的な態度である。ともすると美的なものは、倫理的なものから離れるし、ときとしてそれに背くことすら起こる。柳を始め『白樺』派の面々の多くが、両者の関係を安易につなげたのに対して、彼らが先達として仰いでいた夏目漱石を悩ましたのは、まさにこの問題であり、その苦闘の記録を私たちは、彼の初期作品の一つ『草枕』に辿ることができる。

美的世界の構築・『草枕』

智に働けば角《かど》が立つ。情に棹させば流される。意地を通せば窮屈だ。兎角《とかく》に人の世は住みにくい。[15]

…………

冒頭一文を以って日本人の記憶に残った『草枕』は、「人情と非人情」という対立を下図としている。「人情」および、それへの違反としての「不人情」が善悪の判断を含む実践的エートスを意味するのに対して、「非人情」とは、その次元から退き、これを眺める美的な態度を指す。後者の立場を漱石は、この小説の主人公である画家に委ねた上で、「人情」の

注15
以下、夏目漱石の文章の引用は、岩波書店版『漱石全集』（一九九三－九九年）に依拠しながらも、読者にとっての読みやすさを顧慮して現代仮名遣いに改め、ルビを加減してある。

世界からかけ離れたところに設定された架空の温泉場・那古井に彼を遊ばせ、宿の娘・那美の超俗的な振る舞いを眺めさせた。

けれども、この美的な空間の創設が、現実逃避以外のなにものでもなく、したがってまた、結局のところ現実のなかにとりこまれ浸食されていくことは、この空間に浸りたいと、おそらくは願っていた漱石自身、自覚せざるをえないところでもあった。そのことは、『草枕』といえば、よく引用される、弟子・鈴木三重吉宛ての書簡のなかの、「草枕の様な主人公」であってはいけない、という言葉に現われているし、なによりもほかならぬその主人公が、次のように語っているところに確認することができる——

此《この》夢の様な詩の様な春の里に、啼《な》くは鳥、落つるは花、湧くは温泉《いでゆ》のみと思ひ詰《つ》めて居たのは間違《まちがい》である。現実世界は山を越え、海を越えて、平家の後裔のみ住み古るしたる孤村に迄逼《までせま》る。

『草枕』の「汽車」論

なるほど『草枕』の漱石は、「人情」と「非人情」、倫理的なものと美的なものとをなんとか調和させたいと願っていたが、その試みは結末で、美的な対象だった那美が零落した元の夫に対して示す感情として、「憐れ」を引き合いに出すことにより、「古典的」と受け取られかねないこの気分のなかで、曖昧なまま瓦解していった。しかしながら、そのような結末に到ったとしても、そこに到る緊張感こそ、漱石がもっていた問題意識を、柳たちに対して際立たせていると、私は考えるのであり、そのことが、美的な態度と倫理的な態度との関係を考察するために、夏目漱石を引き合いに出す所以である。

『草枕』の「非人情」は、たしかに現実逃避なのだが、まずそれは、明治維新前年生まれの漱石の人生とともに進行した、日本の近代化に対するリアクションでもあった。『草枕』の始まり近くでは、たとえば、「人情」から脱した世界について、こういわれている——

……………

この乾坤《けんこん》の功徳《くどく》は「不如帰《ほととぎす》」や「金色夜叉」の功徳ではない。汽船、汽車、権利、義務、道徳、礼義で疲れ果てた後に、凡てを忘却してぐっすり寝込む様な功徳である。

……………

「汽船」以下挙げられているものは、すべて近代化を指す符牒だ。さらに主人公は、この小説の終わり頃に「汽車論」を展開する——

……

汽車の見える所を現実世界と云う。汽車程《ほど》二十世紀の文明を代表するものはあるまい。何百と云う人間を同じ箱へ詰めて轟《ごう》と通る。情け容赦はない。詰め込まれた人間は皆同程度の速力で、同一の停車場へとまって、そうして同様に蒸汽の恩沢《おんたく》に浴さねばならぬ。人は汽車へ乗ると云う。余は積み込まれると云う。人は汽車で行くと云う。余は運搬されると云う。汽車程個性を軽蔑したものはない。文明はあらゆる限りの手段をつくして、個性を発達せしめたる後、あらゆる限りの方法によってこの個性を踏み付け様《よう》とする。

この「汽車論」には、二〇世紀の初めに漱石がロンドンで体験した近代の肌感覚が織り込まれている。

汽車へは乗らない、馬車へも乗れない、滅多な交通機関を利用仕様《しよう》とすると、どこへ連れて行かれるか分らない。

初期の『倫敦塔』に書き込まれた、その記憶は、たとえば晩年の『行人』にも蘇る。

人間の不安は科学の発展から来る。進んで止まる事を知らない科学は、かつて我々に止まる事を許して呉《く》れた事がない。徒歩から俥《くるま》、俥から馬車、馬車から汽車、汽車から自動車、それから航空船、それから飛行機と、何処迄《どこまで》行っても休ませて呉れない。何処迄伴《つ》れて行かれるか分らない。実に恐ろしい。

……………………………

こうした感覚もまた、柳を含む『白樺』派と漱石とを分けるものである。武者小路実篤たちにとって「個性」とは、永遠の価値であり、近代とは、それを家父長的な家共同体から解放するものだった。つまり彼らは、近代が個人を「籠絡して押しつぶす」といった感覚など、もちえなかった。そういう意味で『白樺』派と漱石との間では、同じ言葉でいわれていても、「個性」の意味は異なっており、前者が「個性」をヨーロッパからやってきた近代とともに歩む希望の拠り所と楽天的に考えたのに対して、後者のそれには、近代化を重い宿命として受け止め、そこからの逃避を模索するペシミスティックな感情が滲んでいる。

二　「だらしない自然」のリアリズム

「文学とはなにか」という問い

漱石のいう「個性」が安らぎをうる避難所は、『草枕』の場合、「東洋的詩歌」としてイメージされている。それは西洋由来の小説が与えるものではない。「人情」の世界での喜怒哀楽に七転八倒するものとして、漱石が先の引用で引き合いに出したのが、徳冨蘆花『不如帰』や尾崎紅葉『金色夜叉』だったが、それら当時の人気小説は、ともに西洋近代の影響を受けている。だからといって、事態を「東洋対西洋」という、ありきたりの図式にもち込んでも、なにも始まらない。なるほど彼は、『草枕』を「俳句的小説」とも呼んだが、その背景には、単にロンドンで著しく進んだ近代文明に出会って魂消《たまげ》たということに尽きない、文学上の煩悶がある。

漱石『文学論』は、「狼群に伍する一匹のむく犬」と自嘲した、英文学研究者・夏目金之助のロンドン時代の苦悶の回想でもあるが、その根本問題は、文学概念の普遍性への懐疑だった。彼はこう考える——東洋的文学、とりわけ漢文学の教育のなかで育ってきた自分は、漢詩文の美感を享受することができるのに対して、英文学の場合、それを心から楽しむことができない。自分としては、けっして勉強に費やした時間と労力とが足らなかったとは思わない。そうだとしたら、そもそも漢文学における文学と英文学における文学とは、同じ「文学」といっても異なるのではないか。そもそも「文学」とはなんなのか。

時間的経過を本質としない文学の可能性

孤独がもたらす神経衰弱に苦しみつつ、この問いに立ち向かおうと研究を開始した漱石は、『草枕』執筆に動機を与えたと思われる一つの見解に辿り着く。それは当時の日本の知識人にヨーロッパ的文学観を代表するものと受け止められていた、ゴットフリート・エフライム・レッシングのそれに対する異論でもある。レッシングは、絵画や彫刻などを空間芸術と規定する一方、文学の本質を時間的経過に見た。それを念頭に置きながら、漱石は次のように考える――文学は「時間」を表現のなかに取り込みうる点で、絵画や彫刻より範囲が広いけれども、時間を捨象した一時的な叙述や即興的な抒情詩のように、絵画や彫刻に近いところもある。そのような時間的経過に切れ目を入れる非連続的文学としては、和歌、俳句、漢詩が挙げられよう。だが多くの人は、文学が現実の描写であり、現実が時間的なものである限り、文学もまた時間的経過を含まねばならないと思っており、その結果和歌などの断片的文学よりも、出来事の展開を時間的に配列して語る大小説の方が優れていると考えている。しかし——と、ここで正岡子規の親友であり、自身優れた俳人でもあった漱石は、自らの異論をぶつける——

……「含まれたる時間の長きは決して其《その》作品の価値を定むるもの」ではない。

俳句や短歌のような短詩系文学が、長大な長さを誇る小説に対して劣っているとはいえないのではなかろうか。

「大小説」といえば思い浮かぶ、トルストイを尊敬していた徳富蘆花との違和を表明した『草枕』のなかに、私たちはこうした見解に対応する箇所を見出すことができる。主人公である画家は、こういう——

……もし詩が一種のムードをあらわすに適して居るとすれば、此《この》ムードは時間の制限を受けて、順次に進捗する出来事の助けを藉《か》らずとも、単純に空間的なる絵画上の要件を充たしさえすれば、言語を以《もっ》て描き得るものと思う。

要するに「順次に進捗する出来事の助け」を借りる、すなわちプロットに基づく小説とちがい、詩は絵画と同じように、「窈然《ようぜん》として同所に把住《はじゅう》する趣《おもむき》」、つまり奥深い静けさに包まれたまま動かないような美的感情を言語化することができる。漱石は、自らの解説「余が草枕」で、この小説を「世間普通でいう小説とは全く反対の意味で書いた」といい、「唯だ一種の感じ——美しい感じ」を残すもの、「プロットも無ければ、事件の発展もない」ものとして、これを構想したと語っているが、彼自身「絵画的小説」、あるいは「俳句的小説」とも呼んだ『草枕』に込められていたのは、文学のこうした可能性についての考え方であり、この小説は、そのような可能性を確認する実験だったのである。

視座のちがい——小説と俳句

『草枕』執筆のこのような動機に目をやったとき、「非人情」の空間がもつ意味を、「西洋に対抗する東洋」といった図式を超えて、さらに立ち入って考えることへと導かれる。「非人情」という避難所は、小説のもつ「時間的経過」もしくはプロットに対比して、「絵画的」あるいは「俳句的」と特徴づけられるわけだが、この対比は、文学空間の内にある者、すなわち語りの主体の位置のちがいをも反映している。それは先に寺山修司と新劇との間において、あるいは小津安二郎と溝口健二との間でも見たことなのだが、俳句に代表される前者において、人が瞬間的に開かれる時空の内に立つのに対して、後者の語りは「事件の発展」をフォローすることができる位置、つまりプロセス全体を眺めうる地点に立って、これをプロットとして綴る。この視座は、時間的経過を超えたもの、いってみれば、近代的な人間主観に引き継がれていった神の目である。してみると『草枕』の下図を構成する「非人情」対「人情」は、自らを瞬間的な時空の内に見出すのか、それともこれを超えたものとして考えるのかという時間イメージ上の対立でもあることになる。

漱石は『草枕』で、詩的な語りの視座を以って小説を書こうとしたのであり、それがこの小説を「実験的小説」と呼ぶ理由でもあるのだが、小説がプロットを本質とするならば、それは無謀な試みといわざるをえないし、実際それは破綻に導かれた。すなわち「プロットのない小説」を目指したはずのこの小説もまた、結局のところプロットの侵入を免れなかったし、とりわけ後半那美の従弟・久一の登場を合図にその支配は強まった。だが、なぜ漱石は、失敗を承知で実験を試みたのだろうか。行為は必ずしも、単一の理由で起こるとは限らないが、その一つは、リアリズムに関する彼独特の考え方にあったと私は推測する。私たちは、漱石が残した或る断片のなかに、この考え方の表現を見出すことができる。

「自然はだらしないものである」

その断片は一九〇七年もしくは一九〇八年に書かれたものと推定されているから、『草枕』（一九〇六年）執筆からそれほど時を経ていないものだが、そこで彼は、当時日本の文壇で脚光を浴びていた自然主義を念頭に置きながら、次のように書きつけている——

自然派ハlifeハコンナモノダト教ヘル。コンナモノトハドンナ者デアルカト人ニキカレタトキハ又ハ自分デ聞イタトキ作物全体ヲ繰リ返サ〔ナ〕クテハ返事ガデキヌノハ不便デアル。従ツテ自然ノ傾向トシテ彼等も一句ニreduceスルコトノ出来ル様ナlifeヲrepresentスル。

サウスルト作物ノ下ニ意味ガ出来テクル。是ガ写生文ト自然派トノ差ニナル。……写生文ハ人生ノ一句ニマトマラヌ代リニ真ノrepresentationデアルgenuineデアル。

要するに、自然主義が出来事を描きつつ、それを統一するような意味を作ってしまうのに対して、「写生文」は、そうした意味を構成しないから、本当の再現ができるのであり、それこそが純粋なリアリズムなのだ、と漱石は考えている。なぜgenuine、純粋なのか。同じ頃のもう一つ別な断片には、こうある——

> 自然は存外まとまらぬものである。だらしないものである。之《これ》をまとめたがるのが人情である。従って此《この》人情を満足させる時には不自然になる事がある。

元来自然には統一的意味などありはしない。それを与えるのは人間の側、すなわち「人情」であり、それゆえこうした意味を措定しているのは、「筋のないところに筋」を虚構することとして、不純なリアリズムに陥る、というわけだ。「だらしない自然のリアリズム」とでもいうべき、こうした考え方は、私的なメモだけでなく、公表されたエッセイ「写生文」のなかにも顔を覗かせる——

> 筋とは何だ。世の中は筋のないものだ。筋のないものの内に筋を立てて見たって始まらないじゃないか。

「人格主義」的文学の可能性——『野分』

「筋」をもたない「自然」もしくは「世の中」に生きているという根本的な経験が、『草枕』という実験の背後に存していたと私は考えるのだが、漱石はまだこの経験を、自らの創作の核心に据えるに到ってはいなかったようだ。というのも当時彼は、『草枕』とは正反対の文学スタイルも可能性として残していたからである。前述の鈴木三重吉宛て書簡のなかの「草枕の様な主人公」であってはいけないという言葉に続く、「維新の志士の如き激しい精神で文学をやってみたい」という、これまたよく引用されるセリフは、美的耽溺ともいいうる『草枕』の俳句的世界とは異なる、そうした道を指し示している。『草枕』のなかでも主人公は、「非人情的」芸術と並んで「邪を避け正に就《つ》き、曲を斥《しりぞ》け直にくみし、弱を扶《たす》け強を挫《くじ》」く「人情」的芸術の可能性も挙げているが、この可能性は、『草枕』発表の翌年、近代化が進行するなかで生まれてきた成金や権力者に抵抗する高潔な人格者を造形した小説『野分』として具体化された。「非人情」的文学の実験『草枕』の頃の漱石は、「人情」的文学、すなわち「人格主義」的文学との間で揺れていたのである。

しかしながら漱石の「人格主義」は、『野分』に続く『虞美人草』の、「悪女」藤尾を自殺へと追い込むプロットに姿を現したのち、作品の上では鳴りを潜めていく。『草枕』的世界もまた、『思い出すことなど』や『硝子戸の中』といったエッセイにその余韻を残しながらも、小説としては二度と書かれることがなかった。つまり彼は、「人情」と「非人情」の対立をなんらかのかたちで止揚していったはずである。その思考のメカニズムを考えてみることは、私たちをさらにもう一歩、彼の語りの深みへと連れて行ってくれる。

三……「人情」対「非人情」を超えて

漱石「間隔論」における「批評的作物」

「だらしない自然のリアリズム」を漱石の根本経験として念頭に置いてみたとき、「人格主義」的文学が彼のなかから可能性として剝落していったことは、当然の成り行きというるだろう。そもそも「世の中に筋がない」のに対して、白井道也のような人格者など、たとえ「高潔」であろうとも、あらぬ「筋」の人為的構築物にすぎないからである。

漱石は、『草枕』や『野分』とほぼ同時期の『文学論』のなかで、「間隔論」という名の下、きわめて興味深い議論を展開している。「間隔」とは「篇中の人物の読者に対する位置の遠近」を指す。作品のなかで語られる離れた時空の人物に対して読者が「拍案《はくあん》の慨《おもむき》」、すなわち「はあ、なるほど」という気持ちの高揚、簡単にいってしまえば「感動」を抱いて接することができるには、読者と登場人物との距離をどう塩梅したらいいのか――漱石はここで、この問題に取り組む。

「感動」的な接触をもたらすものとして、登場人物が活動する現在に読者自身を立たせる、いわゆる「歴史的現在の叙述」に言及したあと、漱石は「空間短縮法」なるものを挙げる。耳慣れないこの方法とは、漱石によると、読者と登場人物の間に介在する著者の影を隠して、「読者と篇中の人物とをして当面に対座せしむる」ものであり、その方法の一つを彼は、読者を著者と「同立脚点」に置くこと、つまり読者を語り手に徹底的に引き寄せ取り込むことと規定し、これが産むものを「批評的作物」と呼ぶ。これは、著者が「篇中の人物と一定の間隔を保って批判的眼光を以て彼等の行動を叙述して成る」作品である。だが、こうした作品の成功は、著者が自らの叙述の眼差しを、読者もまた共有せざるをえないような普遍的なものにまで高めるよう要求する——

作家自《みず》からに偉大なる強烈なる人格ありて其《その》見識と判断と観察とを読者の上に放射し、彼等をして一言の不平なく作家の前に叩頭《こうとう》せしめざるべからず。

……………

「人格主義」的文学の敗北

『野分』は語り手が主人公・白井道也を操り、当時の拝金主義者を批判する、まさに「批評的作物」だが、これを読んだ者がだれでも、低俗な世の中に対峙する作者の人格の「高潔さ」に納得するようなものでなければ、この小説は成功したとはいえないはずである。

けれども、漱石が「間隔論」で掲げている、読者の「平凡なる人格を摧粉《さいふん》して一字一句の末に至る迄《まで》悉《ことごと》くわが意に賛同せしめ」るような「人格」など、そもそも人間が達しうるものではなく、単なる想像物でしかないのではあるまいか。先に触れた『虞美人草』の場合、お家騒動の張本人であり、許婚者と若い詩人を色香で手玉に取った紫の美人・藤尾を、小説末尾で自殺させるにあたって、漱石は弟子の小宮豊隆に、こう書き送っている――

藤尾は「徳義心」が欠乏した女である。あいつを仕舞《しまい》に殺すのが一編の趣意である。

……

漱石はこの考えが一個の「哲学」であるとさえ、断った上で、「此《この》哲学は一つのセオリーである。僕は此セオリーを説明する為に全篇をかいている」とすら、語っている。そういう意味では、『虞美人草』もまた「批評的作物」なのだが、漱石の「哲学」は、明らかに敗北を喫したといわざるをえない。というのも、三越呉服店や玉宝堂が販売した「虞美人草グッズ」の人気に象徴されるように、当時の読者は、むしろ悪女・藤尾に惹かれたのであり、漱石のいう「道義心のセオリー」の「一字一句」に「賛同」することなど、なかったからである。

この「敗北」は、「批評的作物」を産む立脚点の人工的虚構性を露呈させることになろう。

そもそも漱石のいう「此哲学」、すなわち「道義心」など、その都度の社会や歴史状況によって変化する代物である。藤尾の「エゴイズム」や父親への裏切りを譴責するのは、大時代的な道徳ともいいうる。ほかならぬ漱石自身『文学論』において、ジョージ・メレディス『オーモント卿と彼のアーミンタ』のなかのアーミンタの不義の恋を取り上げ、それが自分に潜む「封建的精神」に合わないとしても、不義の恋を「忌《いま》わしと思う心」と「面白しと興がる心、又は美ししと見る念との釣りあい」は「常に社会組織と共に推移するもの」だとして、己れの考え方の歴史性を認めている。だとすると『虞美人草』の「哲学」などもまた、一個の時代精神にすぎず、もしもこれを、普遍的超時間的なものだと主張するならば、「だらしない自然」と相容れない「筋」を虚構しているといわれてもしかたないだろう。ことは恋愛道徳だけの話ではない。そもそも超歴史な普遍的価値を基軸に据えて、批判的作品として小説を編むことは、そのような「筋」を認めない「だらしない自然のリアリズム」からして、退けられざるをえない可能性だったというほかない。

「非人情」の限界

それでは、一方の「非人情」的小説が断念されたのは、なぜだろうか。『草枕』が「俳句小説」の実験だったとしたならば、「だらしない自然のリアリズム」が「写生」という俳句の理念とつながっている以上、「人格主義」的文学よりも、このリアリズムに近いように見えるし、漱石自身も、そう期待していたと思われる。けれどもこの期待もまた裏切られざるをえない。

たしかに「非人情」的文学は、近代化の過程から逃避することによって、進歩観に代表されるような特定の意味を創立して統一的に世界を見ることから退いてはいる。けれどもそうした回避の地点としての「瞬間」は、自らが生きている時間的現実から切り離された極として思い描かれる、また一つ別なイメージにすぎないのではあるまいか。重荷となる過去や行為を促す将来から切断された、この時間のかたちは、なるほど桃源郷のような甘味を与えてくれるかもしれない。しかし、それは「筋のない自然」という原点にあるカオス的世界とは異なる。たいていのところ無時間的ないしは没時間的な開けとしてイメージされる、それは、「人格主義」的な文学において目指される「高潔さ」が永遠の価値として受け取られるのと、構造的には同じだ。「瞬間の文学」は、なるほど聞こえがいいかもしれないが、「聞こえよさ」のなかには、伝統的なものとして紡がれた「筋」が潜んでいる。のみならず、このイメージの紡ぎ手も「人格主義」同様、「だらしない自然」から離脱しており、無力を装いつつも離脱しうる己れの力を秘かに信じている。こう考えてみると、「非人情」的な文学もまた、この自然を「だらしない」ままにリプレゼントする純粋なリアリズムに到らないと思われるのである。

『草枕』当時思い描いていた二つの可能性、『草枕』で実験された住みがたい現実に対抗する美的立場の造形も、『野分』で試された「人格主義」的な善から現実を診断し批判する試みも、ともに漱石の原点的リアリズムへの志向を満たさない。そうだとするならば、彼がこのあと歩んでいくことになる方向は、おのずと決まってくるはずである。すなわち、無時間的もしくは脱時間的な桃源郷のようなユートピアでも、高潔な人格としてイメージされる超越的な高所でもなく、時間とともに生起していく出来事と同一の平面へと入っていくことしか、道は残されていない。

四……「盲動」する眼差し

もう一つ別な道――「同情的作物」

漱石は、先の「間隔論」において、読者と登場人物との「距離」を短縮する、もう一つ別な方法も挙げている。それは、読者を著者と同一化する「批評的作物」の場合とちがい、今度は著者を登場人物と融合させるものであり、それによっても読者は、登場人物との間の距離を短縮して、これを受け取ることができる、と漱石はいう。「同情的作物」と名づけられる作品を生む、この方法において著者は、「公平なる判官の態度」を離れ「篇中の人物と盲動」していく。その人物が愚かであってもかまわない。愚かであれば愚かなところを、浅はかならば浅はかなところを共にし、自他の区別を超えて同一化するならば、著者の自我は登場人物と融合していき、そのことによって読者は著者の影を忘れて登場人物とじかに相対することができる。

「間隔論」の漱石は、ウォルター・スコット『アイヴァンホー』におけるレベッカによる戦いの描写と、ジョン・ミルトン『闘士サムソン』におけるサムソン最期についての記述とを比較し、スコットに軍配を上げている。彼によると、その理由は、戦争の進行を城の窓を通して見ながら同時に病床の騎士アイヴァンホーに報告するレベッカの語りが、「眼前の戦」を「未知数」のままに留めるのに対して、ミルトンによって配されたサムソン最期の語り部が「既知数を報ずるの態度」であるところにある。要するにスコットが著者としての己れを視野の狭いレベッカに委ねたこと、レベッカとともに「盲動」したことを買ったのである。漱石がのちに選んでいくことになる叙述スタイルは、これと同じだ。とりわけ修善寺で持病の胃潰瘍を原因とした吐血による生命の危機から帰還して以降、彼は意図的にこの方法を選び取っていくことになる。

『彼岸過迄』・視座の複数性

修善寺大患直後の作品は『彼岸過迄』である。この小説で漱石は、自らの語りの視点を作中の登場人物・田川敬太郎に委ね、彼と「盲動」していった。大学を出たものの、まだ定職を得ることができない、この青年は、生来の「浪漫趣味」によって、都市の日常的な風景のなかにさえ、殺人事件の臭いを嗅ぎつけようとする男である。この人物が形づくられていった前半部は、評者によっては、「余計」な付加物と見なされることもあったが、そこでは、なにかが起こりそうで、結局なにも起こらないまま物語は終わる。それでもこの青年は、田口要作という実業家から依頼された探偵の任務に就いて動き回りはするのだが、この任務も田口が仕組んだ「悪戯」にすぎず、浅薄なところがあるにせよ、生真面目に役を演じた敬太郎が職を得たことだけが後に残される。もっとも、小説は後半に入ると、それなりの展開を見せる。三つの短編からなる後半は、敬太郎の友人であり、田口の甥である須永が前面に登場してきて、出生の秘密や幼馴染・千代子との入り組んだ関係が語られる。普通『彼岸過迄』といえば、須永のこの煩悶が主題と受け取られるわけだが、語りの視座は複雑になり、三つの短編は、最初の「雨の降る日」が千代子、「須永の話」が須永、「松本の話」が須永の叔父にあたる松本、といった具合に、それぞれ異なる語り手を配されて、敬太郎はその聞き役に回ることになる。主題のことは措くとして、こうして複数の異なる語り手が語るというポリフォニーは、同じ事象でも見方がちがうわけだから、軽薄な敬太郎だけでなく、他の三人の視野をも必然的に限定されたものとして現われさせることになる。

三人のなかでもっとも「見識」を備えているとされるのは松本だが、漱石は、彼の目を須永の暗い闇に届かないものとして造形している。すなわち松本は、須永出生の秘密、要するに彼の実の母親が現在の母ではなく、かつて働いていた小間使いの女であったことを須永本人に告げた人物であり、そのことを彼は「僕にとって美くしい経験の一つ」であり、須永にとっても「生れて始めての慰藉《いしゃ》ではなかったか」とした上で、「善い功徳《くどく》を施こしたという愉快な感じ」をもったと、敬太郎に語る。けれども、一月半後に再会した須永が「人間の頭は思ったより堅固にできているもんですね、実は僕自身も怖くってたまらないんですが、不思議にまだ壊れません」と語るのを聞いて、松本は「妙に憐れ深い感じ」に打たれる。要するに松本の当初の「善い功徳を施こした」という感想の記録は、彼の眼差しが須永の心の悩みに達していなかったことを示すのである。

小説全体の不透明性は、他の語り手の聞き役も演じた敬太郎に関わる結びの言葉に、端的に表われている――

幾席かの長話《ながばなし》は、最初広く薄く彼を動かしつつ漸々《ぜんぜん》深く狭く彼を動かすに至って突如として已《や》んだ。けれども彼はついにその中に這入《はい》れなかったのである。

日常の怪しい色

『彼岸過迄』で語られている出来事は、どこまでも日常的な事柄である。舞台は、山里離れた温泉郷ではなく、電車が停留所を通過し、宝石商や革屋が並ぶ東京の街角である。そこにはユートピア的な春霞は棚引いていないし、人を癒す美しい感じもなく、ひょっとすると醜くさえある。その空間は、「纏《まと》まりのない夢」のような「空気」に包まれていて、見通しが効かない。ましてそこに起こる出来事は、母親と千代子に対する須永の感情に如実に現われているように謎めいている。それを見ようとする小説の視野は、「白井道也は文学者である」から始まり、この人格者の戦いの歴史を経年的に叙述する『野分』冒頭の語りの視野とは、比べようもなく狭い。けれどもそれが人間の現実を眺める生きた眼差しなのであって、むしろ『野分』の俯瞰的視線の方は、白井という人物の活動空間から離れ、そこに筋をつけている点で人為的なものというべきだろう。だとすると、『彼岸過迄』の語りは、底が見えないものを見えないものとしてリプレゼントするという意味で、ジェヌインな再現であり、「だらしない自然のリアリズム」が行き着いた一つのかたちだといえると思うのである。

未決の終末論・『行人』と『心』

『彼岸過迄』に続く『行人』と『心』は、短編の連鎖という形式と、これまた『彼岸過迄』にも採用された手紙による話の挿入という手段を用いて、同様のリアリズムのかたちを継承している。『行人』の二郎、『心』の「私」という語り手は、敬太郎と同様、それぞれの主人公たちと同じ平面に居て彼らを見つめるが、その運命の奥底を見通すことができない。『心』の場合でいえば、なぜ「先生」は自殺に追い込まれていくのか、その理由を、「私」は理解することができない。そのことは「先生」の目線において、Kの自殺の理由が、宗教的挫折でもなく、また「先生」の奥さんとなる静への失恋でもなく、ただ「淋しさ」という言葉だけで指し示されるに留まっていること、つまり通常のロジックが届かない心の闇が露わになっていることと、パラレルである。この同じ「淋しさ」を、これから起こる「先生」の自決へとつなげていく語りは、見えない運命を見えないまま、しかもリアルに示す叙述のかたちとして、「だらしない自然」のリアリズムの一つの頂点に達しているように私には思われる。

『彼岸過迄』になく、この二つの小説に現われるのは、主人公の自殺による結末のつけ方である。死を以って結末とするのは、それ自体陳腐な幕引きですらあるが、二つの小説の場合特徴的なのは、ともに、この結末が物語の内部には描かれず、基本的にはこれから起こる可能性として示されているというところだろう。『行人』は、最後の短編「H氏の手紙」で終わるが、そこで一郎は、H氏が手紙を書いている目の前で「ぐうぐう」眠っている。『心』の場合、「先生」からの手紙を受け取った「私」が、臨終間際の自分の父を置いて東京へ帰る汽車に向かうところでストーリーの進行は途絶する。もちろん二つの場合とも、死は示唆されている。『行人』の場合、ストーリー全体の半ばくらいに出てくる「今になって、取り返す事も償う事も出来ないこの態度を深く懺悔したいと思う」という二郎の言葉の「今」とは、事が起こった後の「今」である。『心』の場合も、そもそも書き始められたときのタイトルが『先生の遺書』だったこともあるし、「私はその人を常に先生と呼んでいた」という冒頭一文の過去形からは、「既に事が終わった」という気配が漂ってくる。つまり死は、この物語の外側を縁どるように配置されていて、語りの内部では可能性のままに留まるのであって、しかも、現実化するはずのこの可能性に向かって出来事が取り集められていく、という構造によって、二つの小説は特徴づけられているといえよう。

「片付かない」日常

いまだ起こらない終末へと集約されていくという、いわば未決の終末論は、このあとに続く『道草』と『明暗』には見られない。未完に終わった『明暗』は措くとして、『道草』にはドラマティックな死の影などない。むしろそこにあるのは、どこまでも終わらない日常である――

彼の心のうちには死なない細君と、丈夫《じょうぶ》な赤ん坊の外《ほか》に、免職になろうとしてならずにいる兄の事があった。喘息で斃《たお》れようとして未《ま》だ斃れずにいる姉の事があった。新らしい位地が手に入るようでまだ手に入らない細君の父の事があった。其《その》他島田の事も御常《おつね》の事もあった。そうして自分と是等の人々との関係が皆《みん》なまだ片付《かたづ》かずにいるという事もあった。

「だらしない自然のリアリズム」が達した最後の形態というと、私自身が漱石の歩みに一つの「筋」をつけるという、いわば「禁じ手」を打ってしまっているようにも思うのだが、『彼岸過迄』のポリフォニー、『行人』や『心』の未決の終末論と、少なくとも並ぶものとして、漱石が『道草』での語りに与えたかたちに目を向けてみたいと思う。そこには、『草枕』の画家や『野分』の白井道也はもちろん、『彼岸過迄』から『心』までの作品群に登場する人物たちともちがう、人間の姿が現われるはずである。

五……『道草』の眼差しと未完了の過去

『道草』・「慈愛」の作品?

『道草』の主人公・健三は、この小説の自伝的性格からして、漱石の分身といってよい。にもかかわらず、この小説の語り手・漱石は、健三と「盲動」してはいない。冒頭の文章には、こうある――

彼の身体には新らしく後に見捨てた遠い国の臭《におい》がまだ付着していた。彼はそれを忌《い》んだ。一日も早く其臭《その》を振い落さなければならないと思った。そうして其臭《そのにほい》のうちに潜んでいる彼の誇りと満足にはかえって気が付かなかった。

……………………

密かな「誇りと満足」を指摘する視線は、健三がそれに「気付か」ないというのだから、健三のものではない。この眼差しは、健三の厭わしくとも離れがたいパートナー・住の側に立って、健三を批評しさえする。

細君の方ではまた夫が何故自分に何もかも隔意《かくい》なく話して、能働的に細君らしく振舞わせないのかと、その方をかえって不愉快に思った。

この視線は、ほかにも健三の兄、住の父、それからこの小説の主題でもある健三の因縁の具体化・島田夫婦の立場を代弁することも、わずかながらある。要するにほぼすべての主要登場人物の心の内について語りうる、この眼差しは、「盲動」するどころか、かたちの上では、むしろ「批評的作物」を生むそれに近い。ならば、『道草』に到って漱石は、『野分』のような「人格主義」的文学を再び追求してみる気持ちになったのだろうか。

なるほど『道草』の根本思想を「人格主義」と見る解釈は、たとえば「健三を超越し、それを解剖し描写し批判する立場」として「神の如き人類への慈愛」に接近した（岡崎義恵）とか、「我欲の発現を通じて人間はさらに大きな自然と社会への愛情を果し、それぞれの個性にふさわしい貢献をしながら生きていく」という思想に漱石が辿り着いた（岩上順一）とか、古くからある。けれども、こうした「人格主義」的な読みに関しては、なんらかの高い立場を想定したものとして、私は違和感を覚えざるをえない。

岡崎のいう「慈愛」は、たしかに『道草』のなかに単語として数度出てくる。その一つは、健三がかつては住のヒステリーの発作に対して、「神の前に己れを懺悔する人の誠」を以って彼女に尽くしたことを前提にして、「今だってその源因《げんいん》が判然分りさえすれば」変わりはないという健三の姿勢を「彼にはこういう慈愛の心が充ち満ちていた」（強調筆者）と表現する。あるいは島田の後妻の連れ子である御縫が死にかけているという情報は、頑なになりかけていた健三に対して「人類に対する慈愛の心」（強調筆者）をそそるものだったと語られるが、それは同時に健三にとって、やってくる死を島田が狡猾に利用するだろうと予測し、それを避けたいと考えるきっかけとなる。いずれにせよ小説の「根本思想」としての「慈愛」が、こうして条件づけられた優しさ、人間並みの計算と簡単に結びつくものだとするならば、それは、とてもではないが、岡崎のいうような「神の如き」ものとはいえないだろう。あるいは、もしも根本思想として「理想的」な「慈愛」があったとすれば、健三の中途半端な「慈愛」は批判的に扱われてしかるべきだろうが、少なくとも『道草』の語りは、これをそのまま放置するだけだ。私としては『道草』を、少なくとも『野分』や「虞美人草』のような「高所」から語られた「批評的作物」としてではなく、後期三部作を経由した以上、「同情的作物」の一つのヴァリエーションとして読んでみたいと思うのである。

無定形な日常

『道草』の世界は、『草枕』が目指した「非人情」の乾坤からは、ほど遠い。むしろ、これを破ってしまう「人情」の世界であり、しかも逃避を許さない陰惨な日常であって、健三は、そこに留まるほかない。戦後すぐ、若くして歴史的な漱石論を以って登場した江藤淳は、これを「無定形な日常生活」と呼んだが、たしかに、人がこうあるべきだと考えたり期待したりする「かたち」、すなわち「意味」など、そこには見当たらず、逃れ出ていく先は示されようもない。ここは、調和のとれた、あるいは調和がとれるはずのコスモスどころか、カオスを秘めた無意味な空間、まさに「だらしない自然」にほかならない。

たとえば健三が外国へ留学する以前に「肌理《きめ》の濃《こま》やかな美しい子」として生まれた長女は、帰ってみると容貌が悪い方向に変化して自分に似てきている。次女は始終頭に腫物《できもの》をこさえていたため髪の毛を切られた結果、「海坊主の化物」のようになってしまった。そんな娘たちを見つめながら健三は、これから生まれてくる第三子のことを考えて、うんざりする——

……ああ云うものが続々生れて来て、必竟何《ひっきょうど》うするんだろう。

運命のかたち——『門』と『道草』

人が思い描いた夢とは別な方角へ導かれていくこと、すなわち、思い通りにならない宿命的存在であることは、『野分』にも書かれていたことだし、「人格主義」的文学ならずとも、たとえば『それから』や『門』のテーマでもあった。だが『門』の場合を取り上げてみれば、その眼差しは、運命に左右される主人公たちを、上方から眺めている。『門』は、友人・安井から、その妻・米を奪い取った宗助が、そのことで苦しみながら彼女とともに生きる物語だが、終盤の安井の接近を、鎌倉の禅寺に逃げることによって回避した宗助については、次のような解説が与えられている——

……彼の頭を掠《かす》めんとした雨雲は、辛うじて、頭に触れずに過ぎたらしかった。けれども、是《これ》に似た不安は是から先何度でも、いろいろな程度において、繰り返さなければ済まない様な虫の知らせが何処かにあった。それを繰り返させるのは天の事であった。それを逃げて回るのは宗助の事であった。

運命を「天の事」という言葉を以って、確定した事柄として叙述する語りは、「逃げ回る」宗助を外から観察している。それは、先にスコット対ミルトンの評決に際して漱石が用いた表現でいえば、「既知数」としての運命だ。

それに対して『道草』の眼差しは、主人公と同じ高さに降りてくる。過去の重荷は、島田、あるいは常、そして姉や兄といった登場人物と一体化して、健三の生活平面に現われ、振り払いがたくつきまとう。

……………………………………………

健三の心を不愉快な過去に捲き込む端緒《いとぐち》になった島田は、それから五、六日ほどして、ついにまた彼の座敷にあらわれた。

其時《そのとき》健三の眼に映じたこの老人は正しく過去の幽霊であった。また現在の人間でもあった。それから薄暗い未来の影にも相違なかった。

……………………………………………

これに次いで「不愉快な過去」の宿命的性格を強調するのは、「天の事」に通じた語りではなく、健三とともに暮らす住である。

……

「とうとう遣《や》って来たのね、御婆さんも。今迄《まで》は御爺さん丈《だけ》だったのが、御爺さんと…………………………

御婆さんと二人《ふたあり》になったのね。これからは二人に崇《たた》られるんですよ、貴夫《あなた》は」
細君の言葉は珍らしく乾燥《はしゃ》いでいた。笑談《じょうだん》とも付《つ》かず、冷評《ひやかし》とも付《つ》かない其《その》態度が、感想に沈んだ健三の気分を不快に刺戟した。彼は何とも答えなかった。

…………………………

こうしていわば水平にみられた過去の重荷と比べれば、『門』で語られた夫婦の生活は、たとえ鬱屈したものであろうとも、離れたところに立つ対象として観察され、その結果場合によると美化される可能性も出てくる。それは、いわば「標本化」された運命であり、たとえ繰り返し宗助を脅かすにしても、確定され完了した過去にほかならない。それに対して、『道草』の鬱々とした現在に侵入してくる過去は未完了であり、過去といいながら、いつでも蘇ってくる「未知数」の未来でもある。

…………………………

健三は自分の背後にこんな世界の控えている事を遂に忘れることが出来なくなった。この世界は平生の彼にとって遠い過去のものであった。しかしいざという場合には、突然現在に変化しなければならない性質を帯びていた。

…………………………

突如健三を脅かす過去とは、『草枕』の主人公がそこから逃亡しようとした「人情」の世界、汽車に象徴された近代化の世界でもある。要するに『道草』は、『草枕』執筆後の漱石が「維新の志士の精神」とともに、いま一度戻らねばならないといっていた修羅の世界に、ただし「高潔な人格」を以って、これと戦うのとは異なる姿勢で入ってくる。

六……「人格」が解体され続ける世界としての金銭

役立つことを強いられる健三

近代化は、本書で繰り返し述べてきたように、有用性の徹底化である。それは人間をも駆り立てるなにものかであり、したがって先に引用した通り『草枕』でも、その象徴たる「汽車」が個性を蔑《ないがし》ろにするものとして表象された。それは、寺山修司の章で触れた集団就職の汽車でもある。『道草』でも、有用性は同様に健三を苛む。

……………………

実父から見ても養父から見ても、彼は人間ではなかった。寧ろ物品であった。ただ実父が我楽多《がらくた》として彼を取り扱ったのに対して、養父には今に何かの役に立てて遣《や》ろうという目算がある丈《だけ》であった。

……………

「もう此方《こっち》へ引き取って、給仕でも何でもさせるから左右《さう》思うが可《い》い」

健三が或日養家を訪問した時に、島田は何かの序《ついで》に斯《こ》んな事を云った。

健三は、こうした脅迫から逃れるために必死にもがき、大学で学んで学者となり洋行した。けれどもそうして逃れ出たと思ったら、今度はその地位を目当てに、島田は押しかけてくる。島田だけでなく、姉も兄も義父も、彼に重荷のようにのしかかる。妻の住もまた例外ではない。

……………

「御前は役に立ちさえすれば、人間はそれで好《い》いと思っているんだろう」

「だって役に立たなくっちゃ何にもならないじゃありませんか」

生憎《あいにく》細君の父は役に立つ男であった。彼女の弟もそういう方面にだけ発達する性質《たち》であった。これに反して健三は甚《はなは》だ実用に遠い生《うま》れ付《つき》であった。

有用性の純粋な表現としての金銭

「役に立つ」ことは、結局金銭に行きつく。「金銭」とは、有用性のもっとも純粋な表現である。それは、なんにでも役に立つものとして、世の中のあらゆるものを支配する。考えてみれば『道草』の主題の一つは、まちがいなく金銭だ。始めから終わりまで、この小説は金の話だといっても過言ではない。「実用」に遠いはずの学者・健三をも、金銭という運動は容赦しない。島田は、健三の神経を逆なでするかのように、こういう——

「本というものは実に有難いもので、一つ作って置くとそれが何時迄《いつまで》も売れるんですからね」

……………………

「学問をするものの理想は何であろうとも——金でない事丈《だけ》は慥《たし》かである」と演説したのは『野分』の白井道也だったが、「守銭奴」のように時間を惜しんで学問に没頭する健三は、「無意味に暇を潰すという事が目下の彼には何よりも恐ろしい」にもかかわらず、家計の圧迫を前にして、「月々幾枚かの紙幣」のために、別な仕事をせざるをえなくなる。『吾輩は猫である』執筆を思わせる健三の創作作業も、個人的な道楽だったはずなのに、金銭に換算され、最終的には島田との絶縁のために使われていく。かつてはその『吾輩は猫である』で拝金主義を攻撃した漱石だったが、『道草』の健三は、金銭のもつ力、したがって有用性のもつ力から、「人格」や「個人」が自由でないことを苦々しく自覚する。

彼の道徳は何時《いつ》でも自己に始まった。そうして自己に終るぎりであった。

彼は時々金の事を考えた。何故物質的の富を目標《めやす》として今日迄《まで》働いて来なかったのだろうと疑う日もあった。

「己《おれ》だって、専門に其方《そのはう》ばかり遣《や》りゃ」

彼の心にはこんな己惚《おのぼれ》もあった。

彼はけち臭い自分の生活状態を馬鹿らしく感じた。自分より貧乏な親類の、自分より切り詰《つ》めた暮し向《むき》に悩んでいるのを気の毒に思った。極めて低級な慾望で、朝から晩迄《まで》齷齪《あくせく》しているような島田をさえ憐れに眺めた。

「みんな金が欲しいのだ。そうして金より外《ほか》には何にも欲しくないのだ」

斯《こ》う考えて見ると、自分が今迄何をして来たのか解らなくなった。


純粋な有用性であり、したがって純粋な手段である金銭が目的となることの不条理を前にして、健三は打ちひしがれる。

金銭は、有用性という関係一般の具象化であるゆえ、通常金銭的価値で表示されないものも、この関係を免れることはない。「有用性の蝕」について述べたときもいったように、有用性の徹底化による有用性の空疎化を防ぐための目的の仮象の一つである人間存在も、有用化される、すなわち関係の変数に変換される。つまり「個人」とか「人格」とかいわれてきたものも、実体的なものではなく、関係のなかで変化していくものでしかなくなる。

仮面としての人格

「白井道也」的な「人格」は実際、少なくとも『彼岸過迄』以降、漱石の小説には登場しない。この小説の須永は、千代子に対して幼馴染以上の感情をもっていなかったのに、彼女の花婿候補である高木が現われると、自分のなかに嫉妬が生じ、これが殺人の狂気にすら変わりかねないのに怯える。『心』の先生がKの登場によって気持ちの変化を覚え、先んじて静に求婚するのも同じメカニズムだ。人間は関係のなかで作られ変わっていく。

健三もまた、島田に象徴される過去の世界のなかで作られた存在であり、一旦はそこから抜けて「個人」になったにもかかわらず、結局過去の亡霊に取りつかれたままの自分を発見する。

過去の牢獄生活の上に現在の自分を築き上げた彼は、其《その》現在の自分の上に、是非共《とも》未来の自分を築き上げなければならなかった。それが彼の方針であった。そうして彼から見ると正しい方針に違なかった。けれども其《その》方針によって前《さき》へ進んで行くのが、……此時《このとき》の彼には徒らに老ゆるという結果より外《ほか》に何物をも持ち来《きた》さないように見えた。

己れの内に実質的なものを見出せない健三は、『白樺』と同世代の詩人・高村光太郎の詩「道程」に見られるような、自ら道を切り開き後に道を残す輝かしい個人とは、まるでちがう。「徒らに老」いていくだけと考える健三に、漱石は「いくらでも春が永く自分の前に続いているとしか思わない」若い学生を連れ添わせることによって、落差を鮮明に描き出している。

関係のなかで変わっていく人間、実体のない人間は、『明暗』の清子の姿でもあり、理由も告げず心変わりし、主人公の津田を捨てた女性として彼を悩ませる。

……………「精神界も全く同じ事だ。何時《いつ》どう変るか分らない。そうして其《その》変る所を己《おれ》は見たのだ」

だが、かくいう津田自身も変化を免れない。彼は気づかずとも、妻の眼には変化が明らかだ。

お延の眼には其時《その》の彼がちらちらした。其時の彼は今の彼と別人《べつにん》ではなかった。といって、今の彼と同人《どうにん》でもなかった。平たく云えば、同じ人《ひと》が変ったのであった。……………

不変の人格《ペルソナ》は幻想にすぎない。人格は、仮初の仮面《ペルソナ》なのだ。

輪舞・目的《エンド》なき日常

有用性の徹底化は、実体的な人間存在のイメージが幻想だったことを暴露するとともに、必然的に目的の不在へと到る。その具体化としての金銭の世界もまた、終わりをもたない。「金より外に何にも欲しくない」のだから、常に金という純粋な手段を求める。手段なのだから、常に中途に留まる。金銭に追いかけられる物語に、終わりがあるはずもない。『野分』の物語を締めくくる白井道也の演説も、『虞美人草』の藤尾の自殺も、ましてや『坊っちゃん』の、たとえ安っぽいとはいえ、鉄拳制裁という正義感の発露すらも、ここ『道草』には見当たらない。展開されるのは、文字通り「片付か」ない世界だ。健三と住のいい争いのかたちは、まさにこの世界の象徴である——

夫と独立した自己の存在を主張しようとする細君を見ると健三はすぐ不快を感じた。……

ややともすると、「女のくせに」という気になった。それが一段劇しくなると忽ち「何を生意気な」という言葉に変化した。細君の腹には「いくら女だって」という挨拶が何時でも貯えてあった。

「いくら女だって、そう踏み付にされて堪るものか」

健三は時として細君の顔に出るこれだけの表情を明かに読んだ。

「女だから馬鹿にするのではない。馬鹿だから馬鹿にするのだ、尊敬されたければ尊敬されるだけの人格を拵えるがいい」

健三の論理《ロジック》は何時の間にか、細君が彼に向って投げる論理と同じものになってしまった。

彼らはかくして円い輪の上をぐるぐる廻って歩いた。そうしていくら疲れても気が付かなかった。

この輪舞は、時折休むことはあるし、「二人は手を携えて談笑」することすらある、と漱石は書く。しかし、そのあとに続く言葉は、底知れぬ絶望感を伴っている。

二人は手を携えて談笑しながら、やはり円い輪の上を離れる訳に行かなかった。

「丸い輪」には、当然ながら始まりも終わりもない。二人の無限の宿命的輪舞に、救いは訪れない。

神格化されない自然

江藤淳に続き一九七〇年代以降の漱石論をリードした柄谷行人は、「健三の自己完結的な意識をうちやぶり彼を曖昧模糊とした存在たらしめるのは、「自然」である」と述べている。たしかに諍いのさなかに「自然」が介入してきて、二人を休戦へと導く。

不愉快な場面の後には大抵仲裁者としての自然が二人の間に這入《はい》って来た。二人は何時となく普通夫婦の利くような口を利き出した。

だが続けて次のようにいわれるように、「自然」は彼らの輪舞を最終的にどこかへ「片付け」てくれはしない。

けれども或時の自然は全くの傍観者に過ぎなかった。夫婦はどこまで行っても背中合せのままで暮した。

漱石は、『彼岸過迄』の作《さく》や『行人』の貞《さだ》といった女性たちに、母性的でもある超越者としての「自然」のイメージを造形した。彼女たちは、『坊っちゃん』の庇護者・清の後継者たちである。けれども『道草』では、そうした救いをもたらす女性は、現われない。なるほど「睫毛《まつげ》の多い切長」の眼をもった御縫さんは、そうした女性的形象のように見えはするが、先の引用のとおり、「狡猾な島田」と切り離されがたいものとして、けっして彼を「利害」の世界から解放してくれることはない。それどころか彼女は、不治の病に侵されていて、結局のところ思い出のなか以外に登場することもなく死んでしまう。

『道草』の「自然」は、けっして神話化されない自然である。ここでの自然は、『それから』の代助と三千代の不義の恋を「自然の昔に帰る」と、仮初ながら正当化したような「自然」ではない。柄谷もいっているが、それは「メタフィジカル」なものではなく、「フィジカル」ですらある。健三は、芭蕉や竹といった植物、あるいは動物を念頭に置きながら、人間も支配している「法則」を思い浮かべ、母親が「子供を独占するのが当たり前だ」とすら考えてみたりする。もっとも、ここでいう「法則」は、いわゆる「自然法則」ではなく、「だらしない自然」に健三自身がもちこんだ「不自然」な筋にすぎない。よしんば、それがいわゆる「自然法則」として妥当するとしても、健三を救うことはない。彼に残されるのは「断念」だけだ。

七……断念が開く場所

小刀細工の日常

彼は何時までも不愉快の中で起臥する決心をした。成行が自然に解決を付けてくれるだろうとさえ予期しなかった。

救いを断念した健三の目には、なにも新しいことが起こらない日常の風景が映る。そこでは、なにか新奇に見えることも、まとまりのつかない世の中にまとまりをつけるために作られたフィクションでしかない。

歳が改たまった時、健三は一夜《いちや》のうちに変った世間の外観を、気のなさそうな顔をして眺めた。

「すべて余計な事だ。人間の小刀細工《こがたな》だ。」
実際彼の周囲には大晦日も元日もなかった。悉《ことごと》く前の年の引続きばかりであった。彼は人の顔を見て御目出とうというのさえ厭になった。

金銭に代表される無限の無意味さの連鎖として健三をとりまいて苛む日常を「小刀細工」として眺めたところで、その重荷が減るわけではない。けれども、過去から集積した因果を実体性なきフィクションと見る、この眼差しは、世界の内に居ながら、同時にこれから離れている。それは自らを「高潔な人格」として保持し、進行する現実を、己れのもつ基準から断罪する態度とも、この現実に背を向け別にこさえた虚構的乾坤に遊ぶ姿勢とも異なる。健三にとってもっとも重たく忌まわしい過去は、もちろん島田だ。その島田は、この眼差しに、「小刀細工」の現実を実体的なものと受け取り、これに拘り、そこに巻き込まれている者として映る。「一銭銅貨」の損失さえ厭うほど金銭にこだわる島田が、調子のよくないランプを執拗にいじっているのを見ながら、健三は思う――

健三はただ金銭上の慾を満たそうとして、その慾に伴なわない程度の幼稚な頭脳を精一杯に働らかせている老人をむしろ憐れに思った。そうして凹《くぼ》んだ眼を今擦《す》り硝子《がらす》の蓋の傍へ寄せて、研究でもする時のように、暗い灯を見詰めている彼を気の毒な人として眺めた。

……………

島田を「気の毒」と思い、「憐れ」と思うのは、わずかな金に拘って、同じく金銭上の「大きな損」を被っているからではない。むしろ「金銭」も含む現実の仮象性に気づかないことに健三の気持ちは動くのである。ここに現われる「憐れ」は、『草枕』のそれとは異なる。あのとき画家は、那美を絵画の対象として捉えていたのであり、彼女から切断された空間に留まっていた。したがって那美が落ちぶれた元の亭主に対して抱いた感情の内実は画家にとって本質的に舞台上の出来事、つまりは他人事であり、画家は、那美の感情を共有して、亭主の運命を己れのものとして、ともに担うことなどできない。それに対して健三は、自分が好まない「神の目」を想定しながら、自分もこの老人と大してちがわないことを自覚する。

……………

「彼は斯《か》うして老いた」

島田の一生を煎《せん》じ詰《つ》めたような一句《いっく》を眼の前に味わった健三は、自分は果して何《ど》うして老ゆるのだろうかと考えた。彼は神という言葉が嫌であった。然《しか》し其《その》時の彼の心にはたしかに神といふ言葉が出た。そうして、若し其神《その》が神の眼で自分の一生を通して見たならば、此《この》強慾な老人の一生と大した変りはないかも知れないという気が強くした。

……………………

痛みに耐えることの凛々しさ

有用性の世界である日常に巻き込まれ、そこで死ぬまで右往左往するのは、自分も同じだ——この自覚は痛々しい。そう見たとき、己れもまたみすぼらしく醜いからだ。だが、そうした痛みの現われは、金銭という関係を日常の基本的なかたちとすれば、それとともにありうる、あるいはその裏に生じうる生のかたち、金銭に還元できないのだから有用性とは異なる、もう一つ別なかたちだ。私たちは「人格」とか「道徳律」とか掲げなくても、この日常のただなかにありながら、そうした姿をまというる。それは日常を超えた規則によって描き出されるような人のかたちではない。規則で定められたものに違反していたとしても、自分も同じだというこの痛みを感じつつ生きることは可能だし、実際にそれは起こる。そもそも規則とは、筋のないところに筋をつけたものとして、日常の表の世界の関係項の一つであり、そういう意味では金銭の仲間だ。痛みを自覚している姿は、表の関係とは正反対のもの、すなわち、関係性、有用性の視点から見れば、意味のない、まさに役立たずなことというほかない。だが、このような痛ましさの自覚を帯びた人間の姿を、そしてそれのみを、私たちはともに生きる者として信頼しうるのではないだろうか。逆にいえば、そうした痛みをもたない人間は、この醜い日常から脱出した自分の姿を想定しているゆえ、私たちの共在の平面からは飛翔してしまっている、あるいは飛翔し超越しているかに振る舞う。そのような姿は、いかに立派に見えようとも、人間である以上まやかしの演出であって、しかも己れの信念の強さゆえに他者に対して不寛容であり、ときとして高慢にさえ映る。

痛ましさを堪える人間の姿は尊い。私自身は、「尊厳死」などというかたちで、今日規則のなかにもちこまれてしまった感のある「尊い」というこの言葉が好きではない。けれども「神」という言葉を嫌いながらこの言葉しか思いつかない健三に倣って、役立たずなものとして現われるその姿を、敢えて「尊い」と呼びたいと思う。本書が扱う主たるジャンルの一つであった映画は、歴史的にも無数の「無法者」たちを扱ってきた。彼らは、法の規の外部にあろうとも、またそうであるがゆえにこそ、痛みを体現しており、それゆえに尊い。扱ってきた映画のなかでいえば、是枝裕和《万引き家族》の父親、とりわけ別れることになる「息子」と一緒に雪だるまを作るその姿がそうであるように、彼らが痛みを痛みとして自覚し、なお堪えている姿は、なんらかの価値の表現としてではなく、そのままに凛々しく私たちの心を揺さぶる。

時という場所——超越なき「偉大」さ

ならば、このような「尊さ」をもたらすものとは、なんなのか。『道草』のなかには、「金の力で支配出来ない真に偉大なものが彼の眼に這入《はい》って来るにはまだ大分間があった」という言葉がある。ともすると「批評的作物」のところでいわれた「偉大なる強烈なる人格」を思わせがちなこの言葉が指すのは、いままで考えてきたラインでいえば、日常から離れ、これを律する、超越的ななにものかでないことは、たしかである。それは、島田を、そして健三をも、憐れな存在として映し出すものであり、彼らが、そして読者としての私たちが住んでいる場所と離れてはありえない。

漱石は、『道草』を発表することになる同じ年の正月に連載したエッセイ『硝子戸の中』で、或る女性との面会を振り返っている。彼女は、自らの愛の軌跡を「崇高」な記憶として残すために自殺を考えていた。漱石は、彼女の「美しい思い出」の創作に加担しながらも、それもまた生への執着であることに気づいていく。「崇高な愛」というイメージは、島田の金銭への執着、あるいは健三の「自己」への拘りと寸分のちがいもない。そうした執着とはなにか。漱石はこう語る——

現在の私は今まのあたりに生《い》きている。私の父母、私の祖父母、私の曾祖父母、それから順次に溯ぼって、百年、二百年、乃至《ないし》千年万年の間に馴致《じゅんち》された習慣を、私一代で解脱する事《こと》ができないので、私は依然として此《この》生に執着しているのである。

生への執着は、父母に始まってどこまでも遡りうる時間のなかで作られたものであり、一人の個人の意思がそこから脱出することなど到底不可能だ――そう考えながら漱石は、自己がその内に生きる時間のなかで、己れと他者の「生への執着」を見つめ、自己を超えたその広がりを経験している。その上で彼は、「崇高な愛のイメージ」にこだわっていた若い女のことを考えながら、こういい足す――

公平な「時《とき》」は大事な宝物を彼女の手から奪う代りに、其《その》傷口も次第に療治して呉《く》れるのである。烈しい生の歓喜を夢のように暈《ぼか》してしまうと同時に、今の歓喜に伴なう生々しい苦痛も取り除《の》ける手段を怠たらないのである。

『硝子戸の中』には、漱石自身のノスタルジックな思い出も魅惑的なトーンとともに数多く散りばめられている。「時《とき》」は、「公平」であるゆえ、それらをも「暈してしまう」だろう。けれども漱石は、そうした思い出とともに、自分自身もまた死にそうで死なないものとして、なお存在していることを確認する。この生存もまた、関係のなかで変わっていく非実体的なものという意味で仮象であるのはいうまでもない。私たちの執着を呼び起こす生は、仮象でありながら、なおそこに存在している。そうした存在の事実が現われるのもまた、時間という場所以外のなにものでもない。

「事実にして仮象」とは、一年後、すなわち漱石が死ぬ一九一六年年頭に書かれたエッセイ「点頭録」で漱石が到りつく「一体二様」という思想でもあるが、その底には、時間という場所が広がっている。それは、柄谷が取り上げた「自然」よりも、さらに深い。この場所の光が、うつろいゆくものに執着している他者と、それと本質的に変わらない自己、すなわち『道草』の憐れな人間たちを映し出す。このように考えてくるならば、「金の力で支配出来ない真に偉大なもの」とは、時間以外のなにものでもないのではないか。少なくとも私が「倫理」という言葉で考えているのは、漱石自身もかつては想定していた「人格」ではなく、私たち自身も、そこに住む、そして捉えどころのない時間という場所であり、それが『道草』という小説が書かれていった、もっとも奥底の開けだと思う。「時間のかたち」を巡る本書の最後に『道草』を取り上げた理由は、そこにある。

おわりに

郷里の家がもともと一九二三年に建てられたことは、父が死んだとき、一度だけ不動産関係の書類で見て知ってはいたが、関東大震災の前か後かは確認し忘れてしまった。私自身生まれ育った場所でもあるその空間は、今となっては暑さ寒さを遮ることができず、存命の母も施設に移った結果、物置同然になっており、先の書類も、そのどこかに紛れてしまった。子供の頃は火鉢で手を温め団扇で涼を呼んでいたのだから、生活に適さなくなったことは、ここ半世紀の地球環境の変化の証でもある。もっともこの空間は完全に死んでしまったわけではない。ときとしてそれは、思いもよらぬ仕方で過去のかたちを浮かび上がらせる。

小著をまとめ始めた頃のことだったと思う。家屋よりもおそらく古い簞笥の引き出しのなかから、数枚の写真が出てきた。包んでいた封筒には静岡浅間神社の門前町・馬場町《ばばんちょう》の写真館の名前が刻印されていた。かつて伊藤家はその区画で竹の問屋を営んでいた。なかの一枚は、祖母・伊藤すずが長男を抱いたものだ。晩年私と一緒に住んでいた祖母は、幼

すずと鐵蔵――少女二人の名前は裏に記載されてはいるものの、もはやだれなのかわからない。

い私を毎日近くの不二家に連れていっては、パラソルチョコレートを一本買ってくれた。プラスチックのその軸が束ねられていたのを、その後大分してからも見かけたことがあったが、これまた古家のどこかに隠れてしまった。抱かれていた長男・鐵蔵については、仏壇にある位牌を見ると生年は一九〇〇年とある。写真ではまだ赤ん坊だから、撮影の時期はだいたい想像がつく。私は、一九三三年に死んだ叔父とは面識がない。ただし竹屋の跡取りにして私の母の実兄だったから、彼の話はよく聞かされてきたし、肖像画も仏間に今なお架けられている。

一緒に出てきたものに、二枚のネガがあった。プリントしてみると、二枚ともスナップ写真で、そこからは鐵蔵を含む二人の青年の姿が浮かび上がってきた。従業員と思われる右の若者の背後には、結わえられた竹の束が見えるから、撮られた場所は馬場町の家だろう。時期はというと、鐵蔵の姿格好からして、一九二〇年前後だと推測される。当時写真といえば、三脚に据えられた写真機によって撮られたものと思い込んでいたから、年代的に合わない気がして、実測した四〇㎜×六三㎜というネガの大きさを頼りに、写真家でもある大学の同僚・市川靖史さんに教えを乞うたところ、一九一二年から発売されたコダックのヴェスト・ポケット・シリーズのカメラで撮られたのだろうということだった。インターネットで形状を見たら、私自身子供の頃、首からブラさげ悦に入っていた、もうシャッターの切れない古い蛇腹のカメラのことが、記憶の暗い淵から蘇ってきた。ライカ以前、ヴェスト・ポケットは比較的安価で流通していたそうだが、田舎町で、そんなカメラを入手して遊んでいた人物ということで、すずの弟のことが思い浮かんだ。すずの出身地である静岡の隣の岡部町で「シャレモン」といわれたこの男については、いち早く自転車を乗り回していたと聞いてはいるが、私自身、名前すら知らないのだから、撮影者云々は想像の域を出ない。

一九三三年といえばヒトラーが政権を取り、日本も国際連盟から脱退した年だが、世界のそんな激動とはなんの関係もなく、鐵藏は、消防現場で得た傷に入り込んだ破傷風に長らく苦しんだ挙句、没した。わずかに幸いだったのは、父親の千吉が長男の死を知らなかったことくらいだろう。維新直後江戸から流れてきた人物の子供として生まれ、竹屋の当主となっていた私の祖父は、日露戦争で受けた貫通銃創がもとで、その二年前に亡くなっている。

出てきた写真のなかには鐵藏の妹きみのポートレートもあった。彼女は嫁いで子供を産

竹屋の庭に立つ若き鐵蔵

んだが、肺結核のせいで離縁され伊藤姓に戻って死んだ。だからその位牌は、今もうちの仏壇にある。母のすずは、夫・千吉が死んだあと一九三八年、一人だけ残っていた男子・紀三郎の名義で、竹屋を廃業して得た金子《きんす》と交換するかたちで、当時は郊外だった場所に震災の年建てられた家を入手し、そこに移ったが、紀三郎もまた一九四五年にフィリピン・ミンダナオ島で戦死した。きみのものと並んだ位牌には六月二十八日とあるが、正確かどうかはわからない。いずれにせよ戦後、話を始めた古い空間には、すずと私の実母である末娘しずが残された。

竹という古風な素材のことを思えば、不慮の怪我と病気や戦争がなくても早晩没落したであろう、戊辰戦争直後まで遡れる竹問屋としての私の家の小さな物語である。

＊

「小さな物語」は、是枝裕和《歩いても歩いても》について論じたときに採り上げたが、私自身にもこうしてあるものだし、夏目漱石『道草』でいえば、健三のなかに淀んでいる養父・島田と暮らした家の光景でもある。それはだれしもが背負った過去のかたちであり、生のリアリティーの源は、おそらくそこにしかない。これと比べれば大きな視野の歴史など、あとから構成された人工物にすぎない。今もまた、人為的操作の臭いを放つ物語、私自身の用語でいえば、「有用性の蝕」を覆い隠す「神話」が、世界のそこここでまことしやかに語られ、人々を翻弄し続けている。それに対して力を以って抗することを、私自身否定するわけではないし、状況次第では、そうした抵抗に身を捧げる勇気に感動を覚えたりもする。けれどもそのような抵抗の「神話」が、遅かれ早かれ自己正当化へと傾いて固定化し、別な抑圧を生み出していくという予想は、私のなかではほとんど確信に近い。私自身は、といえば、つまらぬ過去のかたちから織りなされた現実にアンカーを落とし、わずかに開かれる方位をその都度探しながら、とぼとぼと歩いていくほかない。ただ願うのはその歩みが、歴史空間に広がる鼓舞の声のしらじらしさに気づかせるとともに、人間的限界の自覚のささやかな徴となって、その彼方からの響きを伝えてくれることである。

＊

本書は、初出一覧が示すように、いくつかの機会に話したことを基に、少しずつ書き溜めたものをまとめることによって出来上がった。第四、五章は書きおろしとしたが、その背後にも、試みられたいくつかの論考がある。

全体をまとめるきっかけとなったのは、福岡大学准教授だった宮野真生子さんが、堀之内出版に取り次いでくれたことだった。現在は社を離れたが出版の労を取ってくれた小林えみさん、そのあとを継いだ鈴木陽介さんとともに、宮野さんにも礼をいいたいが、彼女が同社に著書『出逢いのあわい』の刊行を委ねたまま故人となってしまった今、すべもなく、ただ名前を記して、その痕跡を読者諸兄姉に供するのみである。せめて彼女を知る人々だけでも、それぞれの「小さな物語」の片隅に、私からの感謝の念を書き加えていただければ、と思う。

二〇二〇年　コロナ禍のなかの夏　筆者　記す

初出一覧

序　章　書下ろし

第一章　招待学術講演Musik in den Filmen Terayama Shūjis（連続講演企画Zoom Film+Kunstgeschichte、レーゲンスブルク大学、2015年12月9日）、ならびに「寺山修司《書を捨てよ、町へ出よう》・映画における音楽の機能」『京都工芸繊維大学 学術報告書第10巻』、http://repository.lib.kit.ac.jp/repo/repository/10212/2339/、2017年）。加筆・変更の上、収録

第二章　Zeit-Raum-Vorstellung in den Filmen von Ozu Yasujirō, *Working Papers des Japan-Zentrums der LMU München, Nummer 1*, Japan-Zentrum der Ludwing-Maximilians-Universität München, 2019. 日本語化・加筆・変更の上、収録

第三章　招待学術講演「日常に潜む闇・是枝裕和《歩いても歩いても》」（リヨン第三大学、2018年11月19日）、ならびに同Über die kleinen Geschichten in den Filmwerken von Kore-eda Hirokazu（レーゲンスブルク大学、2019年10月24日）。加筆・変更の上、収録

第四章　書下ろし

第五章　書下ろし

伊藤徹（いとう・とおる）

一九五七年 静岡市に生まれる。一九八〇年 京都大学文学部卒業。一九八五年 京都大学大学院文学研究科博士後期課程研究指導認定退学。現在、京都工芸繊維大学教授（哲学・近代日本精神史専攻）。京都大学博士（文学）。

著書『柳宗悦 手としての人間』（平凡社、二〇〇三年）、『作ることの哲学——科学技術時代のポイエーシス』（世界思想社、二〇〇七年）、『芸術家たちの精神史——日本近代化を巡る哲学』（ナカニシヤ出版、二〇一五年）、『作ることの日本近代——一九一〇-四〇年代の精神史』［編著］（世界思想社、二〇一〇年）、*Wort-Bild-Assimilationen. Japan und die Moderne*［編著］（Gebr. Mann Verlag、二〇一六年）他。

《時間《とき》》のかたち

２０２０年９月14日 初版第１刷発行

［著　者］ 伊藤徹

［発行所］ 株式会社 堀之内出版
〒192-0355
東京都八王子市堀之内３丁目10-12 フォーリア23 206
ＴＥＬ：042-682-4350／ＦＡＸ：03-6856-3497
http://www.horinouchi-shuppan.com/

［装　丁］ 末吉亮（図工ファイブ）
［装　画］ モノ・ホーミー
［組　版］ はあどわあく
［印　刷］ 株式会社シナノパブリッシングプレス

ISBN 978-4-909237-54-5